IM SCHATTEN DER WEILBURG

Baden im Biedermeier

Eine Ausstellung der Stadtgemeinde Baden
im Frauenbad vom
23. September 1988—31. Jänner 1989

Konzeption und wissenschaftliche Leitung:
Johann Kräftner

Organisation:
Alexander Pfann

Ausstellungsgestaltung:
Irmgard Grillmayer

Wissenschaftliche Mitarbeiter:
Gudrun Dietrich
Kornelius Fleischmann
Alfred Frühwald
Sylvia Mattl-Wurm
Peter Weninger
Alfred Willander

Ausstellungssekretariat:
Elisabeth Gärtner

Redaktion und Gestaltung des Kataloges:
Johann Kräftner

Leihgeber:
Baden, Kaiser-Franz-Josef-Museum
Baden, Städtische Sammlungen Rollett-Museum
Wien, Akademie für angewandte Kunst, Bibliothek
Wien, Akademie für bildende Kunst, Kupferstichkabinett
Wien, Albertina
Wien - Chicago, Sammlung Rita Bucheit
Wien, Bundesamt für Eich- und Vermessungswesen, Katasterkartographie
Wien, Historisches Museum der Stadt Wien
Wien, Galerie, Antiquariat und Auktionshaus Wolfdietrich Hassfurter
Wien, Niederösterreichisches Landesmuseum
Wien, Österreichische Galerie
Wien, Österreichische Nationalbibliothek
Wien, Technische Universität, Archiv
Wien, Technische Universität, Bibliothek

CIP-Titelaufnahme der Deutschen Bibliothek
Im Schatten der Weilburg: Baden im Biedermeier ; e.
Ausstellung d. Stadtgemeinde Baden im Frauenbad vom 23.
September 1988 — 31. Jänner 1989 / [Konzeption u. wiss.
Leitung: Johann Kräftner. Wiss. Mitarb.: Gudrun Dietrich . . .].
– Baden: Grasl, 1988
   ISBN 3-85098-186-X
NE: Kräftner, Johann [Hrsg.]; Baden <Wien>

Umschlag: Kat. Nr. 273 und 522 (Vorderseite), Kat. Nr. 276 (Rückseite)

Gesamtherstellung: Druckerei G. Grasl, 2500 Baden

Verlag G. Grasl, A-2500 Baden

ISBN 3 85098 186 X

INHALTSVERZEICHNIS

Als Sponsoren ermöglichten die
Casinos Austria AG, das Amt der Niederösterreichischen Landesregierung
mit den Abteilungen Kultur, Fremdenverkehr und Raumordnung,
die Volkshochschule Baden und die Sparkasse Baden
die Verwirklichung dieser Ausstellung.

Besonderer Dank gebührt der Stadtgemeinde Baden
und ihrem Bürgermeister Hofrat Mag. Viktor Wallner,
deren Bereitwilligkeit und großzügige Unterstützung die Realisierung
dieser Ausstellung erst ermöglicht haben.

VORWORT

Die erste Hälfte des 19. Jahrhunderts war für die Stadt Baden eine Periode besonders intensiver Entwicklungen und Umbrüche. Auf glückliche Weise fallen hier die Entdekkung der Landschaft des Wienerwaldes im allgemeinen und die Bevorzugung durch das Herrscherhaus, das Baden zu seinem Sommersitz erkor, im besonderen zusammen. Ergebnis war eine wirtschaftliche Blüte, die in einem rapiden Anwachsen der Bewohner- und Besucherzahlen, einer umfassenden baulichen und schließlich auch einer kulturellen Erneuerung ihren Niederschlag fand.

Baden wurde für viele Künstler zumindest zu einem zweiten Mittelpunkt ihres Schaffens, in Architektur und Bildhauerei, Literatur und Musik setzten sie der Stadt ihre Denkmäler. Maler und Graphiker hielten in unzähligen Veduten das Leben in der Stadt und ihrer Umgebung fest. Natürlich brachten, wie anderswo auch, die Kriege des ersten Jahrzehntes mit den Franzosen, der große Brand von 1812, die Abwendung des Herrscherhauses nach dem Attentat auf den Thronfolger Erzherzog Ferdinand und schließlich der Tod des großen Gönners von Baden, Kaiser Franz I., immer wieder Einbrüche und Rückschläge; die magische Kraft der heilenden Wasser behielt aber ihre Anziehungskraft, der Bau der Eisenbahn schließlich setzte noch vor der Jahrhundertwende einen neuen Impuls, der sich auf alle Bereiche des Lebens positiv auswirken sollte.

Eine der größten Persönlichkeiten, die die Stadt selbst in dieser ersten Jahrhunderthälfte hervorgebracht hat, ist zweifelsohne Anton Franz Rollett gewesen. Seine Interessen reichten von allen künstlerischen Äußerungen der Zeit über die Errungenschaften der Epoche auf dem Gebiet der Erfindungen und neuen Technologien bis hin zu den Naturwissenschaften, denen sein besonderes Interesse galt. Seine Sammlungen, heute der Kernbestand des Rollettmuseums der Stadt Baden, bilden auch den Mittelpunkt dieser Ausstellung.

So gilt es auch, dem Leiter dieses Hauses, Herrn Regierungsrat Alfred Frühwald, der die Sammlungen wissenschaftlich geordnet und zugängig gemacht hat, in ganz besonderer Weise in meinem Namen und dem der Mitarbeiter Dank für die Möglichkeit zur Bearbeitung der Bestände und ihrer Präsentation im Frauenbad auszusprechen. In nicht weniger großzügiger Weise stellten auch der Leiter der Sammlung von Architekturblättern in der Albertina, Dr. Richard Bösel, und die Leiterin der Bibliothek und Kunstblättersammlung des Österreichischen Museums für angewandte Kunst, Dr. Hanna Egger, ihre kostbaren und gerade für Baden so wichtigen Bestände zur Verfügung. Zu danken ist schließlich auch allen anderen öffentlichen und privaten Leihgebern, ohne deren Exponate viele Aspekte nicht zu beleuchten gewesen wären.

Gedankt sei schließlich auch noch allen wissenschaftlichen Mitarbeitern, dem Organisator der Ausstellung, Kurdirektor Dr. Alexander Pfann, der unermüdlich im Hintergrund die Fäden zog, und schließlich Dipl.-Graphikerin Irmgard Grillmayer, die für die Gestaltung verantwortlich zeichnet. Ihre große Erfahrung bildete einen ruhenden Pol gerade in der Hektik der letzten Phase der Umsetzung.

Johann Kräftner
Castellina in Chianti im August 1988

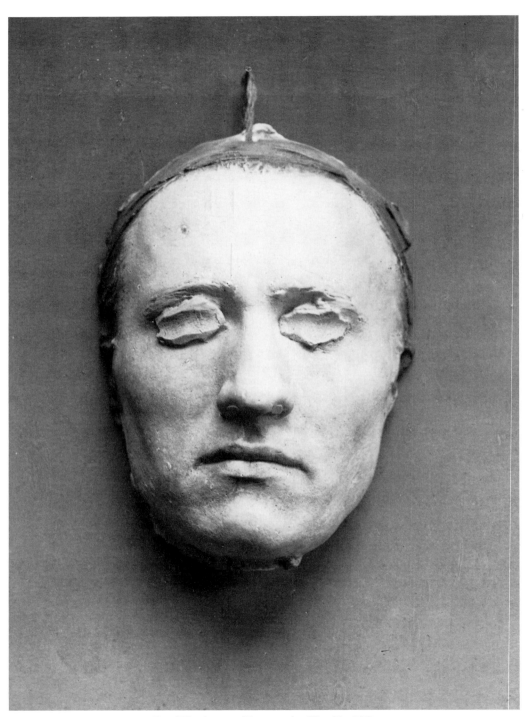

Josef Danhauser, Totenmaske (Kat. Nr. 297)

Johann Kräftner

BIEDERMEIER 1988

1815 und 1848 bilden gemeinhin die zeitlichen Grenzen für jene Periode, die mit dem Begriff Biedermeier zu umreißen versucht wird. Der Wiener Kongreß als politisches Manifest und die Revolution als Ausdruck so lange unterdrückter, nach Freiheit strebender Kräfte markieren Ausgangspunkt und Finale dieser Epoche. Grenzen, die, für den Begriff unter kulturellen Vorzeichen betrachtet, als willkürlich erscheinen müssen, vor allem hier in Baden, wo doch andere Fakten Beginn und Schlußpunkt festlegen, auch hier wieder nicht scharf, sondern ebenfalls fließend.

Joseph Kornhäusel, der Architekt des Biedermeier — oder des Klassizismus? — schlechthin, beginnt, soweit wir heute wissen, seine Tätigkeit in Baden bereits 1801 mit dem Hotel für Apollonius Hebenstreit. Mit den ab 1808 entstandenen weiteren Häusern und dem Theater erreicht er einen ersten Höhepunkt, dem um 1820 mit dem Sauerhof und der Weilburg ein zweiter folgen sollte. Mit 1836 ist seine letzte Villa belegt, wie lange er aber wirklich hier tätig gewesen ist, wissen wir nicht.

Aber auch auf anderen Gebieten, der Musik etwa, ergeben sich ähnliche Verschränkungen, die scharfe Abgrenzungen einzelner Epochen sinnlos erscheinen lassen. Ludwig van Beethovens Werk reicht aus dem letzten Viertel des 18. Jahrhunderts noch weit ins 19. Jahrhundert hinein, Klassik und erste Anklänge der sich ankündigenden Romantik finden auch hier zu einer glücklichen Synthese. Seine 6. Symphonie bereitet ein gänzlich neues Verhältnis zur Natur vor, das vor allem die literarische Entwicklung immer stärker prägen wird.

Das Geschehen in dieser Literatur wie im Theater ist ebenfalls von dieser Vielschichtigkeit geprägt, Biedermeier ist auch hier nicht mit einem enggefaßten Begriff zu umreißen, sondern subsumiert verschiedenste Strömungen, die das Lebensgefühl einer Epoche zwischen den letzten noch spürbaren Ausklängen der liberalen Tendenzen des Josephinismus, dem Aufbruch der Freiheitskriege und dem repressiven System der herrschenden Staatsmacht umfaßt.

Biedermann und Bummelmeier wurden in sehr einseitiger Sicht der Dinge zu Spießbürgern schlechthin gestempelt, die ihr Leben zwischen den kanalisierten öffentlichen Freuden und der Existenz in trauter Häuslichkeit, geborgen in der Idylle der wohlausgestatteten eigenen vier Wände, verbrachten.

Gerade wir aber haben in den letzten Jahren gelernt, in dieses von der Historiographie scheinbar so lückenlos ausgeleuchtete Puppenküchenscenario ein wenig tiefer hineinzuleuchten und sind dabei über weite Bereiche zu einer neuen, spannenden, ja aufregenden Sicht dieses Kosmos gekommen. Wir mußten erkennen, welchen ungeheuren Aufbruch diese Zeit in wirtschaftlicher und sozialer Hinsicht brachte, welche Kräfte etwa eine Maßnahme wie die Kontinentalsperre freisetzen konnte, um nicht mehr verfügbare Güter fast schlagartig durch neue zu ersetzen. Die tägliche Ration Zucker, heute bei uns im Überfluß produziert, verdanken wir etwa diesen Bemühungen, im Ausland beziehungsweise in Übersee produzierte Waren durch eigene Ressourcen und Erzeugungen zu ersetzen.

Große Erfindungen wurden gemacht, die mit rasender Geschwindigkeit auch ihre wirtschaftliche Umsetzung gefunden haben und oft innerhalb kürzester Zeit große Men-

Norbert Bittner, Versteinerung eines Seesternes (Kat. Nr. 527/1)

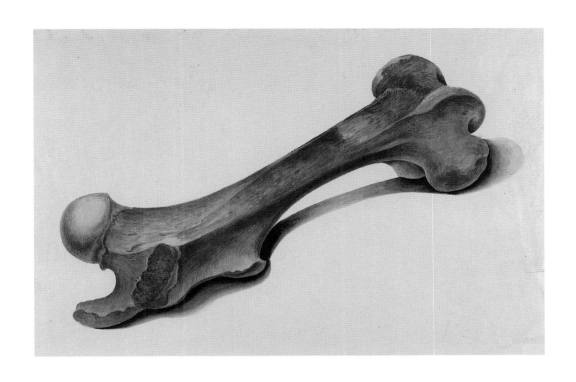

Fossiler Rhinozerosknochen (Kat. Nr. 527/5)

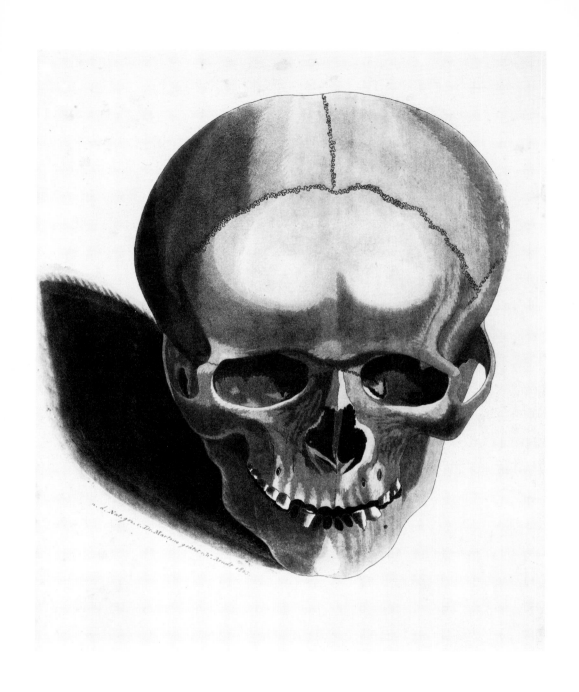

Franz Heinrich Martens, Schädel (Kat. Nr. 520)

Johann Baptist Ritter von Lampi d. Ä., Dr. Franz Joseph Gall (Kat. Nr. 518)

Adalbert Stifter, eines der letzten Fotos (um 1866)

schenmassen von einem Beruf in den anderen stießen. Spinner und Weber sind hier in Baden und seinem Umkreis ein prägnantes Beispiel dafür, wie diese wechselnden Konstellationen ganze Berufsgruppen in einen bescheidenen Wohlstand führten oder aber auch in finanziellen Ruin und damit in neue Abhängigkeiten.

Aber nicht nur in so technisch-nüchternen Bereichen spielten sich diese Revolutionen unpolitischer Art ab, auch in den Künsten gab es ähnlich einschneidende Umwälzungen und Neuerungen. Die Lithographie gab den Künstlern ein ganz neues Ausdrucksmittel in die Hand, das, zuerst nur zögernd aufgenommen, dann doch bald akzeptiert worden ist und vor allem erstmals fast unbegrenzte Verfielfältigungszahlen ermöglichen sollte. In der Musik öffnete die Verbesserung der Mechanik der Klaviere ganz neue Tore, in der Architektur hielt das Material Gußeisen Einzug und regte sofort zu kühnen Konstruktionen an. Wie die erste gußeiserne Brücke der Monarchie, die in Baden stand (Luisenbrücke) und bereits bei ihrer Eröffnung einstürzte, ging man manchmal, von kühnem Impetus getragen, auch zu weit.

Auch die Naturwissenschaften erlebten im Sinne eines gänzlich neuen Verhältnisses zu Natur und Umwelt eine Blüte und legten mit ihrem Forschereifer wesentliche Grundlagen zu Weiterentwicklungen auf anderen Gebieten. Parallel dazu entdecken auch fast alle künstlerischen Ausdrucksformen wieder einmal die Landschaft für sich. Architekten wie Kornhäusel setzen ihre Bauten mit Vorliebe in die unberührte Landschaft, für die sie ganz neue Gebäudetypen entwickeln. Ganze Architekturparks entstehen, die fürstlich Liechtensteinischen Besitzungen in Eisgrub, aber auch in der allernächsten Nähe von Baden, in der Brühl, wo sich heute noch der Husarentempel als eindrucksvolles Monument erhebt, sind Beispiele dafür. Der Kurpark in Baden, die Langschen Anlagen im Anschluß an ihn und unzählige weniger umfangreiche Projekte zeugen von jenem neuen Verständnis, das Architektur und Natur zum Gesamtkunstwerk schlechthin zu vereinigen versuchte.

Auch die Maler entdeckten diese Landschaft, zogen hinaus und hielten sie in ihren umfangreichen Skizzenbüchern, wie Thomas Ender etwa, fest, um dann die wichtigsten dieser Verduten in Stichwerken herauszugeben. Die künstlerische Auseinandersetzung mit dem Sujet bildete den einen Teil der zu bewältigenden Aufgabe, die Umsetzung zugkräftiger Landschaftspartien in Stichen als neues Mittel einer erstmals einsetzenden Werbung um den Fremden den zweiten.

In der Dichtkunst gipfelte der Landschaftskult in Adalbert Stifters „sanftem Gesetz", dem ersten großen Manifest für einen pfleglichen Umgang mit der Natur, noch längst bevor deren durch die Industrialisierung und ihren unstillbaren Bedarf an Rohstoffen erst voll einsetzende Ausbeutung durch den Menschen zu einem Problem geworden war. In seinem „Nachsommer" liefert er eine faszinierende Vision jener Denkungsart, die uns heute, die wir vielfach nur mehr am Sterbebett alles organisch Gewachsenen stehen, als lange überhörter Apell eines trotz seiner Erfolge viel zu wenig beachteten Außenseiters erscheinen muß.

Die Produktion großer Massen von Konsumartikeln erlaubte es erstmals, nicht nur für die Elite zu produzieren, sondern Qualität einer breiteren Schicht der Bevölkerung anzubieten. Joseph Ulrich Danhausers Möbelfabrik, nach seinem Tod durch den Sohn Josef Danhauser weitergeführt, ist ein Paradefall für diese neue Art der Produktion und Vermarktung. Erstmals wurden ein Projekt wie das Möbel, aber auch alle anderen Ausstattungsgegenstände, nicht mehr nur als kostbare Einzelstücke verstanden und produziert, sondern in großen Stückzahlen erzeugt. Verkauft wurden sie über einen Katalog,

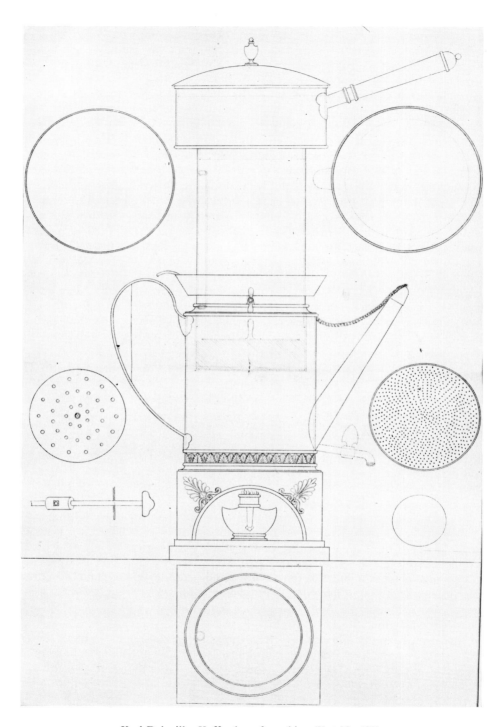

Karl Delavilla, Kaffeedampfmaschine (Kat. Nr. 409)

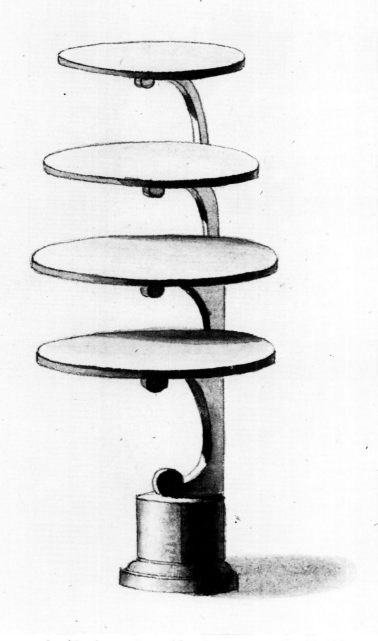

Josef Danhauser, Entwurf für „Servant N° 33" (Kat. Nr. 314)

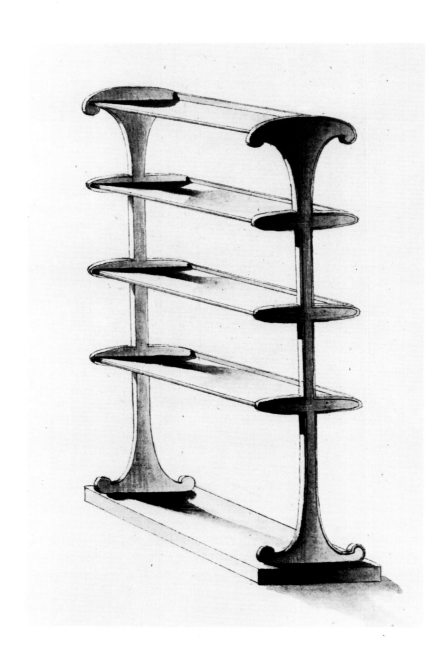

Josef Danhauser, Entwurf für „Nottenstelle N° 10" (Kat. Nr. 315)

in dem die Artikel in gleicher Weise für den Kunden aus dem Herrscherhaus wie für den einfachen Bürger, so er das nötige Geld aufbringen konnte, wohlfeil waren.

Die Masse tritt also als neue Größe auf, in der Produktion in gleicher Weise wie in den gesellschaftlichen Strukturen. Auf der einen Seite ermöglichte sie erst Blüte und Wohlstand, auf der anderen Seite war sie es aber auch, die dieses System und die darin herrschende Minderheit bedrängte; die Revolution des Jahres 1848 sollte hier nur jenen Druck ablassen, der sich durch die Jahrzehnte davor schon aufgebaut hatte.

Die Freiheit mußte man weitab der Politik in Kunst und Mode, Architektur und Malerei suchen — und man fand sie auch, wußte die gebliebenen Freiräume auch zu nutzen. Bei Tanz und Musik konnten Menschen einander ungehindert näherkommen und ihre Ideen auch im größeren Kreis untereinander austauschen, in der Architektur privater Auftraggeber wurden gänzlich neue Bauaufgaben in beispielhafter Weise in neue Formen umgesetzt. Joseph Kornhäusels Bau des Sauerhofs zum Beispiel versteht die neue Aufgabe des Hotels in einer ungeheuer beschwingten und eleganten Form zu lösen, die in krassem Gegensatz zur Badekaserne des Petershofes steht.

Dieser Rationalismus, von der Funktion ausgehend, aber wie bei Kornhäusel gepaart mit einem Schuß Noblesse und Eleganz, beherrscht auch die Formgebung der Zeit, die nicht nur uns heute in besonderem Maße anspricht. Klare Linien beherrschen Möbel und Gebrauchsgegenstände, die oft stark betonte Vitalität starker Farbigkeit unterstreicht zusätzlich die Aussage der primären Formen. Blümchen und Streifchen besaßen lange nicht jene Bedeutung, die ihnen lange Zeit, bis in die unmittelbare Gegenwart herauf, beigemessen worden sind; erst durch die Reduktion der ästhetischen Mittel oft bis auf das Letztmögliche erreichen sie ihre überzeugende formale Aussage. Daß es gleichzeitig auch andere, stark romantisierende Tendenzen gab, die schließlich im Historismus mündeten, soll hier nicht verschwiegen werden. Überall deuteten sie sich an; im Möbelbau werden sie etwa ab 1830 auch bei Josef Danhauser spürbar, als langsam aber beharrlich ein zweites Rokoko aufzutauchen beginnt. Rationalismus und Romantik stehen hier in einem sehr frühen Widerspruch; ein Gegensatz, der auch schon früher in den Möbeln der Danhauserschen Fabrik zum Ausdruck kommt. Viel mehr als nur durch die Funktion bedingt baut er stark asymmetrische, bizarre, im wahrsten Sinne des Wortes „schräge" Möbel, wie sie auch heute wiederum auftauchen und als Designprodukte den Markt beeinflussen. Hans Hollein etwa hat auf dem Grenzgang seines künstlerischen Schaffens immer wieder solche Produkte kreiert.

Deutliche Parallelen zur Gegenwart tauchen hier also auf, in der auch vor einigen Jahren eine Periode der Formlosigkeit durch eine von rigider Form beherrschten abgelöst worden ist und nun neuerlich ein Umkippen in die Formlosigkeit zu bemerken ist.

In der Architektur war es der Rationalismus, der, sich am Kanon der Antike und des Klassizismus orientierend, zu neuen formalen Aussagen fand, schon bald aber gänzlich mißverstanden im ausweglosen Kitsch der Postmoderne endete, die nur kurze Zeit als möglicher Weg, als Strohhalm erschien. Jetzt diktiert ein neuer formloser, freier Konstruktivismus die Avantgarde, die Lösungen sind ähnlich schräg, bizarr, aus der Norm, wie die erwähnten Möbel des Josef Danhauser. Daneben macht sich — und auch hier wieder eine Parallele — zweifelsohne auch ein neuer Historismus bemerkbar, der das so lange verpönte Ornament wieder handelsfähig macht. Er blüht überall, in unseren Städten, in den Dörfern, wo neue Architektur nur wenig Chancen hat, der Restauration das Wort geredet wird. Der neue Historismus diktiert die Bautätigkeit des kleinen Mannes wie die der öffentlichen Hand, die wieder einmal im Ornament erstickt.

Josef Danhauser, Entwurf für „Thetisch N° 34" (Kat. Nr. 317)

Josef Danhauser, Teetisch (Kat. Nr. 321)

Josef Danhauser, Entwurf für „Canapee N° 41" (Kat. Nr. 304)

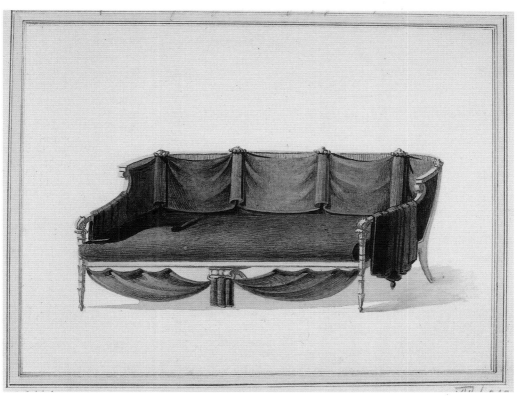

Josef Danhauser, Entwurf für ein Kanapee (Kat. Nr. 301)

Josef Danhauser, Entwurf für ein Kanapee (ÖMAK, Inv. Nr. XVIII Z2445)

Etagere (Kat. Nr. 326)

Etagere aus der ehem. Villa Figdor in Baden (Kat. Nr. 320)

Tisch (Kat. Nr. 327)

Stuhl (Kat. Nr. 332)

Standleuchter (Kat. Nr. 382)

Kerzenleuchter mit Hütchen (Kat. Nr. 381)

29

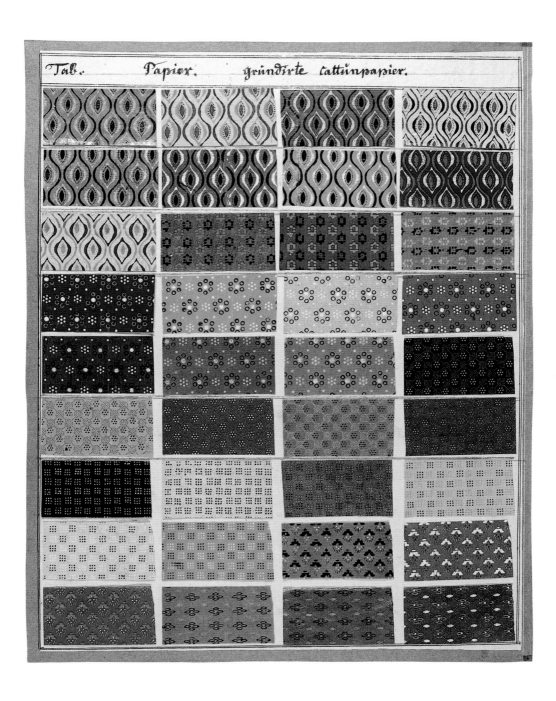

Mustertafel mit grundierten Cattunpapieren (Kat. Nr. 455)

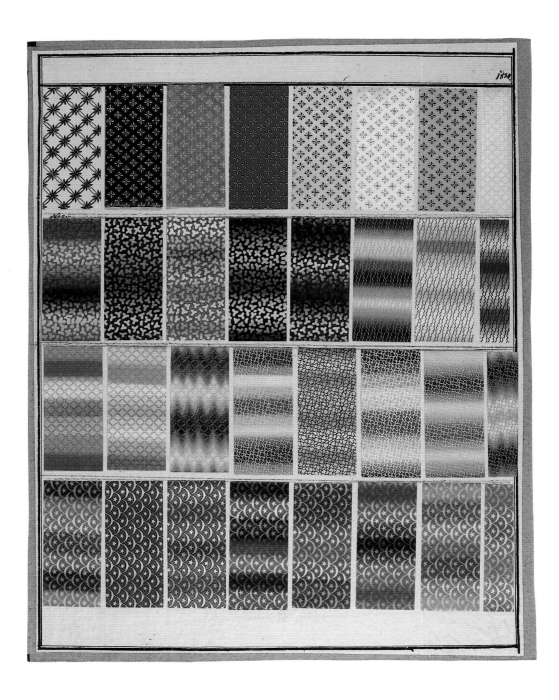

Mustertafel mit Fantasie-Papieren (Kat. Nr. 452)

Modell eines Damast-Webstuhles (Kat. Nr. 416)

Modell einer Dampfmaschine (Kat. Nr. 413)

Nächste Doppelseite: Luisenbrücke (Kat. Nr. 237)

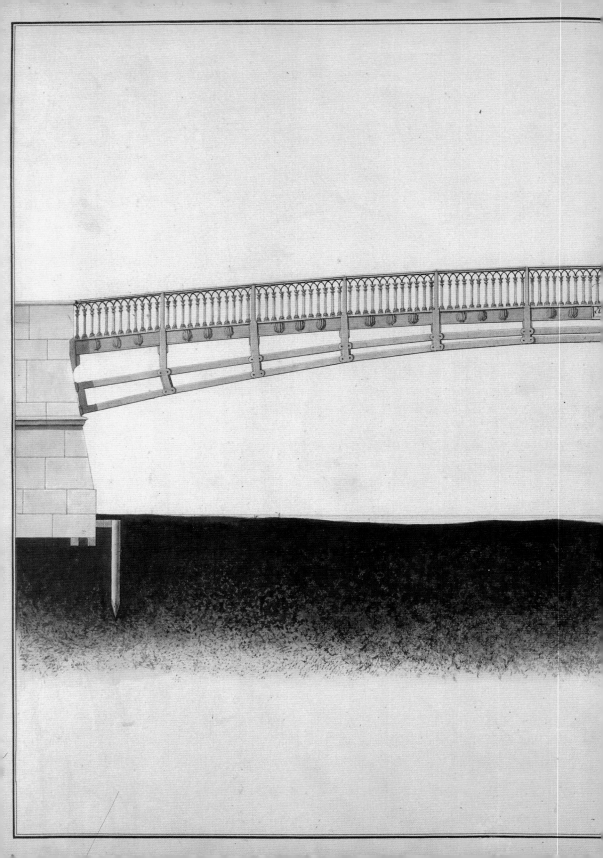

Johann Baptist Ritter von Lampi d. Ä., Anton Franz Rollett (Kat. Nr. 360)

Alfred Frühwald

ANTON FRANZ ROLLETT (1778—1842)
Arzt, Schriftsteller, Naturforscher, Kunstfreund

Der Kern der Objekte dieser Ausstellung entstammt dem Städtischen Rollett-Museum und dem Archiv der Stadt Baden. Dessen Bestände gehen zu einem großen Teil auf die Sammlung des Anton Franz Rollett zurück, die von seinem Sohn Hermann wesentlich vermehrt und von dessen Erben der Stadt Baden geschenkt worden ist. 1869 wurde die Sammlung im ehemaligen Augustinerkloster aufgestellt, 1885 in das Redoutengebäude und nach dessen Abbruch 1908 ins frühere Armenhaus übertragen. 1912 wurde sie in das durch die Zusammenlegung der Gemeinde mit Baden funktionslos gewordene ehemalige Weikersdorfer Rathaus verlegt und dort mit dem Stadtarchiv vereinigt. Eine wesentliche Erweiterung erfuhr der Museumsbestand durch eine größere Spende von Aquarellen aus der Sammlung Perger. Schwere Einbußen brachten für das Museum der erste und der zweite Weltkrieg, vor allem nach 1945 wurden die Bestände durch die Verwendung des Kellers des Museums als Gefängnis durch die russischen Besatzungstruppen stark in Mitleidenschaft gezogen.

Anton Franz Rollett kam am 2. August 1778 als dreizehntes Kind einer mittellosen Rotgerberfamilie in Gutenbrunn bei Baden zur Welt. Mit dreizehn Jahren trat er in die Lehre eines tüchtigen Badener Chirurgen ein, unter dessen Anleitung er sich durch Fleiß und Talent so geschickt erwies, daß er über Empfehlung einer adeligen Dame 1795 vom Primararzt des Wiener Allgemeinen Krankenhauses, Dr. Sartory, als Assistent aufgenommen wurde. Mit besonderem Eifer bildete er sich durch den Besuch der Vorlesungen von J. P. Frank, N. Jacquin und anderen Gelehrten an der Wiener Universität in der Chirurgie, Pathologie, Chemie und in den Naturwissenschaften weiter. 1796 erwarb er das Diplom als Wundarzt, 1798 das Diplom als Magister der Geburtshilfe und der Tierheilkunde.

Mit einundzwanzig Jahren ließ er sich als Wundarzt in Piesting nieder und übersiedelte 1801 nach Baden, um seine Bildung zu erweitern. Unermüdliche Tätigkeit in seinem Beruf, insbesondere die gewissenhafte Behandlung der Patienten und mehrere erfolgreiche Kuren machten ihn zu einem sehr beliebten und gesuchten Arzt in der Kurstadt und ihrer Umgebung.

Zwölf Jahre leitete er unentgeltlich die ärztliche Versorgung des 1813 für arme, mittellose Personen errichteten Marienspitals, an dessen Gründung er einen wesentlichen Anteil hatte.

Als Landgerichtsarzt obduzierte er am 6. September 1836 den Leichnam des durch Selbstmord verstorbenen Dichters Ferdinand Raimund in Pottenstein. Er selbst starb am 19. März 1842 in Baden im Alter von vierundsechzig Jahren an einem Lungenleiden.

In seiner karg bemessenen Freizeit widmete er sich schriftstellerischen Arbeiten, naturwissenschaftlichen Studien und Forschungen, vor allem aber seinen umfangreichen Sammlungen, für die er ausführliche handschriftliche Kataloge verfaßte und die jedem Interessierten zugänglich waren.

In seinem Garten betreute er mehrere hundert von ihm selbst gezogene Edelobstbäume und botanisch merkwürdige Pflanzen. 1818 ernannte ihn die k. k. Landwirtschafts-Gesellschaft in Wien zu ihrem Mitglied.

Philoktet von Johann Ender aus dem Gästebuch von Anton Franz Rollett (Kat. Nr. 502)

Die Sammlungen umfaßten: eine Mineraliensammlung mit zahlreichen Petrefakten aus der Umgebung von Baden; ein Herbarium von ungefähr vierzehntausend Pflanzenarten, darunter die vollständige Flora von Baden und Umgebung; eine reiche Sammlung von Hölzern und Samen von Forst- und Zierpflanzen; eine fast vollständige Konchylien- und Zoophytensammlung mit allen Badener Konchylien, Präparate aller Säugetiere bis zur Hirschgröße und vieler Vögel und deren Eier aus dem Gebiet des österreichischen Kaiserstaates; Amphibien, Würmer, Fische und Insekten aus der Umgebung von Baden.

Die technologischen Sammlungen enthielten mehrere tausend Exponate von Naturprodukten und dokumentierten deren stufenweise Verarbeitung zu Endfabrikaten. Umfangreich ist auch die Sammlung weiblicher Handarbeiten und Muster von Textilprodukten aus der Zeit ab 1790.

1825 überließ der Anatom F. J. Gall, der Begründer und führende Vertreter der Phrenologie, Rollett seine Schädelsammlung.

In einer numismatischen Sammlung befanden sich antike, mittelalterliche und zeitgenössische Münzen und Medaillen mit einem besonders reichen Bestand französischer Medaillen.

Rolletts Bibliothek umfaßte an die fünftausend Bände aus verschiedensten Wissensgebieten und viele Kupferstiche unterschiedlichsten Darstellungsinhalts.

Verzeichnis seiner eigenen Schriften

Auswahl verschiedener Lieder und Gedichte, ohne Ort 1798 — Schematismus der landesfürstlichen Stadt Baden in Niederösterreich und des Merkwürdigsten der nächst umliegenden Gegend, Baden 1805 — Kleine Fauna und Flora von den Gegenden um Baden, Baden 1805 — Medizinisch-chirurgisches Archiv von Baden in Niederösterreich (mit Dr. Schenk), Baden 1805 — Hygieia, Ein in jeder Rücksicht belehrendes Handbuch für Badens Curgäste, Baden 1816 — Ferdinand Raimunds Schädel, Baden 1836 — Beiträge für Andre's „Patriotisches Tageblatt", „Kirchliche Topographie", „Vaterländische Blätter für den österreichischen Kaiserstaat" und andere Journale.

Literatur und Quellen

Rollett Anton Franz, Handschriftlicher Nachlaß 1795—1842, Städt. Sammlungen - Archiv/Rollettmuseum der Stadtgemeinde Baden, 1981 — Rollett Hermann, Neue Beiträge zur Chronik der Stadt Baden bei Wien, Baden bei Wien (abgeschlossen 1899) — C. v. Wurzbach, Biographisches Lexikon des Kaiserthums Österreich, Wien 1874 — Gräffer und Czikann, Österreichische National-Enzyklopädie, Wien 1835.

Tab. IV. 6.

Vorderer Theil der Ruine.

Die ausgebrannte Frauenkirche (Kat. Nr. 21)

Alfred Frühwald

MARGINALIEN ZUR GESCHICHTE DER STADT BADEN VON 1800 BIS 1850

(Nach: Johann Walter, Geschichte der Stadt Baden, Baden 1905)

Johann Walter (1843—1926) erlebte als Sohn des Oberlehrers Franz Walter (1808—1872) gewissermaßen als Zeitzeuge die Entwicklung Badens im 19. Jahrhundert.

1800

Baden zählt nach der Volkszählung 1930 Einwohner. Gutenbrunn und Leesdorf gehören zu selbständigen Herrschaften, die Häuser in der Antonsgasse und der Heiligenkreuzerhof gehören nicht zur Stadt. Der starke Besuch Badens regt die Baulust an und zur Verbesserung der Ortsverhältnisse geschieht vieles, was sonst unterblieben wäre.

Von einer Gesellschaft von Badegästen wird nach Plänen des Hofarchitekten Louis Montoyer der Türkische Kiosk errichtet, der die Inschrift „Von einer Gesellschaft dem Publikum gewidmet" trägt.

Der zwischen dem Redouten- und Schulgebäude noch stehende Rest des Turmes der Burg Baden wird abgetragen. Die Steine verwendet man zum Bau von Kanälen für den Ablauf des Regenwassers.

Da das Schulhaus (in der Pfarrgasse 16), in dem nur zwei Zimmer für den Unterricht verfügbar sind, für die anwachsende Schülerzahl (350) zu klein ist, beginnt die Gemeinde im Frühjahr den bereits 1797 beschlossenen Bau einer Schule an der Ecke der Pfarrgasse und des Pfarrplatzes. Das alte Schulhaus wird als Wohnung des Türmers und Mesners bestimmt. Damals wirkt Anton Stoll als Schullehrer und Regenschori in Baden. Für ihn schreibt Mozart das Ave verum. In der zweiklassigen Trivialschule, wie sie Baden hat, gibt es außer Religion nur Lesen, Schreiben und Rechnen, wozu noch allenfalls eine praktische Anweisung zur Abfassung einiger Aufsätze kommen darf. Die nächste unmittelbare Aufsicht über jede Trivialschule ist dem Ortsseelsorger anvertraut, der über den Lebenswandel des Schullehrers, den Fleiß und die Sittlichkeit der Schüler und „über das Anhalten der Eltern in Hinsicht auf das Schicken ihrer Kinder zur Schule" zu wachen hat. Für jede Trivialschule hat das Ortsgericht im Einvernehmen mit dem Ortsseelsorger der Ortsobrigkeit den Ortsschulaufseher vorzuschlagen, der im Namen der Gemeinde die Aufsicht über die Schule führt, was er ohne Entlohnung zu tun hat. Im Magistrat der Märkte und Städte hat er nach den Magistratsmitgliedern den ersten Rang, hinter ihm rangieren Steuereinnehmer, Kämmerer und die Polizeikommissarien.

1801

Die Stadt leistet zum Kanalbau 600 fl. Dafür muß der Kanal das Badablaufwasser aufnehmen, auch hat die Stadt das Recht, sämtliche Wasserkanäle hineinzuziehen.

Philipp Otto, der Erbauer des Casinos am Hauptplatze, läßt 1801 auf dem Platz vor der Kirche zu St. Helena „zum Vergnügen der Badegäste" ein hübsches einstöckiges Kaffeehaus errichten. Es wird um 1814 von dem Traiteur Daniel Walter in eine vielbesuchte Restauration, später in ein Brauhaus umgestaltet. 1881 befindet sich daselbst Sachers Kaltwasser-Heilanstalt.

Nach Aufzeichnungen aus diesem Jahr ist das Neubad das billigste Bad, da die Person nur 3 kr. zahlt. Hier hat vor Errichtung des Petersbades die badebedürftige Militärmannschaft gebadet. Auch wird es von den minder vermögenden Leuten und vorzüglich von den Israeliten besucht. In dem feinsten Bade, dem Frauenbad, zahlt man 24 kr., im Herzogsbad 8 kr. für die Gesellschaftsbäder.

Der neben dem Theater stehende und vom Wiener Hofarchitekten Louis Montoyer geplante Redoutensaal wird fertiggestellt. Bauherr ist Johann Georg Wilhelm, der auch das Theater betreibt.

1802

1802 kauft Zacharias Christ von der Familie Drescher das Johannesbad und errichtet neben dem Badegebäude ein neues Wohnhaus.

1803

Laufend werden die Badegebäude Verbesserungen unterzogen: Das Neubad wird überholt, man beginnt, an das ursprüngliche Rechteck des Josefsbades nach dem Muster des Tempels der Vesta in Rom einen überkuppelten Rundbau anzufügen.

1804

Die Befestigung der Stadt hat schon längst ihre Bedeutung eingebüßt, sie ist nur mehr ein lästiges Verkehrshindernis und hemmt die bauliche Entwicklung der Stadt. Von den sechs noch bestehenden Stadttoren werden das Renntor und das Theresientor abgebrochen, „um die Reinlichkeit zu befördern und Luft und Licht Eingang zu verschaffen".

Ein Mittel, die Situation der Stadt in gesundheitlicher Beziehung zu heben, war der Bau von Kanälen für die Abwässer. Bis 1804 ließ man sie aus den Häusern auf die Gasse rinnen. 1804 läßt Bürgermeister Ignaz Stadler den ersten Kanal durch das Wasserviertel (die Wassergasse) ziehen. Auch eine bessere Reinigung der Gassen findet statt. Während man früher nur für die Reinigung des Hauptplatzes gesorgt hat, werden die Gassen und Plätze nun dreimal in der Woche gekehrt.

Als Kaiser Franz sich am 14. August 1804 zum ersten Erbkaiser von Österreich erklärt, findet die feierliche Verkündigung dieses Ereignisses auch in Baden auf dem Hauptplatz von einer Tribüne aus durch den damaligen Kreishauptmann Haager statt.

1805

Im Mai erscheint zum ersten Mal ein gedrucktes Verzeichnis der Badegäste, die erste Kurliste also unter dem Titel „Verzeichnis der verehrungswürdigen Baad- und Kurgäste, welche im Jahre 1805 die heilsamen Schwefelbäder der lf. Stadt Baden besucht haben". Das Verzeichnis umfaßt auf 120 Seiten 60 Nummern mit 2189 Parteien. Bis dahin hat es nur geschriebene „Listen der anwesenden Kurgäste" gegeben.

Am 13. November sieht Baden nach einem Zeitraum von 122 Jahren wieder den Feind in seinen Mauern. 1400 Mann Franzosen rückten von Heiligenkreuz her durch das Helenental kommend unter General Cafarelli in Baden ein. Die Badener hatten schon vorher die Stadtschriften im Rathaus an verborgenen Orten vermauert. Der Platzkommandant Laval, der General Legrand mit noch zwei anderen Generälen und einem Feldkriegskommissar, 150 Offiziere mit mehr als 900 Gemeinen und der spätere Marschall Soult nehmen in Baden Quartier.

In der aufgelassenen Frauenkirche errichtet man Backöfen, im Heiligenkreuzerhof (jetzt Leopoldsbad) das Magazin für Fourage, im Mariazellerhof das Magazin für Schlachtvieh. Nicht nur die Stadt Baden, sondern auch die umliegenden Ortschaften müssen für die französischen Truppen Mehl, Hafer, Heu und Stroh liefern.

Zur Aufrechterhaltung der Ordnung werden über Aufforderung des Magistrates aus Bürgern und Bürgerssöhnen bestehende Bürger- und Patrouillewachen errichtet, die mit Gewehren bewaffnet werden. Hauptmann der Bürgerwehr ist der Bürgermeister Martin Mayer. Die Einwohner Badens werden durch das französische Militär, das sie in ihren Häusern verpflegen müssen, hart mitgenommen. Am 23. November verlangen Offiziere Quartiere für 1300 Mann.

General Gautier will in Baden in jedem Hause 34 Mann einquartieren und verlangt um 5 Uhr, daß bis 8 Uhr abends 3600 Pfund (2016 Kilo) Brot, 2400 Pfund (1344 Kilo) Fleisch und 500 Paar Schuhe geliefert werden. Da das in Baden nicht aufgebracht werden kann, stimmt der General zu, die anderen Orte mit einzubeziehen. Bis abends 10 Uhr ist das Verlangte beisammen.

Während dieser Einquartierung verlangt der General, der als Stadtkommandant im Metternichschen Hause untergebracht ist, vom Magistrat Baden eine Brandschatzung von 6000 fl. C. M., die auch bezahlt wird.

Am 26. Dezember 1805 hält Napoleon bei Traiskirchen Revue über die Truppen des Generals Legrand.

Das Auswechseln der entwerteten Bankozettel gegen Silbergeld gibt auch Gelegenheit, die Stadt zu bedrängen. Legrand fordert die Auswechslung von 5000 fl. Bankozettel gegen Silbergeld. Beim damaligen Kurs erhält man für 5000 fl. Bankozettel nur 3000 fl. in Silber. Da die Stadt nicht das nötige Silbergeld besitzt und dieses zur Vermeidung von Unannehmlichkeiten sofort zu liefern ist, schaffen Jakob Geles und Isaak

Schischa das nötige Silbergeld, 1471 Kronentaler, gegen 60 % Rabatt herbei. 1805 bezieht Schischa das Haus Nr. 509 in der Bäckerstraße (jetzt Breyerstraße), wo er seine Traiterie weiterführt, die bis 1871 besteht. Anfang der vierziger Jahre errichtet der Sohn Schischas, Leopold, der 1850 die Heimatberechtigung in Baden erhält, in diesem Haus ein kleines, jüdisches Bethaus.

1806

Nach dem Preßburger Friedensschluß verlassen die Franzosen am 11. Jänner die Stadt und schleppen Pferde und Wagen mit fort.

Auf Kosten Erzherzog Antons, Graf Aichelburgs, Graf Dietrichsteins und des Stadtbaumeisters Anton Hantl wird der gewölbte, schliefbare Hauptkanal in der Wiener-(jetzt Antons-)Gasse hergestellt und diese Strecke gepflastert, was 28.000 fl. Bankozettel kostet. Eine Ableitung dieses Kanals an die Gleichweitgasse (jetzt Mühlgasse) stellt der Magistrat her.

Die Gräfin Alexandrowitsch kauft am Mitterberg Weingärten und läßt unter großen Opfern, manchmal selbst mitarbeitend, die nach ihr benannten Anlagen und an den reizendsten Aussichtspunkten Ruheplätzchen herstellen. Sie stirbt am 11. September in ihrem Hause zu Weikersdorf (Helenenstraße 26).

1807

In den Sommer dieses Jahres fällt der erste historisch verbürgte Aufenthalt Ludwig van Beethovens. Die Messe in C-Dur für den Fürsten Esterházy und die Arbeit an der 6. Symphonie fallen in diese Zeit.

1807—1812 legt der Fabriksbesitzer Freiherr von Lang die umfangreichen Gartenanlagen auf dem Badener Kalvarienberg an. Mit ungeheuren Kosten wird auf den verwitterten, kahlen Kalkfelsen der Natur ein Park abgetrotzt. Lang läßt Felsen sprengen, Lusthäuser errichten, die Wege mit denen des Stadtparks verbinden, Grotten anlegen und Neuanlagen mit einer Mauer umgeben. Baron Lang, dem die Stadt in Anerkennung seiner großen Verdienste das Ehrenbürgerrecht verleiht, stirbt im Jahre 1820.

1808

Die Verwaltung der Gemeinde besorgt nach den noch immer geltenden Josefinischen Gesetzen der Magistrat, über dessen Zusammensetzung ein von dem überaus regen und umsichtigen Bürgermeister Martin Mayer angelegtes Gedenkbuch ausführliche und genaue Kunde gibt. Es ist ein stattlicher Band, in Leder mit Gold- und Farbendruck gebunden. Das erste Blatt trägt in schöner Schrift die Worte: „Gedenkbuch für die k. k. l. f. Stadt Baden, gewidmet von ihrem Vorsteher und Bürgermeister Martin Josef Mayer. 1808."

1809

Das Flischertor samt dem Torwächterstöckl wird abgebrochen, nachdem Baumeister Anton Hantl das erstere um 714 fl., das letztere um 100 fl. dem Magistrat abgekauft hat. Hantl kauft auch das Wienertor mit der daranstoßenden Turnermeisterwohnung und der Stadtmauer, die sich um die Kirche herumzog, um 800 fl. und reißt 1810 Tor und Mauer nieder. Das Turnerhaus (Turmwächterwohnung), später Schönbichlerhaus genannt, wird erst im Juni 1890 niedergerissen. 1811 verschwindet das Spital- oder Heiligenkreuzertor, 1813 das Frauentor. Mit den Toren fallen auch die Mauern, der Graben wird aufgefüllt. Die Kanalbauten werden in größerem Umfang weitergeführt und 1816 vollendet. Die Kosten für die Hauptkanäle trägt das Kammeramt, die Kosten der Nebenkanäle die Hausbesitzer.

Die zweite französische Invasion dauert sechs Monate, vom 12. Mai bis 28. November. Die fortgesetzten feindlichen Durchmärsche und Einquartierungen, Kontributionen, Spitaleinrichtungen, Vorspanns-Wertbotendienste usw. verursachen Kosten im Betrage von 55.363 fl. 26 kr. W. W. In Gutenbrunn allein belaufen sich die Kosten auf 27.708 fl. Stadt und Bürgerschaft werden abermals in beträchtliche Schulden gestürzt.

Am 21. Mai plündern die Soldaten in Vöslau, Gainfarn und anderen Orten, am 1. Juni wieder in der Umgegend Badens, besonders in Gaaden und Siegenfeld, wo die Soldaten 200 Kühe wegtreiben.

Am 13. Juni wird den „hierortigen Traiteurs der Judenschaft", Jakob Geles und Isaak Schischa, die obrigkeitliche Bewilligung erteilt, sich nach Ungarn zu begeben, um dort der Stadt Baden durch Herbeischaffung der nötigsten Lebensmittel an die Hand zu gehen und Viktualien einzukaufen. Die Vorräte an Wein waren im Etappenmagazin durch die vielen durchziehenden Truppen vollständig aufgezehrt.

Am 15. Juni muß die Stadt zur Feier des Geburtstages des Kaisers Napoleon illuminiert und der in Baden stationierten Kürassiermannschaft eine Festtafel gegeben werden. Obwohl es an der nötigen Stimmung fehlt, muß am 27. August auf Befehl des Platzkommandanten in der Redoute ein Ball abgehalten werden.

Am 1. Oktober besucht Napoleon von Schönbrunn aus seine Soldaten in Baden, die Bäder und das Helenental. Er besteigt auch den Turm der Ruine Rauhenstein und soll die Schönheit des Tales bewundert haben. Ende Oktober gibt er dem Herzog von Friaul den Auftrag, dem Badener Arzt Dr. Karl Schenk für die Pflege der französischen Verwundeten 300 Napoleondor auszuhändigen. Am 27. November 1809 ist Baden vom Feinde befreit.

Die Zahl der Kurgäste, die 1808 2531 betrug, sinkt in diesem Jahr auf 540 herab.

1810

Als Kaiser Franz am 15. Juni über Mariazell und Heiligenkreuz kommend in Baden eintrifft, wird er mit außerordentlichen Feierlichkeiten von der Bevölkerung, an deren Spitze Bürgermeister Martin Mayer den Monarchen begrüßt, empfangen. Am Abend des nächsten Tages ist die ganze Stadt festlich beleuchtet, eine Illumination, die diesmal nicht befohlen zu werden braucht, sondern Ausdruck der Freude der Badener ist, deren Herzen der Kaiser durch sein leutseliges Benehmen gewonnen hatte.

Johann Ferdinand Ritter von Schönfeld, Buchhandlungs- und Buchdruckereibesitzer in Wien, läßt am Ausgange der jetzigen Karlsgasse den Weg durch Sprengung von Felsen erweitern und Pappelbäume pflanzen. Schon 1808 nahm er sich der durch Rußbrenner gefährdeten Ruine Rauhenstein an, indem er sie pachtete.

1811

Die Frauenkirche wird abgebrochen. Da sich in den Mauern Risse zeigten, glaubt man, daß die 1805 in der Kirche errichteten Backöfen das Gebäude baufällig gemacht hätten, doch zeigt beim Abbrechen die außerordentliche Festigkeit des Mauerwerkes, daß dies ein Irrtum war.

Schon früher ist angedeutet worden, daß Baden eifrige Förderer fand, die bemüht sind, die schönen Partien der Umgebung allen Naturfreunden in bequemster Weise zugänglich zu machen. Was die Stadt beim besten Willen nicht leisten kann, weil die Geldmittel fehlen, vollbringen mit großen Opfern die Freunde Badens. Der mächtigste Gönner und Förderer Badens ist Kaiser Franz. Im Zeitraum von 1793—1811 hatte er häufig, wenn auch mit Unterbrechungen, Baden besucht. Von 1811 an verbringt er alljährlich während des Sommers einige Monate in Baden und gebraucht mit Erfolg die Bäder. Auch sein Bruder, Erzherzog Anton, fördert durch seine Tätigkeit und Freigebigkeit die Interessen Badens. Als 1811 von der „Gesellschaft adeliger Damen zur Beförderung des Guten und Nützlichen in Wien" das Marienspital in Weikersdorf gegründet wird, legt Erzherzog Anton im Vereine mit Erzherzog Rudolf und der Vorsteherin des adeligen Damenvereines, Fürstin Karoline Lobkowitz, den Grundstein. Das Marienspital wird 1813 eröffnet. Es ist nur für arme, fremde Personen (meist aus Wien) bestimmt, die in Baden zum Kurgebrauch weilen.

1812

Noch sind die Schäden des Jahres 1809 und der Staatsbankrott von 1811 nicht verwunden, da trifft die Stadt neues Unheil. Am 26. Juli 1812 bricht um halb 1 Uhr mittags im Hirschhoferschen Haus (Hauptplatz 6) ein großer Brand aus, der, von den in den Häusern befindlichen Holz- und Heuvorräten und den Schindeldächern genährt und vom Winde angefacht, in zwei Stunden 137 Häuser verheert. Der Schaden wird auf 1,625.173 fl. geschätzt. Beim Löschen des Brandes leisten die Erzherzöge Anton, Rainer, Ludwig und Rudolf, keine Gefahr scheuend, durch ihre Anordnungen kräftige Hilfe. Kaiser Franz schickt den Abgebrannten Militär zur Hilfe, um den Schutt wegzuräumen. In seinen Wäldern läßt er Holz schlagen, auf seine Kosten nach Baden schaffen und Tausende von Baumstämmen und Läden unter die Bedürftigsten der Abgebrannten verteilen. In der Monarchie wird eine allgemeine Sammlung ausgeschrieben, der Kaiser selbst spendet einen namhaften Betrag.

Die Badener erhalten 60.000 fl. in Gold, Silber und Papiergeld, mehrere Zentner Eisen und Nägel, Kleidungsstücke, Wäsche, Hausgeräte, Bauholz und Tausende von Ziegeln. Für die für das kaiserliche Gefolge gemieteten Wohnungen, die wegen des Brandes nicht bezogen werden können, zahlt der Kaiser dennoch die Miete. Andreas

Streicher, Musiker und Freund Schillers, der sich später in Wien als Klavierfabrikant einen großen Ruf erwirbt, gibt zum Besten der Abgebrannten ein großes Konzert mit 579 Künstlern und „Dilettanten", das ein Erträgnis von 29.000 fl. W. W. einbringt. Auch Beethoven gibt in Franzensbrunn (Franzensbad, Böhmen) ein Konzert für die abgebrannten Badener mit einer Einnahme von 1000 fl.

Das Rathaus hätte schon vor dem Brande umgebaut werden sollen. Bevor jedoch diese Pläne zur Ausführung kommen können, vernichtet der Brand den einstöckigen Bau. Das neue Rathaus baut von 1814—1815 der Stadtbaumeister Anton Hantl.

Nach dem Konkurs des Theaters unter Johann Georg Wilhelm und seiner Ersteigerung durch Baron Zinnicq findet bereits im Sommer 1812 im nach Plänen von Joseph Kornhäusel neu erbauten und durch den Brand unbeschädigt gebliebenen Haus die erste Vorstellung statt.

1813

Da auch das Augustinerkloster abgebrannt ist, in dem Kaiser Franz während seiner Aufenthalte in Baden wohnt, kauft der Kaiser am 24. April das Haus des Barons Arnstein am Hauptplatz, das sogenannte Kaiserhaus, wozu 1827 noch der Komplex des ehemaligen Augustinerklosters zwischen der Frauen- und Wassergasse kommt.

Dank der vielen Spenden erholt sich Baden rasch von dem Brandunglück. Im Juni sind schon beinahe alle Häuser wiederhergestellt und schöner als früher.

In der Nähe des Stadtparkes (Sommerturnplatz) läßt Erzherzog Anton ein geschmackvolles Gebäude, das Schweizerhaus, errichten, beim Urtelstein die nach ihm benannte Brücke bauen. Am 19. Oktober legt er den Grundstein zur Eisernen Brücke (Luisenbrücke) über die Schwechat, dem Hotel „Zum goldenen Löwen" gegenüber.

1814

Im Sommer schreibt Beethoven in Baden den elegischen Gesang op. 118, den musikalischen Scherz „Allein, allein" W. o. o. 205 b. Außerdem arbeitet er an der Klaviersonate op. 90.

1815

Während des Wiener Kongresses weilt die Tochter des Kaisers, Marie Louise, im Helenental. Sie war Napoleons Gattin, hat ihn aber nach seinem Sturz verlassen. In Begleitung des Grafen Neipperg macht sie vom Helenental aus häufige Ausflüge zu Pferd. 1818 wohnt ihr Sohn, der Herzog von Reichstadt, in Baden, der am 5. August 1828 in der Hofkirche (heute Frauenkirche) vom Kardinal Erzherzog Rudolf gefirmt wird.

Bei der Einweihung am 15. Juni 1815 stürzt die Eiserne Brücke (Luisenbrücke) über die Schwechat zusammen, wobei es mehrere Knochenbrüche und Quetschungen gibt.

Am selben Tag legt Erzherzog Anton, noch ganz erschüttert von dem Unglück, den Grundstein zum neuen Rathaus.

Baden hat in diesem Jahr 2236 Einwohner, Leesdorf 488, Gutenbrunn 244, Weikersdorf 1251.

1816

Der Wiener Arzt Dr. Benedikt Obersteiner veranlaßt im Jahre 1816 auf seine Kosten, daß das Thermalwasser der Ursprungsquelle an den Eingang herausgeleitet wird. Er regt später auch die Gründung der Mineral-Schwimmschule an.

Erzherzog Anton bezieht sein neuerbautes Palais in der Wienerstraße (Antonsgasse 10); in dem dazugehörigen Garten läßt er ein Palmenhaus errichten.

1817

Der Hofopernsänger Johann Michael Vogl, Schubertfreund und -gönner, kommt 1817 zur Kur nach Baden und wohnt im Sauerhof.

Für das immer zahlreicher nach Baden strebende Publikum wird das Theater zu klein: Baron Zinnicqes Nachfolger, Friedrich Hensler, beauftragt Joseph Kornhäusel mit einer Vergrößerung.

1818

Das neue Theater wird 1818 mit Simon Mayrs Oper „Der Essighändler, oder ein Bankrott macht alle glücklich" eröffnet.

Franz Grillparzer, dessen erstes dramatisches Werk „Die Ahnfrau" bereits am 24. September 1817 im Badener Stadttheater aufgeführt worden war, wohnt in Baden. 1854 und 1858 kam er wieder, von 1860 bis 1871 wohnt er jährlich für einige Wochen in Baden, das ihn am 17. Juli 1865 zum Ehrenbürger ernannte.

1819

Im Sommer weilt Goethes Ratgeber in musikalischen Fragen, der Berliner Musiker Karl Friederich Zelter, in Baden. Er ermuntert auch Goethe, nach Baden zu kommen, obwohl er sich in mehreren Briefen einerseits über das Glockengeläute, andererseits über die Rossini-Opern im Theater beklagt.

1820

Immer wieder sind auch die Mitglieder der kaiserlichen Familie, Erzherzog Rudolf und Erzherzog Karl, der ruhmreiche Sieger von Aspern, als Förderer Badens zu nennen.

Ersterer ließ 1820 die zur Burg Rauhenstein führenden Wege durch Anbringung von Stufen und Geländern in besseren Zustand setzen, letzterer erbaute von 1820—1823 die Weilburg, die bald zu einem Mittelpunkt des gesellschaftlichen und künstlerischen Lebens in Baden wird.

1821

Den Bädern widmet die Gemeinde wie immer die größte Fürsorge. In den Jahren 1821/22 wird an Stelle des bestehenden Frauenbades mittels eines Aktienkapitals von 30.000 fl. ein neuer Bau errichtet, der auch das Neubad, von nun an Karolinenbad, einschließt. Nach der Vereinigung des Neubades mit dem Frauenbad erhält der Bau eine besondere Abteilung mit eigenem Zugang für die Mitglieder der kaiserlichen Familien. Im Jahre 1821 wird auch der Umbau des 1818 demolierten Petersbades in der Vöslauerstraße vollendet, das k. k. Militär-Badehaus erhält seine Gestalt.

Im selben Jahr vollendet Karl Freiherr von Doblhoff den Neubau des Sauerhofes, der 1863 in den Besitz des k. k. Militäraerars übergeht. Gleichzeitig erhält das Engelsbad ebenfalls durch den Architekten Joseph Kornhäusel seine jetzige Gestalt.

1822

In diesem Jahr kommt Beethoven zweimal nach Baden. Für die Eröffnung des Theaters in der Josephstadt entsteht die Ouvertüre „Zur Weihe des Hauses".

1823

Beethoven wird in Baden am 5. Oktober von Karl Maria von Weber besucht, der vom überschwenglichen Empfang durch Beethoven berührt ist.

1824

Vom Sommer wird berichtet, Beethoven habe im Badener Theater einer Aufführung der „Geschöpfe des Prometheus" beigewohnt, die ihn „. . . fast ganz aus der Fassung gebracht . . ." hätte.

1825

Auf Erzherzog Antons Anordnung hin werden in den Ruinen Rauheneck und Rauhenstein aufs neue feste, bequeme Holztreppen hergestellt, die Türme mit Schutzdächern versehen, zu den Aussichtspunkten neue Wege gebahnt.

1826

Den Herbst verbringen Georg Hemmelsberger mit Gattin und Hofkapellmeister Joseph von Eybler, ebenfalls mit Gattin, in der Kurstadt.

1827

Erzherzog Anton läßt den Urtelstein mit Blumen und Gesträuchen bepflanzen, neue Pfade herstellen und Ruheplätze anbringen.

Kaiser Franz läßt den Urtelstein durchbrechen, ein kühnes Mineurunternehmen für diese Zeit. An der Straße von Rauhenstein bis zum Felsentore des Urtelsteines veranlaßt er die Pflanzung von Bäumen. Von der durch ihn errichteten Antonsgrotte werden Pfade längs der Schwechat bis zur Antonsbrücke hergestellt (das vielbesungene „Wegerl im Helenental").

Auf Anregung des Kaisers läßt Erzherzog Anton im Herbst die Pflanzungen der Baumalleen beginnen, die die innere Stadt umsäumen.

Auch das Franzensbad wird in diesem Jahr fertiggestellt. Seine Quelle war erst 1802 am Ufer des Schwechatbaches entdeckt und Franzensquelle genannt worden. 1805 wurde sie in einem hölzernen Behältnis gesammelt. Nach der Fertigstellung des neuen Gebäudes öffnet die Stadt das Bad für die Kranken aus dem Wohltätigkeitshaus (Mariazellerhof) und dem Marienspital zum unentgeltlichen Gebrauch.

1828

In diesem Jahr engagiert Erzherzog Karl den jungen Dr. Ludwig Köchel als Erzieher für seine Kinder ins Schloß Weilburg.

1829

Auf der Rückfahrt von seiner ersten Londonreise verweilt Felix Mendelssohn-Bartholdy im Herbst in Baden bei den Damen von Ephraim. Für geladene Gäste seiner Gastgeberinnen konzertiert er auf der Orgel der Stadtpfarrkirche.

1830

Im Sommer 1830 hält die rechte Hand des Staaskanzlers Metternich, Baron Gentz, dem Ballettstar Fanny Elßler eine Sommerwohnung in Baden.

1831

Dr. Johann von Meyer eröffnet im Vereine mit Franz Bauer, dem Verwalter der Herrschaft Gutenbrunn, die Schwimmschule im Doblhoffschen Garten.

1832

Am 9. August erfolgt das Attentat auf den Kronprinzen Ferdinand. Aus Zorn über die Verweigerung weiterer Unterstützungen schießt der pensionierte k. k. Hauptmann Franz Reindl mit einer Pistole auf den Kronprinzen, als dieser in der Bergstraße (nahe dem Rollettschen Hause) spazierengeht.

Obwohl im August mehrere Bewohner der Stadt der Cholera zum Opfer gefallen waren, besuchen am 23. September 206 der in Wien bei einem Kongreß versammelten Naturforscher und Ärzte auf Einladung der Gemeinde die Stadt.

Nach Abwendung der Cholera läßt der Wiener Bürger und Hausbesitzer Karl Boldrini gemeinsam mit seiner Frau Elisabeth am Burgstallberg im Helenental eine Mariahilfkapelle erbauen, die der Volksmund Cholerakapelle nennt. Zugleich läßt er nächst der Antonsgrotte einen Steg über die Schwechat herstellen.

1833

Baden ist nach dem Attentat nicht mehr kaiserliche Sommerresidenz. Zahlreiche Stammgäste bleiben aus, die Stadt sieht sich außerstande, die tägliche Parkmusik weiter zu bestreiten. So zahlt sie ab jetzt der k. k. Kämmerer Graf Palffy aus seiner Privatschatulle.

1834

Das Jahr bringt eine wichtige Wendung in der Verwaltung der städtischen Bäder. Auf Drängen der Kreisbehörde wird die Pachtversteigerung der städtischen Bäder und des Herzoghofes vorgenommen.

1835

Der Tod des Kaisers am 2. März ist ein weiterer harter Schlag für Baden, denn das zahlreiche Publikum aus Aristokratie, Diplomatie und Plutokratie bleibt nun noch mehr aus.

Der Schulzwang wird mit solcher Nachsicht geübt, daß von 611 schulpflichtigen Kindern nach dem Schuldistriktsbericht 157 „nur dann und wann" die Schule besuchten, 13 gar nicht. Das Anwachsen der Schülerzahl, eine Folge der zunehmenden Zahl der Ortsbewohner, zeigt deutlich, daß Baden sich noch immer in einem erfreulichen Aufschwung befindet.

1836

Mit einem größeren Kostenaufwand wird die Regulierung des diesseitigen Schwechatufers vorgenommen, das mit Weiden befestigt wird.

Am 31. August werden Stephan Graf Zichy sen. und Franz Graf Palffy sen. wegen ihrer Verdienste um die Verschönerung der Umgebung Badens zu Ehrenbürgern der Stadt ernannt.

1839

Am 28. August wird mit dem Bau der Eisenbahn begonnen.

1840

Der Palast des Erzherzogs Anton wird am 23. Juni samt allen Nebengebäuden und Einrichtungsstücken um 52.000 fl. an Herrn Jakobini aus Wien verkauft.

Der Wiener Großindustrielle und Badener Bürger Ignaz von Mack stiftet die Kleinkinderbewahranstalt und Arbeitsschule für arme Mädchen (jetzt Mariengasse 9).

Franz Graf Palffy läßt auf seine Kosten viermal in der Woche im Stadtpark oder bei ungünstigem Wetter im Saale des Hotels „Stadt Wien" von den ersten Wiener Künstlern Konzerte abhalten.

1841

Nach dem Tode des Kaisers Franz geht die Qualität der Besucher Badens zurück. Die langsam wachsende Quantität bietet aber noch nicht genügenden Ersatz für den Verlust. Da bringt der Bau der Südbahn neues Leben in den Kurort. Der Verkehr Wien—Baden, bisher fast eine Reise zu nennen, ist nun auf eine Stunde reduziert.

Mit der Schaffung der Südbahn bricht für Baden eine neue Zeit an. Eine rege Bautätigkeit entwickelt sich. Rasch vermehren sich die Sommerhäuser, insbesondere in der Berg- und Weilburgstraße, der Platz um den Bahnhof, früher eine öde Au, wird in eine Gartenanlage umgewandelt, der Bahnhofplatz entsteht, die Bahngasse und die Neugasse (Kaiser-Franz-Joseph-Ring) werden reguliert.

Mit Regierungsdekret vom 17. Juni 1841 erhält der „Badeort Baden" die Bewilligung zur Einhebung einer Kurtaxe.

Am 1. August 1841 wird die Arena, das erste Sommertheater in Niederösterreich, eröffnet.

1843

Schon 1840 hatte die Stadt zur Erweiterung des Stadtparkes um 7000 fl. einen Gartengrund an der Westseite des Parkes gekauft. 1843—1844 erbaut die Gemeinde hier nach den Plänen des Wiener Architekten Friedrich Ludwig Förster eine 38 m lange und 8,5 m breite Trinkhalle (abgebrochen 1885) und den Kursaal mit einem Kostenaufwand von 20.000 fl.

1846

Herrmann Todesco aus Wien gründet in der Johannesgasse mit dem Stiftungsbetrag von 20.000 fl. C. M. ein Hospiz für Badebedürftige, bestimmt für Juden und Christen (jetzt Pension Johannesbad). Ein anderer Wohltäter, Matthias Welzer, der Besitzer des Hotels „Zum goldenen Hirschen", testiert für die Armen Badens ein Stiftungskapital von 15.000 fl. (Welzerstiftung).

1847

Ludwig Förster und Theophil Hansen errichten für die Gräfin Traun in der Weilburg-straße eine Villa, in der zum letzten Mal spätbiedermeierliche Züge nachklingen.

1848

Im Frühjahr wird das nach Plänen von Eduard van der Nüll und August Sicard von Sicardsburg errichtete Mineralschwimmbad eröffnet.

Baden wird Zufluchtsort der Wiener, namentlich der höheren Stände, denen die Re-volution Angst und Schrecken einflößt. Die Wiener Ereignisse verschaffen daher Baden eine ausgezeichnete, sehr früh beginnende Sommersaison, an die sich eine ebenso prächtige Herbstsaison anschließt, da die Oktobertage in Wien sich stürmisch gestalten. Der Bürgermeister Johann Nepomuk Trost, gut kaiserlich gesinnt, versieht sein Amt mit so viel Takt, daß es in Baden, trotz revolutionärer Gesinnung der nächsten Umgebung, nicht zu aufrührerischen Kundgebungen kommt. Dafür wird Baden den Wiener Demo-kraten als schwarz-gelb verhaßt („Schwarzgelbowitz").

Wie in Wien und anderen Orten wird auch für Baden am 15. März 1848 zur Aufrecht-erhaltung der Ordnung, Ruhe und Sicherheit im Inneren und zur Verteidigung gegen den äußeren Feind eine Nationalgarde errichtet. Ihr gehören alle selbständigen Bürger vom 21. bis zum 60. Jahre an.

Am 31. Oktober 1848 erstürmen die kaiserlichen Truppen das aufständische Wien. Kaiser Ferdinand dankt zugunsten seines Neffen ab, der als Kaiser Franz Joseph I. am 2. Dezember 1848 den Thron besteigt.

1849

Die 1848 begonnene Neuherstellung des Herzogsbades und des Antonsbades werden abgeschlosssen.

1850

Anläßlich einer Erweiterung des Stadtparkes werden nach Plänen von Eduard van der Nüll und August Sicard von Sicardsburg die Russischen Dampf- und Wannenbäder errichtet.

Alfred Willander

BADEN, EIN WEIMAR DER MUSIK

Nicht grundlos wurde dieses epitheton ornans vor einigen Jahrzehnten für Baden geprägt, war diese Stadt doch fast durch drei Jahrzehnte kaiserliche Sommerresidenz, was nicht nur den Hof, sondern auch den Hochadel und alles, was sich in der Sonne des Hofes tummeln zu müssen glaubte, in den Sommermonaten nach Baden brachte. Nicht nur der Kaiser erwarb in Baden ein Haus, auch der Adel baute sich nahe seiner Majestät Palais und Landhäuser. Wer nicht so finanzkräftig war, begnügte sich mit einer Sommerwohnung oder mietete wenigstens kurzfristig ein Zimmer in einem der Badener Hotels. Studiert man die Kurlisten dieser Jahre, in denen natürlich nicht nur jene aufscheinen, die Baden der Bäder wegen besuchten, sondern auch alle übrigen Gäste, so lesen sie sich wie ein mixtum compositum von Gotha und Lexikon der gebildeten Welt.

Es erscheint also durchaus legitim, eine Parallele zwischen Weimar und Baden zu sehen, wo sich ebenfalls die besten Dichter und Musiker der Zeit ein Stelldichein gaben, wo Kaiser Franz mit dem Bürgermeister Streichquartett spielte und die Kapellen von Strauß Vater und Lanner auf der „Hauswiese" zum Tanz aufgeigten. Zu einem Tanz, bei dem Mitglieder des Kaiserhauses und Stubenmädchen nebeneinander tanzten, eine Tatsache, die in jenen Tagen nicht so alltäglich war.

War es ein Zufall, daß der Kaiser gerade in den ersten Jahrzehnten des vorigen Jahrhunderts aus der Abkapselung im Schloß Laxenburg seine Sommerresidenz in das kleine Bürgerstädtchen Baden verlegte, oder ist dies gerade aus dem Zeitgeist des „Biedermeier" zu verstehen? Diese Frage zu beantworten sei Historikern überlassen, hier soll aufgezeigt werden, was sich musikalisch im Baden des Biedermeier zutrug.

Bevor einzelne Details genauer beleuchtet werden, sei vorausgeschickt, daß ein Großteil der historischen Aufzeichnungen der Zeit vor 1812 dem großen Stadtbrand zum Opfer fiel. Was dabei übrigblieb, erfuhr wie die Archivalien aus den Jahrzehnten danach in den Wirren der beiden Weltkriege und vor allem der Russenbesatzung nach 1945 eine weitere starke Dezimierung. Die russische Besatzungmacht mißbrauchte das Gebäude des Rollettmuseums, in dem sich auch das Stadtarchiv befindet, als Gefängnis. Es erweist sich als glückliche Fügung, daß bereits in den letzten Jahrzehnten des vorigen Jahrhunderts zahlreiche lokalhistorische Veröffentlichungen erschienen, in denen die damals noch vorhandenen Archivalien aufgearbeitet wurden. Diese lokalhistorischen Schriften sind allerdings mit Vorsicht zu genießen, da sie mit viel Dichtung vermengt sind. So berichtet der verdienstvolle Heimatforscher Hermann Rollett in seiner Chronik der Stadt Baden, Richard Wagner habe im Jahre 1826 Beethoven hier besucht. Nun, Wagner war damals dreizehn Jahre alt und auch finanziell kaum in der Lage, eine so kostspielige Reise zu unternehmen. Dieser „Besuch" geht auf die von Wagner frei erdichtete Novelle „Pilgerfahrt zu Beethoven" zurück und ist historisch in keiner Weise belegbar.

Zur Familie des damaligen Majoratsherrn von Weikersdorf, Baron Doblhoff-Dier, gehörte der 1762 in Baden geborene Komponist Carl Doblhoff-Dier. Bereits um 1800 erscheinen einige seiner Kompositionen im Druck und werden in der Badener Stadtpfarrkirche aufgeführt, in deren Archiv sich vier seiner geistlichen Kompositionen

Haarlocke von Ludwig van Beethoven (Kat. Nr. 76)

fanden. Carl Doblhoff-Dier gehörte später dem Freundeskreis um Franz Schubert an und ist auf dem Aquarell Leopold Kupelwiesers aus 1821 „Scharade der Schubertfreunde in Atzenbrugg, Vertreibung aus dem Paradies" verewigt. Carl Doblhoff-Dier, der sein kompositorisches Rüstzeug bei Albrechtsberger und Salieri erworben hatte, starb 1845 in Baden.

Bereits in das Jahr 1803 fällt der erste Aufenthalt von Ludwig van Beethoven. In diesem Sommer arbeitete der Meister unter anderem an der „Eroica" und vermittelte seinen Schüler Ferdinand Ries als „Clavierspieler" an den Grafen Browne nach Baden.

Das Badener Theater, das sich großer Beliebtheit bei Kurgästen und Einheimischen erfreute, verstand es, seinem Publikum Neuheiten der Wiener Bühnen raschest anzubieten. Bereits im Frühsommer 1804 kommt etwa Etienne Nicolas Mehuls Oper „Der Schatzgräber" nach dem Text von Ignaz Ritter von Seyfried (Erstaufführung im Theater an der Wien am 7. August 1807) im Badener Theater heraus. An dieser Stelle sei auch erwähnt, daß sich im Archiv der Stadtpfarrkirche St. Stephan eine Partitur der Krönungsmesse von Mehul (für Napoleon) mit autographen Korrekturen Ignaz von Seyfrieds erhalten hat.

Das Jahr 1805 verbindet Hofkapellmeister Antonio Salieri in zweifacher Weise mit Baden. Zum einen verbrachte er einen Teil des Sommers im Hause Renngasse 63 (heute Nr. 13), zum anderen erblickte in diesem Jahr seine nachmalige Schülerin Katharina Kanz als Badener Buchbinderstocher das Licht der Welt. Nach dem Abschluß ihrer Gesangsstudien bei Salieri ging Katharina Kanz nach Italien, wo sie in Florenz und Mailand — inzwischen nannte sie sich Canzi — große Erfolge erringen konnte. Später nahm Catharina Canzi Engagements nach Berlin, Dresden, Leipzig, Weimar, Kassel und Stuttgart an, wo sie hochbetagt am 23. Juli 1890 starb. Auch der „Konzertmeister des Fürsten Esterházy", Johann Nepomuk Hummel, weilte im Jahre 1805 zur Kur in Baden und wohnte im Haus Heiligenkreuzergasse 80 (heute Nr. 3).

Im Sommer 1806 verbrachte der Nachfolger Mozarts als kaiserlicher Kammerkompositeur, Leopold Kozeluch, den ersten von acht Sommern in Baden.

Das Badener Theater geriet in große finanzielle Schwierigkeiten, sein Besitzer Johann Georg Wilhelm ging schließlich in Konkurs. Aus dem Jahre 1806 ist eine Kritik erhalten, die die Zustände des Wilhelmschen Theaterunternehmens bestens wiedergibt: „. . . dieselben Schauspieler singen auch in der Oper und zwar mit gleichem Glücke und gleicher Akzion, . . . Die Gräfin Armand ist über ihre gefährlichen Tage schon ein Vierteljahrhundert hinaus, und Graf Armand wirft prahlerisch aufgeblasene und hochtrabende Worte hin . . ."

Im Herbst 1807 wohnte der allen Klavierschülern sattsam bekannte Komponist und Verleger Anton Diabelli in dem durch Mozarts Aufenthalt und die Komposition des „Ave verum" bekannten „Haus zum Blumenstock" in der Renngasse 76 (heute Nr. 4). In den Sommer dieses Jahres fällt der erste historisch verbürgte Aufenthalt Ludwig van Beethovens. Die Messe in C-Dur für den Fürsten Esterházy und die Arbeit an der 6. Symphonie fallen in diese Zeit. Während seines nächsten Aufenthaltes in Baden, 1809, arbeitete er an der Vollendung des 5. Klavierkonzertes op. 73, an der Klaviersonate op. 81a und an dem Streichquartett op. 74. Im Sommer 1810 schrieb Beethoven in Baden für Erzherzog Anton den Marsch W.o.O. 19, die Polonaise W.o.O. 21 und Eccosaise W.o.O. 22, außerdem entstand das Streichquartett op. 95. 1810 und 1812 war Martin Czech, Kammermusikus des Fürsten Esterházy, zur Kur in Baden. Auch Franz Clement, der im darauffolgenden Jahr als Kapellmeister an das Badener Theater enga-

CATHARINA CANZI.

Catharina Canzi (Kat. Nr. 105)

giert werden sollte, war 1810 erstmalig in Baden. Als letzte Neuinszenierung der Ära Wilhelm, knapp vor dem Konkurs, kam 1811 Mozarts „Die Zauberflöte" heraus. Am 14. April 1811 hat im alten Theatergebäude noch zum Besten der „Spitalspfründler" eine von Musikfreunden veranstaltete Aufführung der „Schöpfung" von Haydn stattgefunden. Am 23. September erwarb Baron Zinnicq das Theater auf dem Lizitationsweg, ließ das Gebäude sofort abreißen und beauftragte Joseph Kornhäusel mit dem Neubau. Bereits im Sommer 1812 konnte der Theaterneubau eröffnet werden, wobei das Orchester vom Widmungsträger des Beethovenschen Violinkonzertes, Franz Clement, gemeinsam mit Theaterkapellmeister Kienlen geleitet wurde. Am 4. Juli gelangte Mozarts „La Clemenza di Tito" zur Aufführung. Am 6. April war der Schweizer Musiker und nachmalige Komponist Franz Xaver Schnyder von Wartensee (1786—1868) in Baden eingetroffen, um hier eine Stelle als Cellist am Theater anzutreten. In seiner Freizeit nahm er Unterricht bei Kapellmeister Kienlen und dem Cellisten Schuster. Unter ihrer Anleitung schrieb Schnyder eine Art Schuloper für das Kasperltheater „Der neue Diogenes". Der verheerende Brand von Baden im Sommer 1812 beraubte Schnyder von Wartensee fast seiner gesamten Habe, darunter eine Menge Musikalien, und setzte seinem Aufenthalt ein jähes Ende. Auch der in Baden weilende Musikschriftsteller und Kustos der Hofbibliothek, Anton Schmid, verlor durch den Brand wertvollste Manuskripte. Wie durch ein Wunder blieb das eben erst neuerbaute Theater von den Flammen verschont, und schon bald nach der Katastrophe, am 30. August, konnte zugunsten der Brandgeschädigten Mozarts „Figaro" aufgeführt werden. In dieser Aufführung sang ein nachmals treuer Gast der Kurstadt, der erste Interpret und großherzige Förderer Franz Schuberts, Johann Michael Vogl, die Partie des Grafen Almaviva. Die Brandkatastrophe inspirierte den Wiener Musikverleger und Musikalienhändler Tobias Haslinger zu der Komposition der musikalischen Skizze „Der Brand in Baden", die er „Badens verunglückten Bewohnern" widmete. Auch der im fernen Karlsbad weilende Ludwig van Beethoven versuchte aus der Ferne zu helfen. Er veranstaltete in Karlsbad spontan ein Konzert zugunsten „der Badener Abbrändler", über dessen miserablen finanziellen Erfolg er in einem Brief an seinen einzigen Schüler, den Erzherzog Rudolf, bitter klagt.

Den darauffolgenden Sommer, 1813, verbringt Beethoven wieder in Baden, es entsteht die sogenannte Schlachtensymphonie „Wellingtons Sieg oder die Schlacht bei Vittoria" op. 91. Im Sommer 1814 schreibt Beethoven in Baden den elegischen Gesang op. 118, den musikalischen Scherz „Allein, allein" W.o.O. 205b. Außerdem arbeitet er an der Klaviersonate op. 90. Im Sommer 1815 findet sich unter Badens Sommergästen Beethovens Bruder, der Linzer Apotheker Johann van Beethoven. Er selbst ist wieder 1816 in Baden, wo er Skizzen zu der Klaviersonate op. 101 zu Papier bringt.

Dem in Baden ansässigen Staatsbeamten Nepomuk Edlem von Meyer wurde am 20. Dezember 1816 ein Sohn geboren, der nach Studien bei Czerny und Fischhof bereits in jungen Jahren bei Hof und in den Wiener Salons Aufsehen als Pianist machen sollte. Leopold Edler von Meyer wurde gefeierter Klaviervirtuose und wurde sehr bald international mit Liszt und Thalberg auf eine Ebene gestellt. Er bereiste Rußland — er konzertierte auch vor dem Zaren —, Frankreich, England, die Türkei — in Konstantinopel spielte er vor dem Sultan — und sogar Amerika. 1844 wurde Leopold v. Meyer mit dem Titel eines k.k. Kammervirtuosen ausgezeichnet. Seine letzten Lebensjahre verbrachte er in Dresden, wo er am 5. März 1883 starb. Meyer betätigte sich auch schöpferisch, er schrieb auch Klaviertranskriptionen; einige wurden von Hector Berlioz instrumentiert.

Ludwig van Beethoven (Kat. Nr. 77)

Hofopernsänger Johann Michael Vogl, der Schubertfreund und -gönner, kam 1817 zur Kur nach Baden und wohnte, wie auch später 1826, im Sauerhof.

Für das immer zahlreicher nach Baden strebende Publikum wurde 1817 das Theater zu klein, weshalb Baron Zinnicqes Nachfolger, Friedrich Hensler, Joseph Kornhäusel mit einer Vergrößerung beauftragte. Das neue Theater wurde 1818 mit Simon Mayrs Oper „Der Essighändler, oder ein Bankrott macht alle glücklich" eröffnet. Direktor Hensler, der gleichzeitig auch Direktor des Wiener Theaters in der Josephstadt war, ließ auch dieses Theater von Kornhäusel umbauen und bestellte für dessen Wiedereröffnung bei Beethoven die Ouvertüre „Zur Weihe des Hauses".

Als die international gefeierte Sängerin Angelica Catalani im Zuge ihres Wanderlebens — sie hatte eben die Direktion der Pariser Oper niedergelegt — im Juni 1818 nach Baden kam, gab sie im Theater einen Arienabend, den kein geringerer als Hofkapellmeister Antonio Salieri dirigierte. Die Catalani wohnte im Augustinergebäude Frauengasse 83 (heute 3).

Ein treuer Gast der Kurstadt, Wenzel Müller, setzte ihr mit der Oper „Der Kurstreit in Baden", die am 18. Mai 1819 im Theater in der Leopoldstadt uraufgeführt wurde, ein Denkmal. Carl Czerny, einer der bekanntesten Schüler Beethovens, ein Klaviervirtuose, dessen Schulwerke noch heute zur Standardstudienliteratur für Pianisten gehören, war im Sommer 1819 erstmalig in Baden, sollte aber 1834 noch neunmal hierher kommen. Im selben Sommer weilte auch Goethes Ratgeber in musikalischen Fragen, der Berliner Musiker Karl Friedrich Zelter, in der Bäderstadt. Er ermunterte Goethe, auch nach Baden zu kommen, obwohl er sich in seinen Briefen vom 2., 12., 16., 19. und 28. August einerseits über das viele Glockengeläute, andererseits darüber beklagte, daß man im Theater nur Rossini oder ähnliche „Italienisch gesungenen Mist" hören könne. Damit ist dokumentiert, daß der Rossinitaumel, der Wien ergriffen hatte, auch in Baden seinen Niederschlag fand.

Im August 1820 ist ein weiterer Aufenthalt Antonio Salieris nachweisbar. Das Duett „Questa fuga e fatta in Baden" ist mit 20. August datiert, und im Salon der Gräfin Viczay in der Krainerhütte entstand der Kanon „Zum Lob des Greiner Hüttel". Salieris letzter Besuch in Baden fällt in das Jahr 1823, er befand sich zur Kur im Sauerhof.

Nach mehrjähriger Pause kam Ludwig van Beethoven 1821 wieder nach Baden. Hier entstand der Kanon „O Tobias" W.o.O. 182. Ob Beethoven in diesem Sommer in Baden an der „Missa solemnis" arbeitete, ist nicht nachweisbar, zwischen den Skizzen zur Missa findet sich jedenfalls der Kanon „Gedenket heut an Baden" W.o.O. 181. In diesem Jahr sind auch Sommeraufenthalte der Sängerin Therese Rosenbaum, die bis 1826 jeden Sommer hier verbringen sollte, und des ehemaligen fürstlich Esterházyschen Kammermusikus Martin Czech, der auch 1824 und 1830 in Baden Aufenthalt nahm, verbürgt.

Das Jahr 1822 sah Beethoven zweimal in Baden. Der erste Aufenthalt begann am 1. September, Beethoven stieg im Gasthaus „Zum Schwan" (heute Antonsgasse 4) ab, übersiedelte aber bereits zwei Tage später wieder in das „Kupferschmiedhaus" in der Rathausgasse (heute Rathausgasse 10), in dem er schon im Jahr davor gewohnt hatte. Während dieses Aufenthaltes entstand, wie schon früher erwähnt, die Ouvertüre „Zur Weihe des Hauses" für Theaterdirektor Hensler. Es ist sicher, daß die Ouvertüre nicht im Haus „Zum Schwan" entstand, wie eine Gedenktafel heute fälschlich vermeldet. Beethoven kam diesmal in erster Linie aus gesundheitlichen Gründen, schrieb er doch am 9. September voll Vertrauen auf die Badener Bäder an seinen Bruder „. . . über

Das Kupferschmiedhaus in der Rathausgasse (Kat. Nr. 85)

meinen Gesundheitszustand läßt sich nicht mit Gewißheit von einer wirklichen Besserung sprechen, ich glaube aber doch, daß durch die Kraft der Bäder das Übel, wenn nicht gehoben, doch unterdrückt werden wird ...". Während dieses Aufenthaltes wurde Beethoven von einer Schar Gäste besucht, unter ihnen Ignaz Holz, Stephan von Breunig, Charles Neate, Carl Czerny und Johann F. Rochlitz.

Im Jahre 1823 traf Beethoven am 13. August in Baden ein und bezog wieder das „Kupferschmiedhaus", nachdem er eine finanzielle Forderung des Hausherrn bezüglich neuer Fensterläden beglichen hatte. Im Jahr davor nämlich hatte Beethoven musikalische Einfälle, war kein Papier zur Hand, kurzerhand auf die Fensterläden notiert. Als nun Beethoven 1823 wieder einziehen wollte, verlangte der Hausherr die Bezahlung neuer Läden, weil er die alten verunzierten erneuern hätte lassen müssen. In Wahrheit hatte er sie zu einem hohen Preis an Kurgäste verkauft, die Beethoven bei seinen Notizen beobachtet hatten. Beethoven hatte in diesem Jahr, wie schon im Jahr davor, seinen Neffen Karl bei sich. Neben dem Besuch des englischen Musikers Edward Schulz, dem Charles Neates und dem Besuch des Komponisten Friedrich Kuhlau, in dessen Stammbuch Beethoven den Kanon „Kühl nicht lau" W.o.O. 191 schrieb, ist der Besuch Karl Maria von Webers von besonderer Bedeutung. Er besuchte Beethoven zusammen mit Tobias Haslinger und Sir Julius Benedict am 5. Oktober und berichtete seiner Frau in dem Brief vom 6. Oktober 1823: „... die Hauptsache war, Beethoven zu sehen. Dieser empfing mich mit einer Liebe, die rührend war; gewiß 6—7 Mal umarmte er mich auf's herzlichste und rief endlich voller Begeisterung ‚Ja, Du bist ein Teufelskerl, ein braver Kerl!' Wir brachten den Mittag miteinander zu, sehr fröhlich und vergnügt. Dieser rauhe, zurückstoßende Mensch machte mir ordentlich die Cour, bediente mich bei Tisch mit einer Sorgfalt wie seine Dame ec., kurz, dieser Tag wird mir immer höchst merkwürdig bleiben, sowie allen, die dabei waren. Es gewährte mir eine eigene Erhebung, mich von diesem großen Geiste mit solcher liebevoller Achtung überschüttet zu sehen. Wie betrübend ist seine Taubheit, man muß ihm alles aufschreiben ..." Beethoven blieb in diesem Jahr bis Ende Oktober in Baden.

Im selben Sommer 1823, wie auch im darauffolgenden, verbrachte die Dichterin Helmina von Chezy mehrere Wochen in der Kurstadt. Während des ersten Aufenthaltes — sie wohnte im gräflich O'Donnelschen Haus (heute Beethovengasse 19) — arbeitete sie an dem Textbuch zur Oper „Rosamunde" von Franz Schubert.

Am 19. September 1824 wurde im Haus Kaiser-Franz-Joseph-Ring 15 (heute) der spätere Zitherkomponist Carl Umlauf geboren. Bereits zwanzigjährig unternahm er als Zithervirtuose erfolgreiche Konzertreisen. Er ließ sich später in Wien nieder, wurde Hofmusikus und gesuchter Zitherlehrer. Auf Umlauf ist die „Wiener Stimmung" für Zithern zurückzuführen. Er gab eine Zitherschule heraus, die über hundert Auflagen erlebte und in zahlreiche Sprachen übersetzt wurde. Umlaufs „Salonalben" enthalten neben eigenen Werken Transkriptionen bekannter Opernmelodien und Lieder. Die beiden Sommer 1824 und 1825 wohnte Beethoven in einem Nebengebäude des Schlosses Gutenbrunn. Beide Sommer arbeitete er an den Streichquartetten op. 127, 130 und 132. Vom Sommer 1824 wird berichtet, der Meister habe im Badener Theater einer Aufführung seiner „Geschöpfe des Prometheus" beigewohnt, die ihn „... fast ganz aus der Fassung gebracht ..." hätte.

Während des Aufenthaltes im Jahre 1825 — es stehen ihm vier Räume und auch ein Broadwood-Flügel zur Verfügung — entstehen neben der Arbeit an den genannten Streichquartetten am 3. August 1825 der Instrumentalkanon W.o.O. 35 und am 16. September als Erinnerung für den englischen Musiker George Smart (1776—1867) anläßlich dessen Abschiedsbesuches der Rätselkanon „Ars longa, vita brevis" W.o.O. 192. Eine anonyme englische Besucherin berichtet von einer Begegnung in sehr herzlicher Atmosphäre mit Beethoven in seiner Badener Sommerwohnung, „...welche vollkommen reinlich war und, obwohl nichts von dem Überflusse eines Reichen andeutend, doch auch keinen Mangel zeigte, weder an nützlichen Mobilien noch an netter Aufstellung derselben. Man darf jedoch nicht vergessen, daß diese seine Landwohnung ist und daß die Wiener nicht so verschwenderisch oder so eigen in ihren Hausgerätschaften sind als wir...". Diese Schilderung steht in krassem Gegensatz zu den Überlieferungen, denen zufolge in Beethovens Behausungen Unordnung vorgeherrscht haben soll. Es mag jedoch diese anonyme Schilderung darauf zurückzuführen sein, daß Beethoven bei seinen letzten Aufenthalten in Baden von Nanette Streicher, Gattin des Wiener Klavierfabrikanten Andreas Streicher und Tochter des Augsburger Klavierfabrikanten Stein, liebevoll umsorgt wurde. Nanette Streicher und ihr Mann waren von 1815 bis in die späten dreißiger Jahre treue Gäste Badens. 1828 engagierte Erzherzog Karl den jungen Dr. Ludwig Köchel als Erzieher für seine Kinder ins Schloß Weilburg. Vierzehn Jahre sollte er in dieser Position bleiben. Es darf angenommen werden, daß Köchel auch in seinen Badener Jahren an dem Werk arbeitete, das seinen Namen für alle Ewigkeit jedem Musikfreund zu einem besonderen Begriff werden lassen sollte: dem „Köchelverzeichnis" der Werke Mozarts.

Im Zuge eines Ausfluges nach Heiligenkreuz nächtigten Franz Schubert und sein Freund Franz Lachner vom 3. zum 4. Juni 1828 im Gasthof „Zum Schwarzen Adler". Während dieser Nacht entstand die vierhändige Orgelfuge Schuberts op. posth., D. 952, die am darauffolgenden Tag in der Stiftskirche zu Heiligenkreuz erstmals gespielt wurde.

Auf der Rückreise von seiner ersten Londonreise verweilte Felix Mendelssohn-Bartholdy im Herbst 1829 in Baden bei den Damen v. Ephraim. Für geladene Gäste seiner Gastgeberinnen konzertierte er auf der Orgel der Badener Stadtpfarrkirche.

Das vierte Jahrzehnt des 19. Jahrhunderts bescherte Baden das oftmalige Wirken der Walzerdioskuren Johann Strauß Vater und Joseph Lanner. Lanners Kapelle spielte jeden Samstag abends im Gasthof zum „Schwarzen Adler", zu Ballfesten im Redoutensaal und des öfteren auch nachmittags auf der „Hauswiese", einer beliebten Jausenstation am Eingang in das Helenental. Johann Strauß Vater komponierte 1830 den Walzer „Souvenir de Baden" op. 38 und im Jahre 1832 „Mein schönster Tag in Baden" op. 58. Joseph Lanner schuf als op. 32 den „Schwechat-Ländler" und als op. 64 den Walzer „Badener Ringeln".

Am 12. August 1832 fand aus Anlaß der Errettung des Kronprinzen Erzherzog Ferdinand von dem Pistolenattentat, das ein Hauptmann Reindl in der Berggasse (heute Marchetstraße) unternommen hatte, auf der Hauswiese ein wahres Volksfest statt, bei dem sich sogar „...ihre allerhöchsten kaiserlichen Durchlauchten tanzend unters Volk zu mischen geruhten". Bei dieser Gelegenheit hob Johann Strauß Vater sein op. 58, den Walzer „Mein schönster Tag in Baden" aus der Taufe.

1833 kam der Komponist Ignaz v. Mosel erstmals nach Baden und blieb bis 1843 treuer Feriengast, der fast allsommerlich die Stadt besuchen sollte.

Auf Anraten des Arztes Dr. Malfatti kam der russische Komponist Michail Glinka 1833 zur Kur nach Baden. Er schrieb darüber in seinen Memoiren: „...ein Lohnlakai brachte mich aus meinem Gasthaus ,Zum Wilden Mann' nach Baden. Der dortige Arzt,

Karl Haslinger, Souvenir de Baden (Kat. Nr. 95)

ein kräftiger, gesunder rotbäckiger Bursche, gab sich den ganzen Tag dem Reit- und Tanzvergnügen hin, mich aber ließ er Brunnen trinken und Bäder — später auch Duschen — nehmen. Die Alasin-Schwefelbäder in Baden übten eine sehr starke Wirkung aus, und meine Nervenzerrüttung erreichte bald den Höhepunkt ... Mein Diener brachte mich zum katholischen Pfarrer, der ein Klavier besaß. Ich begann zu improvisieren, anscheinend sehr wehmütig, denn der Pfarrer fragte mich erstaunt: ‚Wie kann man in ihrem Alter nur so trauern?' ...‟

Am 1. April 1840 spielte Joseph Lanner, der sich inzwischen von seinem einstigen Kompagnon Johann Strauß sen. gänzlich getrennt hatte, mit seiner Kapelle ein Walzerkonzert im Stadttheater.

Das Revolutionsjahr 1848 brachte Baden nochmals eine große Anzahl von Gästen, die allerdings in den offiziellen Kurlisten nur teilweise zu finden sind. Das Gästebuch der Familie Rollett weist mehrere Eintragungen von „U-Booten‟ auf, die von ihrer Familie zum Untertauchen veranlaßt worden waren und „incognito‟ in Baden wohnten.

„Baden — ein Weimar der Musik‟ — die Ausführungen der vorstehenden Seiten haben wohl hinreichend untermauert, wie berechtigt Viktor Grimm vor wenigen Jahrzehnten dieses epitheton ornans für seine Heimatstadt prägte. Hat in Weimar, am Hofe der Herzogin Anna Amalia, Goethe, die strahlendste Dichterpersönlichkeit seiner Zeit, das Zentrum einer Schar erlauchter Dichter und Denker dargestellt, so zeichnete etwa zur selben Zeit der zu seiner Zeit wohl größte Komponist, Ludwig van Beethoven, die Stadt Baden durch seine oftmaligen Besuche aus und wurde hier Mittelpunkt für viele, seine Nähe suchende Größen der Musikgeschichte, wenngleich der Kaiser nicht die dominante Rolle einnahm wie in Weimar die Herzogin. In einer Zeit des politischen Aufbruches vollzog sich auch eine der bedeutendsten Wenden der abendländischen Musikgeschichte. Das Schaffen eines Beethoven oder Schubert ist zwar größtenteils den Prinzipien der Wiener Klassik verpflichtet, der Durchbruch der Romantik war aber unaufhaltbar. Bei Beethoven ist dieser Aufbruch vielleicht auf den ersten Blick nicht so signifikant, aber man denke an die programmatischen Satzbezeichnungen seiner 6. Symphonie oder das Sujet der Oper „Fidelio‟, das in der Klassik undenkbar gewesen wäre, nicht zu reden von der revolutionierenden Einbeziehung der menschlichen Stimme in das symphonische Geschehen einer 9. Symphonie. Auch Schuberts Tonsprache ist zwar noch der Wiener Klassik verpflichtet, in seinen symphonischen Werken eifert er ja zugegebenermaßen seinem Vorbild Beethoven nach. In der für die Romantik so typischen Kleinform, speziell dem Lied, ist Schubert bereits als Großmeister, wenn nicht sogar als Vollender der Romantik anzusprechen.

Wien, die Hauptstadt der Musik, hat alle großen Musikerpersönlichkeiten angezogen; Baden, die kaiserliche Sommerresidenz, hat davon zweifellos profitiert. Selbst als nach dem Tod von Beethoven und Schubert die Vormachtstellung kurzfristig weg von Wien an Schumann und Mendelssohn ging, blieb Baden in vorderster Linie. Eine immer stärker an Bedeutung gewinnende Musiksparte konnte nur hier in Wien und Umgebung aufblühen, die Musik einer Familie Strauß, Lanner, Ziehrer, Millöcker, Zeller, um nur einige der Wichtigsten zu nennen. Sie alle musizierten in Baden, manche von ihnen haben hier später sogar ständig Wohnung genommen, so daß Baden weiterhin im Musikgeschehen präsent blieb.

Literatur

Alfred Willander, Musikgeschichte der Stadt Baden, Baden 1980.

FERDINAND RAIMUND.

Eigenthum und Verlag von
Pietro Mechetti qm. Carlo in Wien
Kais. Königl. Hof Kunst und Musikalienhandlung.

Joseph Kriehuber, Ferdinand Raimund (Kat. Nr. 152)

Kornelius Fleischmann

LITERATUR UND THEATER IN BADEN

Anders als in der Kunstgeschichte ist in der Darstellung des dichterischen Schaffens der Begriff „Biedermeierliteratur" für eine geistig, stilistisch und thematisch homogene Strömung problematisch. Mag auch die zeitliche Begrenzung durch die Jahreszahlen 1815—1848, auf die sich die Historiker geeinigt haben, ein Mosaik grundsätzlich zusammengehörender geschichtlicher und soziologischer Fakten anbieten und eine Epochenbezeichnung rechtfertigen, sind doch die literaturgeschichtlichen Entwicklungslinien des 19. Jahrhunderts so vielfältig verschlungen, daß es unwissenschaftlich wäre, simplifizierend und harmonisierend einen Epochenbegriff durchsetzen zu wollen.

Aufgrund der schnellen Aufeinanderfolge von literarischen Strömungen seit dem Ausklang des 18. Jahrhunderts gehören viele Dichter mit ihrem Früh- oder Spätwerk einer anderen Epoche an. So kommt es zu Parallelläufen einander opponierender Richtungen und Stile, zu Überschneidungen und Durchdringungen. Eine weitere Differenzierung ergibt sich aus der Vielfalt schriftstellerischer Reaktionen alter und junger, konservativer und progressiver, religiöser und liberaler Zeitgenossen auf die starre Ordnungspolitik Metternichs mit Zensur und Polizeiapparat.

Beginnen wir aus dem Geflecht von Wertungen, Weltanschauungen und Haltungen, wie sie in der „Biedermeierliteratur" ihren Ausdruck finden, einen Hauptstrang herauszuziehen, der in einer vorhergegangenen Epoche wurzelt, aber in den Jahren unmittelbar nach dem Wiener Kongreß in seiner Spätform noch dominiert: die Romantik. Sie ist keine originäre österreichische Literaturströmung und konnte sich in einem Kulturraum mit ungebrochener Barocktradition, überlagert von josephinischer Aufklärungsnüchternheit, nur mühsam und flüchtig festsetzen. Norddeutsche Romantiker, die in Österreich das letzte Bollwerk patriotischer Gesinnung, in Kaiserkrone und Doppeladler die mystischen Symbole mittelalterlichen Gottesgnadentums sahen, kamen während der Napoleonischen Kriege in Scharen nach Wien, um unter österreichischen Fahnen zu kämpfen oder sich sonstwie in den Dienst des Freiheitskampfes zu stellen. Sie verpflanzten den Geist der Romantik aus den Salons von Jena und Berlin und den Heidelberger Studentenzirkeln nach Wien. Vor allem waren es die Brüder Schlegel (August Wilhelm 1808, Friedrich 1812), die in ihren Vorlesungen über Literatur österreichische Intellektuelle zum erstenmal mit der idealistischen Philosophie und der die Wirklichkeit überhöhenden Weltsicht der Romantik konfrontierten. Da Friedrich Schlegel in den österreichischen Staatsdienst trat und in Wien blieb, wurde sein Heim zum Treffpunkt vieler Dichter- und Künstlerpersönlichkeiten der Romantik, wie der Brüder Eichendorff, Zacharias Werners, Clemens Brentanos, Adam Müllers, der Nazarenermaler und vieler anderer. Durch den Redemptoristenpater Klemens Maria Hofbauer wurden viele von ihnen als Anhänger und Mitstreiter der katholischen Restauration gewonnen. Sie bildeten die einzigen Literaten, die zu Metternich und dem Chef der Staatskanzlei, Friedrich von Gentz, eine positive Beziehung hatten und als Wortführer des Bündnisses von „Thron und Altar" eine von höchster Stelle genehmigte kulturpolitische Rolle spielten.

Wie aus Kurlisten, Briefen und Tagebuchaufzeichnungen hervorgeht, besuchten prominente Vertreter dieser deutschen Romantiker, Friedrich Schlegel, seine Gattin Dorothea mit ihrem Sohn Philipp Veit, die Brüder Eichendorff oder Zacharias Werner, mehrmals die Kurstadt Baden, in der im Jahrzehnt des Kongresses auch der Kaiser, Metternich und Gentz regelmäßig und langzeitig Quartier bezogen.

Rahel Levin, die einen der bedeutenden Salons in Berlin führte und eben erst den Diplomaten Karl August Varnhagen von Ense geheiratet hatte, verbrachte den kritischen Waterloo-Sommer von 1815 in Baden und schrieb an ihren Gatten eine Reihe von Briefen mit kostbaren Landschafts- und Milieuschilderungen. Rahel wohnte bei der Bankiersgattin Fanny Freiin von Arnstein, deren gastfreundliches Haus — ähnlich wie das Rahels in Berlin — Künstlern und Schriftstellern geöffnet war.

Ende der zwanziger Jahre wuchs die Unzufriedenheit der Bürger mit dem unverändert absolutistischen „System", dessen Druck man in den Jahren des Atemholens und Ausruhens nach zwanzigjährigen Kämpfen nicht so gespürt hatte. Nun aber sah sich der Bürger, seiner staatserhaltenden und kulturellen Bedeutung wohl bewußt, um die Früchte des Freiheitskampfes geprellt: Statt gebührend Anteil an der Führung des Staates nehmen zu können — etwa durch eine vom gehobenen Bürgertum gebildete Volksvertretung —, sah man sich in entscheidenden, die Lebensqualität bestimmenden Willensäußerungen bevormundet, kontrolliert und bespitzelt.

Die ältere, das dynastische Ordnungsprinzip mit seiner Hierarchie hochhaltende Generation verdrängte langfristig eine Entscheidung zwischen System und Opposition, verzichtete auf öffentliche Aktivität und zog sich in die Privatsphäre, in die idyllische Umhegtheit der Bürgerstube zurück. In dieser scheinbaren Verengung entdeckte man die Welt des Kleinen, Unbedeutenden, der alltäglichen Dinge und begriff ihre stumme Botschaft, das „sanfte Gesetz" Stifters: Das Unscheinbare und Bescheidene als Maß einer höheren Ordnung. Verzicht auf den Lärm der Welt, „Einfachheit", „Bezwingung seiner selbst", „Wirksamkeit in seinem Kreise" (Stifter) machen Tugend und stilles Heldentum des Bürgers aus. So wird die scheinbare Spannungslosigkeit der eigenen unpolitischen Existenz zum Ausdruck des biedermeierlichen Lebensgefühls, das den Alltag, die Kunst und damit auch die Literatur prägt.

Nun sind wir beim Hauptstrang der literarischen Tendenzen jener Jahrzehnte angelangt, bei der „echten" Biedermeierliteratur, und können ermessen, wie weit die landläufigen Vorstellungen eines selbstzufriedenen, mit etwas Sentimentalität gewürzten Spießeridylls von der literaturhistorischen Wirklichkeit entfernt sind. Es ist der Geist des österreichischen Barocks, der sich, seines Pathos entkleidet und mit einer deutlichen Geste der Resignation, noch einmal zeigt: jetzt im Kleide des Bürgers.

Von den Dichtern des „sanften Gesetzes" besuchten die meisten Baden, die Biedermeierstadt par excellence, gerne: der in seinen Dramen alle Leidenschaften ablehnende, seine persönliche Problematik sorgfältig verbergende Franz Grillparzer; sein Freund, der die Habsburger in Hexametern besingende Kirchenfürst Ladislaus Pyrker; Adalbert Stifter, am Rande des Abgrunds wandelnder Verkünder einer heilen Welt; die behäbige literaturbeflissene Caroline Pichler und die stolze, zu lebenslanger Dienerschaft verurteilte Betty Paoli; der unglückliche Nikolaus Lenau in seiner bereits vom Wahnsinn überschatteten Leidenschaft und Ludwig Uhland, flammender Patriot und stürmischer Lyriker in der Maske eines mürrischen Schweigers; Franz Ignaz Castelli, der sich überall — literarisch und politisch — zurechtfand, und der in den Regionen der Alpengeister beheimatete, in den Niederungen verirrte Ferdinand Raimund; der als „Gscherter" verkleidete Hofbeamte und Eipeldauer-Spötter Franz Karl Gewey und der derbe Mundartdichter Anton Klesheim, ein verarmter Freiherr.

Joseph Kriehuber: Wenzel Scholz, Carl Treumann und Johann Nestroy (Kat. Nr. 164)

Im hiesigen Stadt-Theater

wird heute

die Wilhelmische Schauspieler- Sänger- u. Tänzer-Gesellschaft

die Ehre haben,

als an dem so erfreulichen

Vermählungstage

des Wohledelgebohrnen Herrn

Herrn Martin Joseph Mayer,

Bürgermeister in Baden,

unter Trompeten- und Paukenschall und Beleuchtung des äußeren Schauplatzes,

in tiefster Ehrfurcht zu dediziren:

Eduard und Leonore,

oder

Der Sieg der Liebe.

Ein Original-Schauspiel in 4 Aufzügen.

Personen:

Friedrich, Graf von Sonderberg	Hr. Gubig.
Siegmund, dessen Bruder, General	Hr. Grünberg.
Louise, dessen Gemahlinn	Mad. Denisle.
Liebenberg, Verwalter	Hr. Denisle.
Marie, dessen Ehefrau	Mad. Karmasini.
Leonore, ihre Tochter	Mad. Wirdisch.
Karl	Hr. Billinger.
Fritz, Kammerdiener des Grafen Friedrich	Hr. Edlestin.
Johann, Bedienter	Hr. Georg Wilhelm.
Lorenz, im Hause des Verwalters	Hr. Wirdisch.
Franz, Postillion	Hr. Jos. Wilhelm.
Rikaldo	Hr. Roch.
Bauern. Vier Banditen.	

Darauf folgt:

Vermählungsfeyer.

Ein ganz neues Divertissement-Ballet, mit einer neuen transparenten Dekoration,
von Hrn. Balletmeister Heiß.

Der Anfang ist um 6 Uhr.

Theaterzettel vom 11. Jänner 1810 (Kat. Nr. 143)

Heute Dienstag den 5. Juny 1832

wird in dem k. k. Schauspielhause der landesfürstl. Stadt Baden unter der Direction des Leopold Hoch aufgeführt:

bey Beleuchtung des äußeren Schauplatzes

zur würdevollen Feyer des neuerwählten und bestätigten Bürgermeisters Herrn Johann Nep. Trost,

welchem der Ertrag der heutigen Einnahme zur gutächtlichen Disposition überlassen ist.

Adelheit von Burgau.

Großes Schauspiel in 4 Aufzügen, von Frau v. Weissenthurn, k. k. Hofschauspielerinn.

Personen:

Adelheit, Markgräßinn von Burgau	Mad. Köhler.	Ritter Hasbacher	Hr. Callione.
Brunno von Eichenhorst, ihr Kanzler	Hr. Bernsch.	Ritter Pappenheimer	Hr. Neumerth.
Sibilla, Hoffrau	Mad. Sachs.	Kuno, }	Hr. Feichtinger.
Bertha	Dlle. Löffler.	Hans, } Knappen	Hr. Carmasini.
Graf Ernst von Weidenau	Hr. Roll.	Ulrich, Burgvogt	Hr. Skotti.
Hugo, sein Sohn	Hr. Buel.	Eine Gefangene	Dlle. Horn.
Ritter Pfalzer, Hugos Freund und Waffenbruder	Hr. Hoch.	Damen der Markgräßinn. Ritter. Knappen. Knechte. Pagen.	
Dietrich von Wolfeck	Hr. Kneuer.		

Das Theater wird mit Pauken- und Trompetenschall und einem Prolog, gedichtet und gesprochen von Hrn. Buel, eröffnet.

Billets zu Logen und Sperrsitzen sind in der Theater-Kanzley bis Nachmittags um 5 Uhr zu lösen, über höhere Beträge wird dankbarst quittirt.

Theaterzettel vom 5. Juni 1832 (Kat. Nr. 158)

Eigenthum und Verlag von
Pietro Mechetti qm. Carlo in Wien

Joseph Kriehuber, Moritz Gottlieb Saphir (Kat. Nr. 138)

Eine dritte Gruppe von Autoren stellt in der letzten, zu revolutionärer Entladung drängenden Phase des Biedermeier, im Vormärz, die Generation der um 1800 Geborenen. Die jungen Intellektuellen hielten nichts von Mitte und Maß des „sanften Gesetzes", warfen den Konservativen und Romantikern Lebensfremdheit vor und stellten sich — mit der gleichen Begeisterung wie einst die Freiheitskämpfer der von ihnen verhöhnten Vätergeneration gegen Napoleon — in den Dienst politischer, sozialer und liberalisierender Forderungen. Der Ruf nach Verfassung, Freiheit der Meinungsäußerung, Sozialreform, wirtschaftlicher und technologischer Anpassung an westeuropäische Verhältnisse erhob sich zuerst in vorsichtigen, die Zensurbehörde überspielenden Andeutungen, wurde dann immer offener und aggressiver, übertönte die Stimme der abgeklärten bürgerlichen Ästhetik und erhob schließlich Anklage gegen die alten Ordnungsmächte.

In Baden, der berüchtigten schwarz-gelben Zufluchtsstätte während der Revolution, gab es für die progressiven Schriftsteller nur einen Stützpunkt: Schloß Weikersdorf. Dort sammelte der Hausherr, Anton Freiherr von Doblhoff-Dier — im Revolutionsjahr Handelsminister und auf Vorschlag Erzherzog Johanns Innenminister — alle Unzufriedenen um sich: Alexander Bach, Anton von Schmerling, Karl von Kleyle, den Theaterkritiker Friedrich Witthauer und den Burgtheaterdichter Eduard von Bauernfeld, Autor gefälliger Konversationslustspiele mit geschickt verborgener Zeit- und Gesellschaftskritik. In seinen Tagebüchern vermerkte er einige interessante Begegnungen im Baden der Jahre von 1821—1848.

Der Baden am engsten verbundene liberale Satiriker war Moritz Gottlieb Saphir. Wie Heine verfügte er in der Lyrik über sehr zarte Töne, kehrte aber lieber seine sarkastische Seite heraus. In seinem eigenen Blatt „Der Humorist" fiel er in zahllosen, an Wortspielen erfindungsreichen Feuilletons und Gelegenheitsgedichten über die Kureinrichtungen, Gäste, Parkfeste und das Theater Badens her. Für Baden betrieb er gerade damit eine so wirksame Werbung, daß ihm die Stadtgemeinde 1852 auf halber Höhe des Kalvarienberges ein Gartenhäuschen, die „Moritz-Ruhe", bauen ließ.

Literatur

Fleischmann Kornelius, Biedermeierliteratur in und um Baden und Bad Vöslau, Baden 1983

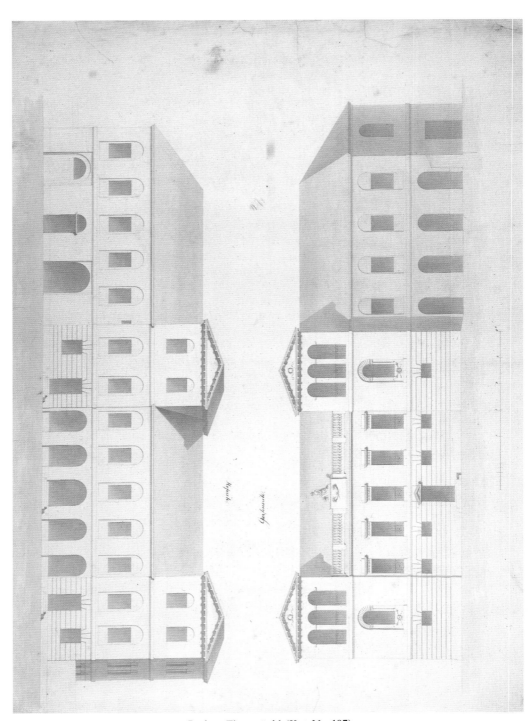

Baden, Florastöckl (Kat. Nr. 187)

Johann Kräftner

BADEN — ARCHITEKTUR UND BAUEN 1800—1850

Baden erlebte — wie kaum eine andere Stadt Niederösterreichs — am Anfang des 19. Jahrhunderts einen gewaltigen Aufbruch, der sich noch heute im Stadtbild dokumentiert und dieses bestimmt.

Anders als vergleichbare Kommunen — Wiener Neustadt, Krems, St. Pölten — spielte hier die Barockarchitektur keine Rolle, weder im Monumentalbau noch im Haus des einfachen Bürgers hinterließ sie wesentliche Spuren. Bis auf wenige Ausnahmen prägten ein- und zweigeschoßige Häuser das Bild, einfache Bauern-, Weinhauer- und Bürgerhäuser, wie sie auch heute noch in großer Zahl vorhanden sind.

Sowohl der ältere Wetzelsberg in seinen topographisch präzisen Veduten (Kat. Nr. 396, 397) als auch sein Sohn in seinem als Dokument wichtigen Skizzenbuch (Kat. Nr. 342) haben uns solche Objekte mit topographischer Akribie unmittelbar aus ihrer Zeit mit allen lebendigen Details am Rande, die heute schon längst verlorengegangen sind, überliefert.

Einzig am Hauptplatz, in der Gebäudegruppe um die Mariensäule, formierte sich schon frühzeitig ein dichterer städtischer Kern mit bedeutenderen Häusern.

Hier setzt auch der architektonische Umbruch ein, als 1792 der reiche Kaufmann Johann Jakob Gontard, wahrscheinlich durch Johann Aman, sein Haus errichten ließ. Schon kurze Zeit später ging es an die Fürsten Esterházy, dann an Baron Arnstein und schließlich 1813 in das Eigentum von Kaiser Franz I. über, der hier endgültig seine Badener Residenz aufschlug; als Kaiserhaus ging es so schließlich in die Geschichte ein. Die Fassade dieses dreigeschoßigen Hauses ist noch ganz geprägt vom Purismus josephinischer Strenge, einzig der Balkon verleiht ihr einen gewissen Akzent. Pläne zu diesem Haus haben sich sowohl in der Albertina als auch im Rollettmuseum in Baden erhalten.

Von Anfang an schreibt sich mit diesem Haus eine Position fest, die die ganze Zeit der ersten Hälfte des Jahrhunderts über bestimmend bleiben sollte. Alle großen Bauaufgaben werden von Wiener Architekten geplant, entweder von der Hofbaudirektion selbst oder ersten Kräften aus der Haupt- und Residenzstadt, die hier ein reiches Betätigungsfeld finden sollten: Joseph Kornhäusel ist in der zweiten Gruppe an erster Stelle zu nennen. Gibt es innerhalb dieser aus der Hauptstadt kommenden Architekturtendenzen schon gewaltige Spannungsfelder, auf die in der Folge noch einzugehen sein wird, bestehen diese Differenzen erst recht zwischen ihnen und der Architektur lokaler Größen. Ihnen blieben, so begabt sie auch sein mochten, nur zwei Wege offen: als ausführende Meister der Großen zu arbeiten oder sich der Fülle der alltäglich anfallenden Bauaufgaben zu widmen. Georg Frühauf, Anton Hantl und Johann Georg Schmidberger gingen beide Wege. Daß sich daraus oft auch Animositäten zwischen ihnen und den Wienern ergaben, war wohl nicht zu vermeiden: für das Verhältnis zwischen Hantl und Kornhäusel sind sie auch belegt. Hantl führte die wichtigsten Bauten der Zeit in Baden, das Rathaus, das Frauenbad und die Weilburg aus, plante auf der anderen Seite aber auch selbst Hunderte kleinerer Bauführungen. Viele sind in den noch vorhandenen Konsensplänen belegt — leider nicht aufgearbeitet; sie prägten und prägen in ihrer bescheidenen Qualität das Stadtbild mindestens genauso wie die Bauten der Großen,

Ferdinand Anton Freiherr von Wetzelsberg, Ursprungsbad (Kat. Nr. 342)

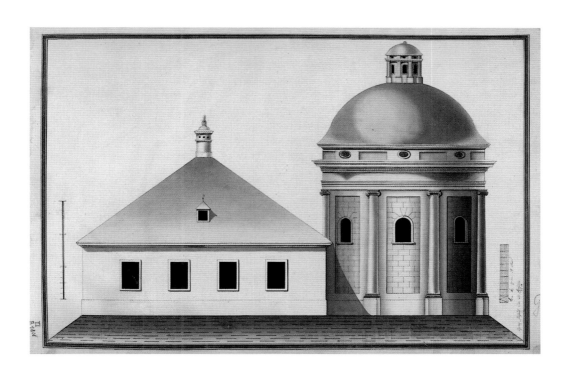

Georg Frühauf, Josefsbad (Kat. Nr. 232)

wenn ihnen auch heute noch genausowenig Aufmerksamkeit zugesprochen wird wie damals.

Der eine Teil der Bauten bedeutender Meister wurde, wie schon erwähnt, direkt von Architekten der Hofbaudirektion oder ihr nahestehender Kräfte abgewickelt. So wurde 1798 nach Angaben des Kamillo Grafen Lamberti als Geschenk Kaiser Franz I. an die Stadt Baden der kleine Äskulaptempel im Kurpark (Kat. Nr. 249) errichtet. Dieser kleine Prostylos mit vier toskanischen Säulen an der Front war das erste Bauwerk in Baden, das sich voll an antiken Vorbildern orientierte.

Der zwei Jahre später fertiggestellte Kiosk im Kurpark (Kat. Nr. 241), „Von einer Gesellschaft dem Publikum gewidmet", wie es in einer Aufschrift unter dem Dach geheißen hat, wurde nach Plänen des späteren Hofarchitekten Louis Montoyer, eines Niederländers, erbaut. Anleitungen zur Gestalt des Baues soll der in Baden anwesende ottomanische Gesandte gegeben haben. Ergebnis war erstaunlicherweise nicht ein ähnliches Feuerwerk an Phantasie und Exotik wie in den Laxenburger Lusthäusern Nigellis und Hohenbergs (Haus der Laune), sondern ein eher nüchternes, schutzbietendes „vernünftiges" Bauwerk in Holzbauweise, dessen Kuppel auf 72 hölzernen Säulen ruhte.

Der nicht weit weg davon stehende, nach Plänen der k. k. Nö. Oberbaudirektion 1796 errichtete Bau des Ursprungsbades (Kat. Nr. 50) war schon viel eher diesem Exotismus verpflichtet. Seine polygonalen seitlichen Pavillons waren mit geschweiften Kuppeln überdeckt, die auf hohen Stangen Halbmonde trugen. Unter dem Kranzgesims zog sich ein Stalaktitenfries hin, die Mauerfläche war mit einem in Rot und Blau gehaltenen Liniennetz überzogen. Hier konnte sich die Baudirektion der herrschenden Mode offensichtlich nicht verschließen und rückte von ihrer sonst so starren und todernsten architektonischen Haltung ein wenig ab.

Ein anderes wichtiges Projekt der Frühzeit in Baden bildete der 1801 nach Plänen von Louis Montoyer fertiggestellte Redoutensaal, der durch Johann Georg Wilhelm, 1784—1811 Pächter des angrenzenden Theaters, in Auftrag gegeben wurde. Verwendungszweck des Saales waren festliche Anlässe, Bälle, Diners. Der Bau war symptomatisch für den Aufschwung, den das gesellschaftliche Leben in Baden schon am Anfang des Jahrhunderts genommen hatte. Der Saal besaß ein mächtiges Muldengewölbe und nur gemalte Architekturdekorationen, die, noch zur Gänze in barocken Traditionen stehend, von Andreas Geyling (1763—1815) ausgeführt worden sind.

Dominiert von den Vorstellungen des Hofbaurates bleibt auch die Architektur der Bäder, deren Erneuerung schon bald nach der Jahrhundertwende einsetzt. Dem Formenschatz der Antike entlehnt ist der Zubau zum Josefsbad (Kat. Nr. 232). Der durch Halbsäulen gegliederte Zylinder des Kuppelbaues „im Stil eines römischen Vestatempels" wurde an den rechteckigen Vorgängerbau angefügt. Auch hier ist es in den gedrückten Proportionen und der sachlich-nüchternen Formensprache weniger der revolutionäre Klassizismus, der sich zwar präsentiert, aber im Hintergrund bleiben muß, sondern bürgerliche Behäbigkeit, die über die klassizistische Monumentalität den Sieg davonträgt. Der Übergang vom Klassizismus zum Biedermeier ist schon früh zu bemerken, beide sind durch keinen scharfen Trennstrich auseinanderzudividieren.

Die Fassade des 1812 errichteten Leopoldsbades (Kat. Nr. 54) wird durch den von jonischen Säulen getragenen Giebel beherrscht. Präsentiert sich in ihm auch hier die wiederauflebende Antike, entstammt die Fassadengliederung der Flanken mit den Rechteckfeldern dem Motivenbereich des 18. Jahrhunderts, der hier bis weit ins 19. Jahrhundert hinein überlebt. Ähnlich steif in seiner Haltung ist auch das Petersbad

Baden, Redoutensaal (Louis Montoyer und Andreas Geyling, 1801)

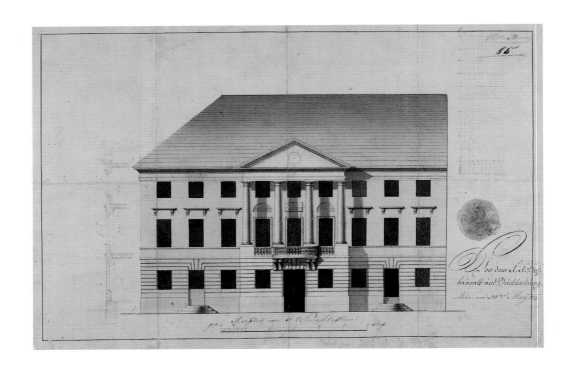

Fassade des Rathauses (Kat. Nr. 171)

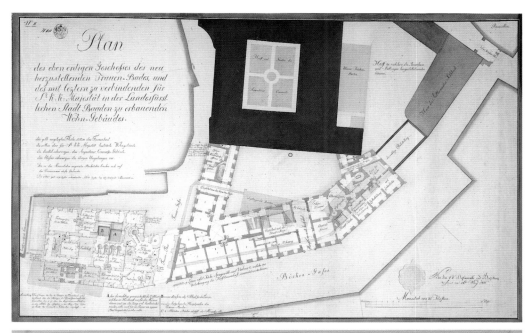

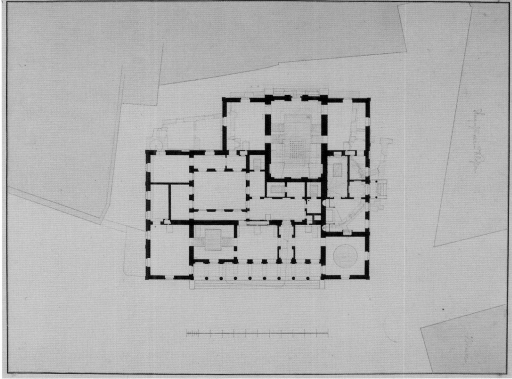

Frauenbad, Projekt (Kat. Nr. 224) und definitiver Grundriß (Kat. Nr. 227)

(Kat. Nr. 233), mit dessen Bau 1819 nach einer kaiserlichen Anordnung von 1818 zu bauen begonnen wurde. Nicht die Antike, sondern deren erste Wiedergeburt in der Renaissance ist es hier, an der sich das beherrschende Palladiomotiv des Mittelrisalites orientiert.

Eine lange Planungsgeschichte liegt dem Frauenbad zugrunde. Erste Projekte von Johann Aman (Kat. Nr. 233) datieren schon von 1811, als man sich mit dem Gedanken trug, hier einen großzügigen kaiserlichen Badebezirk zu errichten. Die Gesamtanlage mit einer repräsentativen kaiserlichen Residenz, die auch das Areal des angrenzenden Frauenklosters einbeziehen sollte, wird in einem fast vollständig erhaltenen Plansatz, der sich in der Albertina erhalten hat (Kat. Nr. 224), dokumentiert; Dubletten dieser Pläne existieren zum Teil auch in dem im Rollett-Museum erhaltenen Planbestand.

Der Brand von Baden machte offensichtlich diese noch kurz zuvor gewälzten großzügigen Ausbaupläne zunichte, in sparsameren Varianten (Kat. Nr. 225, 226) wurde erst um 1818 die Idee der Erneuerung des Neu-, Frauen- und Karolinenbades wieder aufgenommen; jetzt wurde sogar eine Erhaltung des alten Neubades (Kat. Nr. 56) überlegt. Schlußendlich konnte man sich aber doch zu einer großzügigeren Lösung durchringen, die den Abbruch der Frauenkirche und des bestehenden Neubades zur Voraussetzung hatte.

Der Entwurf zu dem endgültig ausgeführten Projekt wird allgmein mit Karl Ritter von Moreau (1758—1840), der seit 1794 in Esterházyschen Diensten stand, um 1797 das Eisenstädter Schloß erweiterte und während des Wiener Kongresses für zahlreiche Festarchitekturen verantwortlich zeichnete, in Verbindung gebracht. Allein die vorhandenen Archivalien und das im Rollettmuseum existierende Planmaterial, das mit dem Entwurf Amans 1811 einsetzt und bis zu großmaßstäblichen Rissen der Fassaden des schlußendlich ausgeführten Projektes reicht (Kat. Nr. 228—230), stellen viel eher einen Zusammenhang mit der Tätigkeit des Hofbaurates unter Aman her.

Der ursprüngliche Bau, vor den Veränderungen des späten 19. Jahrhunderts, bestach durch die ruhige Hingelagertheit des zurückhaltend eleganten, klar definierten Baukörpers. Eine ähnlich ruhige Haltung zeigte auch das Rathaus in seinem ursprünglichen, durch die Bereicherungen von 1897 veränderten Zustand. Für die von Tausig ohne Quellennachweis in die Literatur eingeführte Urheberschaft Kornhäusels lassen sich auch hier im heute noch vorhandenen Archiv- und Quellenmaterial, das die Planung, den Bauvorgang und die Abrechnung erstaunlich gut belegen kann, keinerlei Hinweise finden. Auch hier kommen die aus der Bauzeit vorhandenen Pläne (Kat. Nr. 168—171) aus dem Wirkungsbereich des Hofbaurates, in dessen formaler Sprache sich die Fassade und vor allem auch die Entwicklung des Grundrisses viel eher unterbringen lassen als im gleichzeitigen Schaffen von Kornhäusel.

Kornhäusels Tätigkeit in Baden wird nicht durch offizielle, sondern Bauten privater Auftraggeber getragen. Sie setzt mit dem Hotel für Apollonius Hebenstreit ein, das durch Kornhäusels Gesuch um Mitgliedschaft an der Akademie für ihn gesichert ist, in dem er es am 17. August 1807 unter den von ihm errichteten Bauten erwähnt. Ein in Privatbesitz befindlicher Grundriß des Hauses ist von Hebenstreit 1801 gezeichnet, unmittelbar danach dürfte das Haus auch entstanden sein. Später, nach dem Ankauf des Hauses durch Metternich, dürfte es durch Nobile umgebaut worden sein.

Ein nächstes Mal ist Kornhäusel in Baden für den Wiener Großhändler Anton von Jäger greifbar, für den er das Nebenhaus (Kat. Nr. 179, 180) errichtet. Ein Vermerk von späterer Hand datiert die jüngst aufgefundenen Pläne mit drei Grundrissen und einer

Joseph Lutz, Hauptfassade des Frauenbades (Kat. Nr. 231)

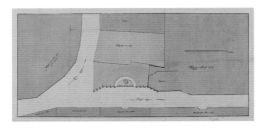

Joseph Kornhäusel, Regulierungsplan (Kat. Nr. 181)

Joseph Kornhäusel, Aufriß (unten) und Erdgeschoßgrundriß (gegenüberliegende Seite)
des Jägerschen Hauses (Kat. Nr. 180, 179)

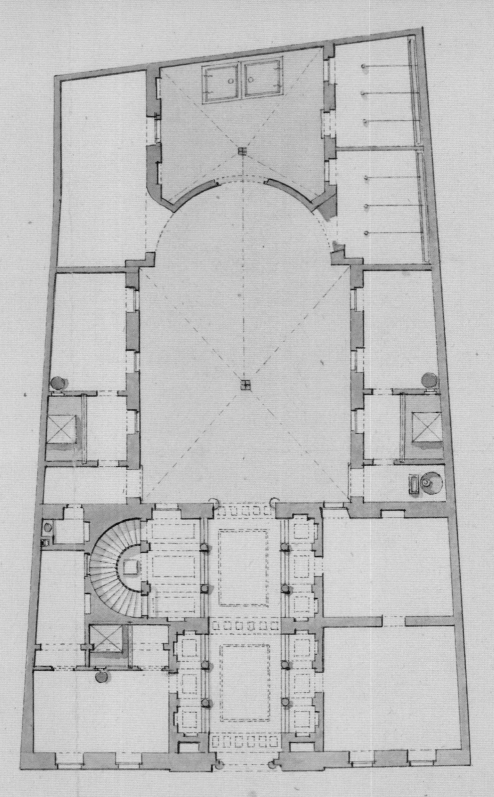

Zu ebener Erde

Joseph Kornhäusel, Platzfront des Esterházyschen Hauses (Kat. Nr. 183)

Joseph Kornhäusel, Haansches Haus am Theaterplatz (Kat. Nr. 191)

Fassade mit 1808, fertiggestellt war der Bau 1810. Kornhäusel gelingt mit diesem Bau ein städtisches Wohnhaus, das sowohl die Repräsentationsansprüche des Bauherrn als auch das Bedürfnis nach Geborgenheit und Einordnung in das Gefüge des kleinstädtischen Lebens der Kurstadt auf selbstverständliche Weise zu erfüllen imstande ist. Kornhäusels Kunst ist es — schon hier an seinem Anfang —, dezent vorgetragene Noblesse mit jenem Schuß Alltäglichkeit zu paaren, die seine Architektur schließlich weit über den Alltag erhebt.

Ähnliches gilt auch für ein wenig später entstandenes drittes Stadthaus, das Kornhäusel für Karl Graf Esterházy an der Ecke der Pfarrgasse zum Theaterplatz (Kat. Nr. 182) plante. Auch hier schlägt er Töne an, die eine geglückte Symbiose aus dem Darstellungsbedürfnis eines dem Hochadel entstammenden Bauherrn und der gegebenen baulichen Situation an einem der wesentlichen Plätze der Stadt bildet. In gleicher Weise gelingt es Kornhäusel, hier ebenso wie im Jägerschen Haus auch im Grundriß die gegebene Situation und das zu bewältigende Funktionsprogramm in räumliche Folgen und Zusammenhänge umzusetzen.

Neben diesem Haus konnte Kornhäusel 1817—1818 für Joseph Friedrich Freiherrn von Haan ein weiteres Stadthaus (Kat. Nr. 190, 191) erbauen; mit dem angrenzenden Theater (1811—1812; Kat. Nr. 178) und dem zweiten, dem Esterházyschen Haus gegenüberliegenden Eckhaus Pfarrgasse/Theaterplatz, das er im Erdgeschoß reguliert haben dürfte, trug damals faktisch der gesamte Theaterplatz seine Handschrift.

Ähnlichen Einfluß auf das Stadtbild konnte er in der Theresiengasse nicht erreichen, für die er 1810 einen Regulierungsplan vorlegte (Kat. Nr. 181), der gegenüber dem Jägerschen Haus durch Zurückrücken der Baulinie neben der Herzogshofkapelle Platz für einen Neubau und eine kleine davorliegende Grünanlage schaffen sollte. Das Ansuchen wurde jedoch 1811 abgelehnt.

Joseph Friedrich Freiherr von Haan tritt in Baden noch zweimal als Bauherr Kornhäusels auf. Haan erwirbt ab 1814 das Areal des beim Brand schwer beschädigten Augustinerklosters und läßt es durch Kornhäusel wiederherstellen (Kat. Nr. 185, 188, 189). Im Vorfeld des Klosters läßt er, ebenfalls über einer Brandruine, 1816 das Florastöckl (Kat. Nr. 186, 187) errichten, nachdem der Hof von einem Erwerb des Areals und dem schon erwähnten großzügigen Umbau in einen kaiserlichen Badebezirk Abstand genommen hatte.

Kornhäusels Florastöckl ist zweifellos einer der Höhepunkte seiner Architektur in Baden. Mit äußerster Präzision der Baukörperfügung und sparsamstem, straffem architektonischem Dekor gelingt es ihm hier, ein in seiner Haltung klassisches und ruhiges, im Detail anmutiges Gebäude zu schaffen. Dieses deutlich französischen Vorbildern verpflichtete Erscheinungsbild hat neben der Zuschreibung an einen falschen Bauherrn immer wieder dazu geführt, dieses Gebäude aus dem Œuvre Kornhäusels zu streichen und der Hofbaudirektion und den dort wirkenden, aus Frankreich kommenden Kräften (Remy, Moreau) zuzuschreiben.

In kaum einem anderen Gebäude aber als im Florastöckl wird der Geist der Wiener Biedermeierarchitektur in ihrem Hauptrepräsentanten Kornhäusel deutlicher spürbar. Dieser Qualität in der Außenerscheinung muß einst auch die Eleganz in der Innenausstattung entsprochen haben; leider hat sich davon außer einer Beschreibung (Kat. Nr. 185) nichts mehr erhalten.

Zur Ausgewogenheit der äußeren Erscheinung trägt hier wie bei den anderen Bauten Kornhäusels in Baden sicherlich auch die Qualität der Bauplastik, an allen Bauten aus-

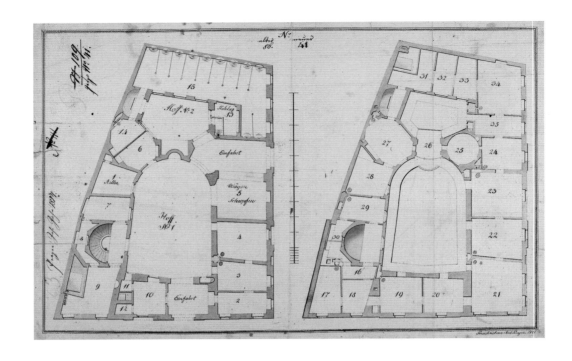

Esterházysches Haus, Grundrisse (Kat. Nr. 182)

Baden, Blick in den Hof des Sauerhofes (ÖNB, BA)

Thomas Ender, Das Bad des Sauerhofes (Kat. Nr. 194)

schließlich aus der Hand Joseph Kliebers, entscheidend bei. Klieber und Kornhäusel fanden in ihrem Schaffen zu einer bemerkenswerten Übereinstimmung, die sich in all ihren gemeinsamen Projekten verfolgen läßt.

Ein Gebäude, das in seiner architektonischen Aussage ganz ähnliche Töne anschlägt wie das Florastöckl, ist der Sauerhof (Kat. Nr. 192—196), 1820—1822 für Karl Freiherrn von Doblhoff als Hotel mit Bad, Restaurant und Kapelle, umgeben von einer englischen Gartenanlage, errichtet.

Kornhäusel hatte hier ein komplexes Funktionsprogramm zu bewältigen; der Mitteltrakt beinhaltet das Hotel, in den Flügelbauten bringt er das Bad und das Restaurant unter. An den Mitteltrakt schließt nach hinten zu ein hufeisenförmiger Hof an, der weitere Zimmereinheiten und in der Mitte die Kapelle birgt. Von den Innenräumen besonders beeindruckend ist das „römische" Bad, ein dreischiffiger Raum mit acht dorischen Säulen und einer mittleren Tonne mit Oberlicht; im Typus ist dieser Raum eine Vorform der Bibliothek des Schottenstiftes (1826—1835). In einer verschollenen Aquarellskizze Thomas Enders ist uns dieser Raum mit seiner Originalausstattung (Äskulapstatue Kliebers; verschollen) überliefert.

Ebenfalls für Karl Freiherrn von Doblhoff errichtete Kornhäusel, gleichzeitig mit dem Sauerhof, das Engelsbad, signifikant durch seine kühn vorgetragenen Baukörper.

Diese Bauten, Engelsbad und Sauerhof, begleiteten, angefangen vom schon 1802 errichteten Scheinerschen Kaffeehaus mit seiner schönen Säulenvorhalle (Kat. Nr. 355), den Weg hinaus ins Helenental zur Weilburg, dem Hauptwerk der Biedermeierarchitektur in Österreich und damit auch Kornhäusels.

Bauherr dieser weitläufigen Schloßanlage (Kat. Nr. 251—267) war Erzherzog Karl, der sie 1820—1823 am Abhang einer Anhöhe im Helenental am Fuß der Ruine Rauheneck für seine Frau Henriette von Nassau-Weilburg errichten ließ. Die Qualitäten seines Architekten hatte Karl unter anderem im Jägerschen Haus kennengelernt, in dem er vor dem Bau seines Schlosses des öfteren logierte und das deshalb auch den Namen „Zum Erzherzog Karl" trägt.

Am 29. August 1820 legte Kornhäusel die Pläne vor, am 13. September fand die Grundsteinlegung statt. 1821 stand der Rohbau, im Juni 1823 bezogen der Bauherr und seine junge Gemahlin das Schloß.

Auch hier bildete Kornhäusel wieder, ähnlich wie schon beim Sauerhof, an der Zufahrtsseite einen diesmal durch Nebentrakte und schwere eiserne Gitter abgeschlossenen Ehrenhof aus. Die Hauptfront des Schlosses schaut ins Tal und wird durch den Mittelbau mit dem zweigeschoßigen Portikus und die außen flankierenden Türme beherrscht. An diese Flankentrakte schließen halbkreisförmige, wie Bastionen wirkende Stalltrakte an, die mit dazu beitragen, der Hauptfront ein monumentales, repräsentatives Aussehen zu geben. Viel intimer wirkt die durch die Hanglage um ein Geschoß niedrigere Ehrenhofseite, die abseits aller Repräsentationsgedanken dem Ideal biedermeierlicher Geborgenheit huldigt.

Diesem Ideal sind auch die Innenräume (Kat. Nr. 286—296) verpflichtet gewesen. Schon das Vestibül (Kat. Nr. 274—277) verbreitete diese Atmosphäre, wurde optisch wahrscheinlich in seinen Dimensionen sogar durch die unterlebensgroßen Plastiken Kliebers gegenüber seinen tatsächlichen Ausmaßen gestreckt. Wie in vielen anderen Bauten Kornhäusels bilden Vestibül und Treppenhaus auch hier ein räumlich faßbares und erlebbares Verbindungselement verschiedener Ebenen, das sich weit über jede funktionelle Aufgabe hinaus verselbständigt.

Joseph Kornhäusel, Südfront der Weilburg (Kat. Nr. 254)

Joseph Kornhäusel, Nordfront der Weilburg (Kat. Nr. 253)

Blick in das Vestibül der Weilburg (Kat. Nr. 277)

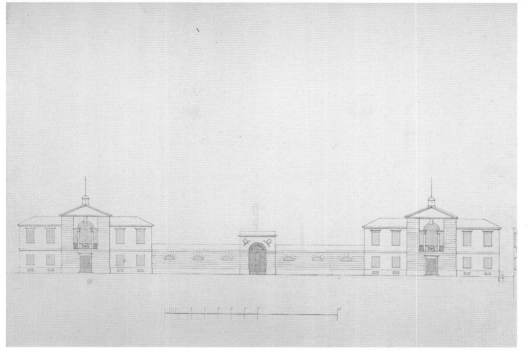

Joseph Kornhäusel, Kavalierhäuser der Weilburg (Kat. Nr. 258)

Franz Heinrich, Schlafzimmer Erzherzog Karls in der Weilburg (Kat. Nr. 294)

93

Weilburg, Blick in den großen Salon (Kat. Nr. 288)

Weilburg, Entwurf zur Wanddekoration des Großen Salons (Kat. Nr. 286)

Alle Innenräume waren kostbar ausgestattet, wie die Interieurs selbst ging leider auch ein Großteil der Entwürfe, Zeichnungen und Rechnungen zu dieser Ausstattung zugrunde, so daß als einzige Quelle heute noch einige schon nach der Mitte des 19. Jahrhunderts entstandenen Aquarelle und aus dem ersten Viertel unseres Jahrhunderts stammende Fotos herhalten müssen. Die Repräsentationsräume waren — diesen Quellen zufolge — in „lülla-grauen, grünlichten und blauen Farben", kalten Tönen also, ausgemalt. Die Möbel kamen zum Großteil aus der Danhauserschen Fabrik (Kat. Nr. 298—317) und zeichneten sich durch ihre Leichtigkeit und Eleganz aus. Im erhaltenen Fabrikskatalog Danhausers, der auch die Albertina für Erzherzog Karl ausstattete, sind die für diese Einrichtungen verwendeten Möbel eigens gekennzeichnet, wodurch diese Aufträge nachvollziehbar sind. Die Möbel konzentrierten sich, wie in der Frühzeit des Biedermeier üblich, vor allem entlang der Wände, rücken nur vereinzelt in die Raummitte hinein. Die späten Fotos können diesen Zustand nur mehr mangelhaft belegen, in einigen der Entwurfzeichnungen manifestiert sich diese Haltung aber noch ganz deutlich, die Möbel scheinen dort an der Wand zu kleben. Das Holz der Möbel dürfte in vielen Fällen schwarz gewesen sein, auch Mahagoniholz wird in den Rechnungen des öfteren erwähnt.

In seiner authentischen Ausstattung dürfte uns das Schlafzimmer Erzherzog Karls (Kat. Nr. 294) überliefert sein, in dem Draperien, das textile Element, eine ganz entscheidende Rolle gespielt haben.

Von all dem Reichtum, den die Weilburg repräsentierte, ohne auch nur irgendwo überladen oder aufdringlich zu wirken, hat nur wenig überlebt. Von Kliebers Plastiken das Wappen der Hauptfassade und der unter der Treppe des Mittelrisalits befindliche Wasserspeier, die Flora (Kat. Nr. 275) und drei Köpfe der Laternenträgerinnen (Kat. Nr. 276) aus dem Vestibül, die Türdrücker und schließlich einige Möbelstücke. Das Schloß selbst wurde 1945 angezündet, nachdem es schon vorher bessere Zeiten erlebt hatte. Anfang der sechziger Jahre wurden die letzten, noch immer beeindruckenden Reste der Hauptfassade gesprengt.

Übriggeblieben sind von der Bausubstanz lediglich die beiden Kavalierhäuser an der Auffahrt in der Weilburgstraße, auch sie aber verstümmelt und entstellt.

Nachdem sich das Herrscherhaus in Baden derartig festgekrallt hatte — Kaiser Franz im Kaiserhaus, Erzherzog Anton in seinem Palais in der Antonsgasse und Erzherzog Karl schließlich in der Weilburg —, ließ auch das Gefolge nicht auf sich warten. Baden erlebte in der Biedermeierzeit einen ungeheuren Zuzug, der Rückfall in der Entwicklung nach dem Attentat auf Erzherzog Ferdinand 1832 war zwar spürbar, konnte aber bald wieder durch den Bau der Eisenbahn nach Wiener Neustadt, die 1841 in Betrieb genommen wurde, wettgemacht werden. Die Stadt wurde um- und ausgebaut, mit gezielten Aktionen zu verschönern versucht, wuchs in die bis an ihren unmittelbaren Rand heranreichende Landschaft hinaus. Landhaus und Villa entstanden als neue Bautypen und formierten ganze, bis dahin nicht vorhandene Straßenzüge.

1818—1819 errichtete Pietro Nobile für den russischen Staatsrat Hudelist eines dieser Landhäuser (Kat. Nr. 200), dessen repräsentative Hauptfronten zur Straße und zum Garten in deutlichem Kontrast zu den fast schmucklosen Seitenfronten stehen. Nobile hatte während seiner römischen Aufenthalte den französischen Revolutionsklassizismus kennengelernt, der sich hier in dieser Villa, wenn auch in seiner ursprünglichen Radikalität abgemindert, deutlich niederschlug. Auch dürfte es Nobile gewesen sein, der seinem Konkurrenten bei der Bewerbung um die nach dem Tod Hetzendorfs von Ho-

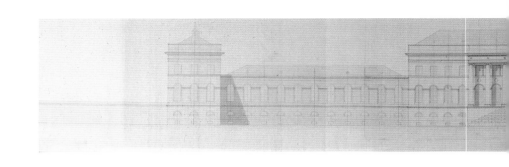

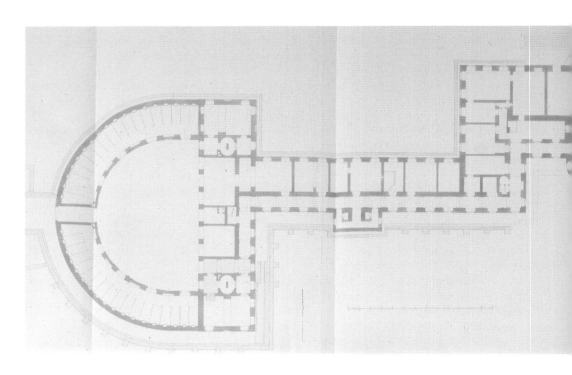

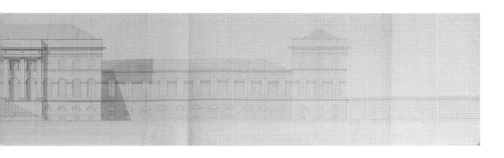

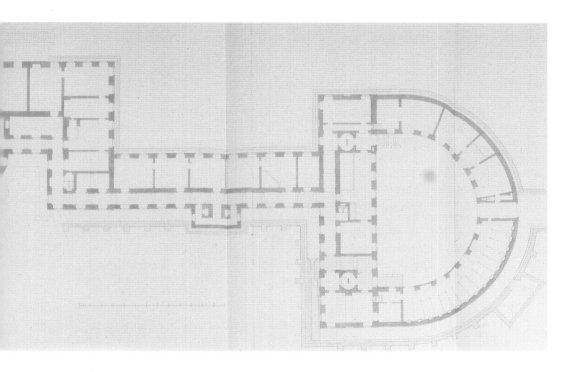

Joseph Kornhäusel, Werkrisse der Nordfront (Kat. Nr. 256) und des Erdgeschoßgrundrisses
(Kat. Nr. 255) der Weilburg

97

henberg an der Akademie freigewordene Professur und Freund Kornhäusel die Kenntnis dieser französischen Revolutionsarchitektur verschaffte, die sich einerseits in Kornhäusels Bauten für die Familie Liechtenstein, andererseits vor allem in der Weilburg auch in seinem Werk niedergeschlagen hat. Emil Kaufmann hat schon 1955 in seinem Standardwerk „Architecture in the Age of Reason" auf dieses Faktum aufmerksam gemacht. Auch im Grundriß für das Gegenüber des Jägerschen Hauses scheint Kornhäusel auf Ledoux' Publikationen (Grenier à Sel de la Ville de Compiègne Maison et Petit Théâtre de Mademoiselle Guimard, Paris) ähnlich wie schon vorher beim Apollotempel in Eisgrub reagiert zu haben.

Für Josef Perger errichtete Kornhäusel 1836 in der Gutenbrunnerstraße eine Villa (Kat. Nr. 201). Wie bei Nobile wird die Fassade durch einen dreiachsigen, übergiebelten Mittelrisalit beherrscht, der durch einen von zwei Doppelsäulen getragenen Balkon eine weitere Akzentuierung erfährt. Ein kräftiges Gesims trennt das genutete Sockelgeschoß vom glatten Oberbau.

Auf die Verwandtschaft dieser Villa mit der Attems-Villa (Kat. Nr. 202), die ein Jahr später entstand, hat schon Emil Kaufmann hingewiesen. Die Härte dieses von Jakob Hainz, dem langjährigen ausführenden Baumeister von Kornhäusel in Wien, geführten Baues unterscheidet ihn aber deutlich von seinem offensichtlichen Vorbild.

Diese Härte haftet auch der wahrscheinlich erst nach 1840 entstandenen Villa in der Albrechtgasse 10 (Kat. Nr. 203) an, die ebenfalls immer wieder mit Kornhäusel in Zusammenhang gebracht worden ist. In ihrem Inneren verbirgt sich ein Stiegenhaus, das in elegantem Schwung aus dem Hauptgeschoß in den Garten und in den ersten Stock führt und in noch fast originalem Zustand erhalten ist.

Zunehmend macht sich in den vierziger Jahren gerade in der Villenarchitektur der Historismus, der mit der in gotischen Formen gehaltenen Cholerakapelle (Kat. Nr. 236) 1832 in Baden vehement Einzug gehalten hat, nachdem er sich schon früher an einzelnen Detailpunkten (Schönfeldvilla, Gartenhaus beim Schloß Braiten) angekündigt hatte, bemerkbar. Gleichzeitig übernimmt in Baden eine neue Generation von Architekten die Herrschaft. Ihr wesentlicher Vertreter ist Gabriel Zimmermann, der 1845 sein eigenes Haus (Kat. Nr. 221) errichtet.

Den Schlußpunkt setzen Christian Friedrich Ludwig Förster und Theophil Hansen mit ihrer 1847 für die Gräfin Traun fertiggestellten Villa (Kat. Nr. 222) in der Weilburgstraße, die in ihrer Baukörperbildung wie ein letztes Resümee auf die Leistungen des Klassizismus und des Biedermeier ansetzt, aber in der Fülle des präzis der Antike nachempfundenen Dekors bereits dem Historismus und damit der nächsten Epoche nähersteht als der vorangehenden.

Daß dieses Bild der Badener Architektur der Biedermeierzeit nicht nur die uns bekannten großen Architekten prägten, sondern auch die kleinen Baumeister, ist bereits erwähnt worden. Zu diesen zählt zweifelsohne auch Carl Leopold, zusätzlich interessant auch durch den Umstand, daß sich sein Lebensweg über weite Teile verfolgen läßt. Eine Zeit lang arbeitete er bei Kornhäusel, zuerst als Polier am Sauerhof, danach fünf Jahre in Wien auch als sein Zeichner; im Anschluß daran besuchte er eine Zeichenschule und machte sich 1830 als Maurermeister in Alland selbständig. Im Kaiser-Franz-Josef-Museum in Baden konnte eine Fülle von Plänen aus seiner Hand aufgefunden werden, die teilweise allergrößte Nähe zu denen seines Lehrmeisters Kornhäusel besitzen. Seine eigene Laufbahn ist durch Entwürfe von Bauernhäusern (Kat. Nr. 219) belegt, die Zeugnis von seiner „hohen" Schule ablegen.

Joseph Kornhäusel, Hauptfront des Florastöckls

Pietro Nobile, Villa Hudelist (Kat. Nr. 200)

Villa Albrechtgasse 10 (Kat. Nr. 203)

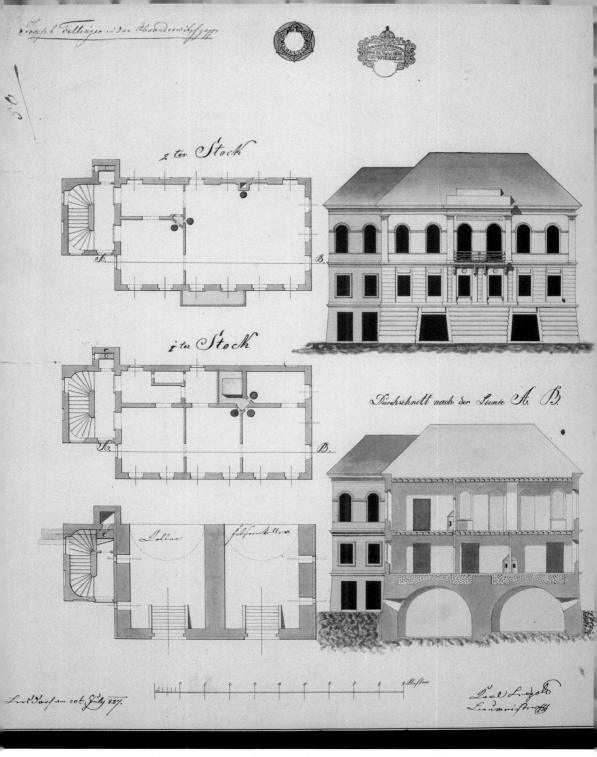

2 ter Stock

1 ter Stock

Durchschnitt nach der Linie A. B.

Karl Leopold, Haus in der Alexandrowitschgasse (Kat. Nr. 217)

Villa Albrechtgasse 10, Stiegenhaus (Kat. Nr. 204)

Auch Anton Hantl, ein anderer im Schatten von Kornhäusel, wurde bereits erwähnt, der um 1810 in seinem Garten einen kleinen Pavillon (Kat. Nr. 250) errichtete, der keinen Vergleich scheuen muß.

Nicht unerwähnt sollen schließlich Leistungen auf Randgebieten der Baukunst bleiben. Besonderes Augenmerk wurde immer der Ausgestaltung der Wege und der Straßen beziehungsweise deren Ausstattung mit Alleen zugewendet. Mit dem „Plan einer neuen Straßenanlage von Baden nach Heiligenkreutz und Durchsprengung des Urthelsteines" (Kat. Nr. 28) und dem „Grundriß der l. f. Stadt Baden mit dem Entwurfe zur Regulierung und Baumsetzung." (Kat. Nr. 37) haben sich dafür auch zwei Plandokumente erhalten. Dieser Verbesserung des Stadtbildes sollte auch die Eiserne- oder Luisenbrücke (Kat. Nr. 237), die erste derartige Konstruktion (Gußeisen) im gesamten Bereich der Monarchie, dienen. Mit ihrem Bau hatten sich die Badener aber offensichtlich doch zuweit vorgewagt, bei ihrer Eröffnung stürzte sie ein und begrub die auf ihr befindlichen Menschen unter sich. Der Wagemut der Badener hatte damit ein jähes Ende gefunden, die neue Brücke wurde, so wie schon die Antonsbrücke vorher, als biedere Holzkonstruktion errichtet.

Literatur

Hedwig Herzmansky, Joseph Kornhäusel, eine Künstlermonographie, Wien 1964.
Emil Kaufmann, Die Kunst der Stadt Baden, Wien 1925.
Emil Kaufmann, Architecture in the Age of Reason, Cambridge/Mass. 1955.
Landhaus und Villa in Niederösterreich. Herausgegeben von der Österreichischen Gesellschaft für Denkmal- und Ortsbildpflege, Wien 1982.
Österreichische Kunsttopographie. Band XVIII, Die Denkmale des politischen Bezirkes Baden, Wien 1924.
Mario Schwarz, Architektur des Klassizismus und der Romantik in Niederösterreich, St. Pölten - Wien 1982.
Renate Wagner-Rieger, Wiens Architektur im 19. Jahrhundert, Wien 1970.

Thomas Ender, Schloß Weilburg (Kat. Nr. 352)

Peter Weninger

DIE MALERISCHE ENTDECKUNG EINER LANDSCHAFT

Baden im Biedermeier — wer denkt da nicht gleich an reizvolle Veduten, von der Stadt selbst, vor allem aber an solche aus dem vielgerühmten Helenental und der Weilburg an dessen Eingang! Seit dem späten 18. Jahrhundert waren immer mehr Künstler, vor allem aus Wien, in die alte Badestadt gekommen und begannen bald auch deren Umgebung zu erkunden und festzuhalten.

Neben der Stadt- und Architekturvedute war nun auch die Landschaft interessant geworden, und das Helenental mit den „Ritterschlössern" Rauheneck und Rauhenstein übte eine besondere Faszination auf jene Maler aus, die sich nun vor allem mit der Landschaft selbst befaßten.

Johann Christian Brand, der eigentliche malerische Entdecker der Landschaft um Wien und einflußreiche Akademieprofessor, malte in seinen späten Jahren um 1790 hier ebenso wie seine Schüler Josef Heideloff (1793) und Laurenz Janscha.

Das Bild der alten landesfürstlichen Stadt Baden hatte sich seit Beginn des 19. Jahrhunderts gewaltig gewandelt. Schon 1795 waren die Stadtgräben zugeschüttet worden, zwischen 1804 und 1813 fielen die alten Stadttore, „um Reinlichkeit zu befördern, Licht und Luft Eingang zu verschaffen". Von 1802 bis 1827 waren fast alle Badehäuser um- oder neu gebaut worden, um den gehobenen Ansprüchen an Komfort und Eleganz gerecht zu werden. Der Mühlbach wurde reguliert, Kanalisation und Straßenbeleuchtung eingeführt; gleichzeitig stieg die Einwohnerzahl sprunghaft an. Hatte Baden um 1800 noch gegen 1930 Einwohner, waren es 1815 bereits 4219; die Stadt dehnte sich vor allem gegen Westen aus, wo zahlreiche Villenbauten entstanden.

Seit der 2. Hälfte des 18. Jahrhunderts war Baden zwar immer gezielter zum Bade- und Kurort ausgebaut worden, erlebte aber vor allem als Sommerresidenz Kaiser Franz I. (1811—1834) einen ungeahnten Aufschwung und wurde besonders in den Sommermonaten zum Treffpunkt der eleganten Welt. Dem Hof folgte der Adel, mit dem das wohlhabende Bürgertum bald wetteiferte, in ihrem Gefolge kamen auch viele Künstler hierher. Die rege Bautätigkeit in den ersten drei Jahrzehnten des neuen Jahrhunderts, bedingt auch durch den großen Stadtbrand vom 26. Juli 1812, der 137 Häuser zumeist im Zentrum vernichtete, verlieh der Stadt ein neues, nobles Aussehen. Der Kaiser logierte im 1813 erworbenen „Kaiserhaus" am Hauptplatz (1792 von Hofarchitekt Johann Aman für Baron Gontard erbaut), und die Niederlassung zweier kaiserlicher Prinzen, der Erzherzoge Anton, des Hochmeisters des Deutschen Ritterordens, und Karl, des Siegers von Aspern, brachte weitere höfische Gesellschaftszirkel in die Stadt. Das Sommerpalais Erzherzog Antons entstand 1813, und 1820 bis 1823 ließ Erzherzog Karl für seine junge Gemahlin Prinzessin Henriette von Nassau-Weilburg am Eingang in das Helenental unter der Ruine Rauheneck von Josef Kornhäusel, dessen Bauten schon vorher das Stadtbild weitgehend bestimmt hatten, das Schloß Weilburg errichten. Mit den Kaffeehäusern Philipp Otto (Casino) 1801 und Scheiner 1802 waren elegante Treffpunkte geschaffen worden, der Hauptplatz mit dem neuen Rathaus (1815), das Theater (1812) und der Kurpark mit seinen Zierbauten bildeten gesellschaftliche Mittelpunkte für die vielen Kurgäste. Im Helenental entstanden Promenaden und Ausflugsziele, besonders um die Ruinen Rauhenstein und Rauheneck bis zu den „Krainerhütten".

Es lag auf der Hand, daß Baden selbst, vor allem aber auch seine „romantische" Umgebung, das Helenental, in diesen Jahrzehnten in zahlreichen Ansichten und ganzen Folgen wiedergegeben wurden, die zum Teil freilich weitgehend auch Souvenircharakter hatten und als frühe, gezielte Fremdenverkehrswerbung betrachtet werden müssen. Das gilt besonders auch für die gleichzeitig erschienenen Stadtpläne, die gedruckten „Wegweiser" und verschiedenen „Mahlerischen Streifzüge" durch Baden und seine Umgebung zur Orientierung der Kurgäste und der zahlreichen fremden Besucher. Zwei Wiener Kunstverleger, Dominik Artaria und Tranquillo Mollo, banden Badener Ansichten bald in ihre Stichfolgen ein, für die eine Reihe von Künstlern an Ort und Stelle die Vorlagen schuf. Diese Tradition nahm in den „Vues" der großen Stichfolge von Artaria mit Badener Veduten von Johann Ziegler und Laurenz Janscha (ab 1810) ihren Anfang. Für den Verleger Tranquillo Mollo schuf der 1801 nach Wien gekommene Schweizer Wilhelm Friedrich Schlotterbeck um 1806—1810 effektvolle Aquatintablätter, die dem romantischen Zeitgeschmack sehr entgegenkamen, darunter eine Ansicht von Baden und vier aus dem Helenental.

Um diese Zeit, um 1804 bis 1814, verfertigte auch Ignace Duvivier eine Folge von zwölf eigenwilligen Radierungen „Ansicht der Gegenden von Baden auf dem Wege in das Helenental". Von seiner Hand stammen auch drei weitere Radierungen von Baden und zwei Aquarellansichten der Ruinen Rauheneck und Rauhenstein, denen sein besonderes Interesse galt.

Der 1811 an die Wiener Akademie gekommene Nürnberger Johann Adam Klein, einer der begabtesten und tüchtigsten Zeichner und Radierer seiner Zeit, war gleich nach Baden gewandert. Nach seiner Ansicht der Stadt vom Rauheneckerberg aus, einer schönen Feder- und Pinselzeichnung (1811), radierte er um 1816 ein im Format größeres Blatt, dem er 1817 eine weitere Radierung von St. Helena und Rauhenstein folgen ließ.

Aus diesem Jahr stammen auch zwei traditionell-vedutenartige größere Ölbilder von Franz Scheyerer mit weiten Blicken in das und aus dem Helenental auf Baden, die zumindest topographisch wichtig sind. Die Landschaft um Baden war damals aber auch für einen Bahnbrecher der Biedermeiermalerei von wesentlicher Bedeutung geworden, für Franz Steinfeld, der sich 1815 mit einer an sich ganz unrepräsentativen Helenentalpartie malerisch auseinandersetzte und damit einen neuen, eigenen Weg einschlug. Diese Naturstudie eines Felsenbruches mit einem Kalkofen übertrug er 1818 selbst auf den Stein und schuf damit nicht nur seine erste, sondern eine der Inkunabeln der Wiener Landschafts-Lithographie überhaupt. 1820 aquarellierte er wieder im Helenental und noch 1845 zeichnete er abermals hier.

Von ganz besonderem topographischem Interesse und ein Badensium ersten Ranges ist das Skizzenbuch des Freiherrn Ferdinand Anton Johann von Wetzelsberg, in dem eine der Zeichnungen mit 1817 datiert ist. Der Sohn des 1797 pensionierten Hauptmanns Ferdinand Freiherr von Wetzelsberg, der in Baden eine Zeichenschule eröffnet und 1817 ebenfalls Badener Veduten gezeichnet hatte, die von Benedicti und Beständig reproduziert wurden, hat in seinem Skizzenbuch 98 verschiedene Ansichten festgehalten, von denen 22 auf Baden und seine Umgebung entfallen. Diese reizvoll-naiven, meist aquarellierten Zeichnungen zeigen eine Stadtansicht, Bäder und andere Gebäude, die Schlösser Guttenbrunn, Doblhoff, Leesdorf und Merkenstein sowie vier Ansichten aus dem Helenental. Die sonst selten dargestellten Baulichkeiten der Annakapelle, des Mariazellerhofes, der Spitalmühle und des Gasthauses zum Bock dürfen aus stadtgeschichtlichen und topographischen Gründen besonderes Interesse beanspruchen.

Im Gegensatz dazu stehen die freien Sepiazeichnungen des späteren Akademieprofessors Carl Gsellhofer, die zwischen 1812 und 1816 auf Wanderungen durch das Helenental entstanden und persönliche Landschaftseindrücke festhalten. Ab 1814 erschienen ferner die „Historisch mahlerischen Darstellungen von Oesterreich", die der eher nüchterne Vedutist Anton Köpp von Felsenthal nach eigenen Landschaftsaufnahmen (Federzeichnungen) selbst radierte und mit einem Text seines Bruders Christian in zwei Bänden bis 1824 „in Commission bey Artaria & Compagnie" herausgab. Diese achtzig kolorierten Umrißradierungen des Zeichenprofessors an der Theresianischen Ritterakademie, die so typisch den trockenen franziszeischen Zeitgeist spiegeln, enthalten mit „Raucheneck" und „Rauchenstein" nur zwei Badener Ansichten. Im Vergleich zu diesen geglätteten „schönen" Veduten sind die 1822/23 in 46 Lithographien herausgekommenen „Perspectivischen Ansichten der landesfürstlichen Stadt Baden und deren Umgebungen" des k.k. Generalmajors und Professors an der Mariatheresianischen Militärakademie in Wiener Neustadt, Josef Auracher von Aurach, reine bautopographisch-technische Aufnahmen. In diesen mit einem eigens ersonnenen Instrument aufgenommenen Perspektiven, die einen „vollständigen Überblick" geben wollten, wurde bewußt auf jegliche künstlerische Entfaltungsmöglichkeit verzichtet.

In den frühen zwanziger Jahren, den für die malerische Entdeckung und Erschließung Badens und des Helenentales künstlerisch fruchtbarsten, waren einige bedeutende Maler hier tätig: Tobias Dyonis Raulino malte 1822 eine liebenswürdige Aquarellansicht von Baden mit einer lebhaften Weinlese-Staffage im Vordergrund, die in verschiedenen Nachstichen weite Verbreitung fand, zwei Jahre später auch die neue Weilburg. Nicht für die graphische Reproduktion hingegen waren die zahlreichen lockeren Aquarelle Norbert Bittners gedacht, die dieser noch wenig bekannte Künstler um 1820 um Mödling und Baden malte. Ihn interessierten vor allem die malerischen Orte, die verwinkelten Hauerhöfe und das bäuerliche Leben, seine Blätter sind somit auch volkskundlich von Bedeutung. Besonders beschäftigte er sich mit Rauhenstein und Rauheneck und der engeren Umgebung dieser Ruinen, aber auch mit Schloß Leesdorf. Josef Gerstmayer, vor allem als Aquarellist tätig, malte im Helenental und hinterließ auch ein Ölbild von Schloß Doblhoff.

Für Baden besonders bedeutsam war der spätere Hofkammermaler Eduard Gurk, der schon 1823 an der kolorierten Stichfolge „Wiens vorzügliche Monumente" beteiligt gewesen war und auch die Vorlagen für die 1825 bei Tranquillo Mollo erschienene Serie „Wiens Umgebungen" lieferte, die 19 Ansichten von Baden enthält. Als begünstigter Reisebegleiter des Hofes und besonders König Ferdinands malte er als „höfischer Bildberichterstatter" später eine Reihe von Krönungseinzügen, Feierlichkeiten u. ä. in fein durchgearbeiteten, mit zierlicher figürlicher Staffage versehenen Aquarell- und Deckfarbenblättern, 1833 zwei schöne repräsentative Hauptplatzansichten und eine des „Urthelstein im Helenental" mit dem bei mehreren Malern damals beliebten Blick durch den „Durchbruch" auf die Weilburg.

Von 1824 bis 1826 war auch einer der großen österreichischen Maler und Zeichner seiner Zeit fleißig skizzierend in und um Baden unterwegs: Thomas Ender. Zeichnungen, zum Teil aquarelliert, und Aquarelle entstanden hier als Reiseskizzen und als Vorlagen für die 52 kolorierten Umrißradierungen umfassende Folge „Collection des Vues, Monuments, Costumes & autres objects remarquables de Vienne et de Ses Environs", die bei Wiens ältester Verlagskunsthandlung, Artaria & Comp., wohl um 1827, erschien. Die Blätter 35 bis 42 der Folge zeigen Badener Ansichten, von denen wenigstens

Carl Gsellhofer, Holzarbeiter im Helenental (Kat. Nr. 336)

Carl Gsellhofer, Kalkofen im Helenental (Kat. Nr. 335)

Lefebre, Villa der Gräfin Rzewuska (Kat. Nr. 245)

vier nach Enders Vorlagen reproduziert wurden. Das Städtische Rollettmuseum in Baden, die Niederösterreichische Landesbibliothek und das Niederösterreichische Landesmuseum in Wien verwahren über 30 Skizzenbuchblätter und ausgeführte Aquarelle dieses auch um Badens landschaftliche Umgebung so verdienstvollen Malers, der damals bereits am Zenit seines Ruhmes stand. Zu Enders schönsten und bekanntesten Aquarellen aus dem Helenental zählen sicher die Ansichten der Weilburg und des Gasthauses bei der Krainerhütte (als Nr. 40 und 42 reproduziert). Einige wichtige ausgeführte Aquarelle in diesem Zusammenhang (Blick auf Baden von der Weilburg, Ruine Rauheneck, Blick von der roten Föhre auf Rauhenstein, Ruine Rauhenstein, Weilburg) sind erst kürzlich im Wiener Kunsthandel aufgetaucht. 1825 malte er auch ein kleinformatiges Ölbild der Ruine Rauhenstein. Seine Zeichnungen dienten einer Reihe von Stechern und Lithographen (Axmann, Hauschild, Payne, Passini, Zeinert) als Vorlagen und erlangten so eine überaus weite Verbreitung, auch als Illustrationen in Reisewerken, später besonders im Stahlstich. Ender befaßte sich selbst nur selten mit der (Kaltnadel-)Radierung, so etwa 1827 mit dem Blatt „Gallerie durch den Urthelstein im Helenenthale bei Baden" nach einer eigenen Aufnahme (erschienen als „Beylage zur Wiener Zeitschrift 1827. Nr. 61"; drei Zustände).

Helenental und Weilburg: diese Motive beherrschten weitgehend die Malerei der Biedermeierzeit in Baden. Jakob Alt, der 1811 nach Wien gekommen war und bald für den Verlag Artaria arbeitete, malte schon 1813 im Helenental, schuf 1822 eine duftig-feine Aquarellansicht der Weilburg als Vorlage für den Stich der Artaria-Folge (Nr. 38) und anschließend solche für sechs weitere Badener Veduten. 1831 malte er ein Ölbild der damals gerade vollendeten Cholerakapelle im Helenental. Auch sein großer Sohn, Rudolf von Alt, der anfangs eng mit dem Vater zusammenarbeitete, befaßte sich in den dreißiger Jahren mit Badener Motiven und malte auch zwischen 1840 und 1850 Naturstudien von Baden und Rauhenstein, die Vater Jakob dann in Lithographien umsetzte.

Mit dem riesigen Lebenswerk Rudolf von Alts, das mit der klassizistischen Vedutenmalerei begann und mit der impressionistischen endete, wird die Biedermeiermalerei überschritten.

Nach dem Tod Kaiser Franz I. 1835 und dem Ausbleiben des Hofes im Sommer verlangsamte sich naturgemäß die Entwicklung der Stadt, deren Häuserstand von da an bis 1848 nur um 50 auswuchs. Einen neuen Anstieg der Besucher brachte freilich der Bau der Eisenbahn 1841, doch war damit eine neue Epoche angebrochen. Nach den Ereignissen des Revolutionsjahres 1848 war auch in Baden, dem Rückzugsort und Stützpunkt der „Gutgesinnten", scherzhaft „Schwarzgelbowitz" genannt, vieles anders geworden. Letzte Ausläufer spät-biedermeierlicher Kunstrichtung vertraten um die Jahrhundertmitte noch der als Zeichenlehrer in Baden tätige Theodor Festorazzo, der neben Bädern auch die Trinkhalle und den „Ursprung" zeichnete, die in einer Lithographie von Franz Xaver Sandmann noch bis in die siebziger Jahre das Titelblatt der „Liste der Cur- und Badegäste in der landesfürstlichen Stadt Baden" zierte. Er selbst, aber besonders auch Sandmann, litographierten noch weitere Ansichten von Baden, letzterer auch mehrere nach Zeichnungen des Parisers Nicolas Chapuy, der um 1851 an der Südbahnstrecke tätig war.

Seit ihrer Vollendung 1823 war die Weilburg zu einem vielbesuchten Wahrzeichen Badens geworden. Als erste Dokumentation des bedeutenden klassizistischen Bauwerks erschien 1825 eine Mappe mit Plänen, Grundrissen und vier lithographierten Ansichten von Johann Schindler nach Zeichnungen Franz Jaschkes sowie des Plastikenschmuckes von Josef Klieber im Druck. Auch ihres populären Bauherren wegen wurde die Weilburg zu einem der beliebtesten Sujets der damaligen Badener Vedutenmalerei. Außer den bereits Genannten hielten sie z. B. auch Josef Höger, Gustav Barbarini und viele Unbekannte im Bild fest. Die allgemeine Beliebtheit dieses Motivs zeigt auch seine verbreitete Verwendung auf Bilderuhren, Dosendeckeln, Porzellantassen etc. und sogar auf einem bekannten Ladenschild der Wiener Innenstadt.

Später noch hielt der Sohn Joseph Mössmers, des langjährigen Akademieprofessors und Lehrers einer Generation von Malern der Biedermeierzeit, Raimund Mössmer, in den sechziger Jahren die Weilburg in einem Ölbild und in einer Reihe von Interieurs in Aquarellen fest, die das biedermeierliche Mobiliar auf der einen Seite, die ersten Ansätze zum zweiten Rokoko auf der anderen überliefern.

Literatur

Friesen, I., Baden in alten Ansichten, in: Österreichische Zeitschrift für Kunst und Denkmalpflege, Jg. XXVII, Heft 3/4, Wien 1973.
Österr. Kunsttopographie, Band XVIII, Die Denkmale des politischen Bezirkes Baden, bearb. von Dagobert Frey, Wien 1924.
Weninger, P., Niederösterreich in alten Ansichten — Österreich unter der Enns, Salzburg 1975. — Derselbe, Thomas Ender — Baden und das Helenental, Baden 1979.
Pötschner, P., Wien und die Wiener Landschaft, Spätbarocke und biedermeierliche Landschaftskunst in Wien, Salzburg 1978.
De Martin, W., Die Weilburg in Baden, Entstehung und Geschichte, Baden 1978.
Ausstellungskatalog: Thomas Ender (1793—1875), Niederösterreich in der Biedermeierzeit, Kat. des NÖ Landesmuseums, Neue Folge Nr. 112, Wien 1981.

Eduard Gurk, Der Hauptplatz in Baden (Kat. Nr. 353)

Johann Hoechle, Ruine Rauhenstein (Kat. Nr. 343)

Ferdinand Anton Freiherr von Wetzelsberg, Krainer-Hütten und Kalter-Berg im Helenental
(Kat. Nr. 342)

Thomas Ender, Die Krainerhütte bei Baden (Kat. Nr. 350)

C. L. Hoffmeister, Das Scheinersche Kaffeehaus (Kat. Nr. 356)

C. L. Hoffmeister, Das Scheinersche Kaffeehaus (Kat. Nr. 356)

Johann Knapp, Blumenstück in einer Nische (Kat. Nr. 358)

Johann Knapp, Blumen in flacher Schüssel (Kat. Nr. 359)

Unbekannter Maler, Ignaz von Mack (Kat. Nr. 361)

Unbekannter Maler, Damenbildnis (Kat. Nr. 363)

Eduard Gurk (?), Die Langschen Anlagen im Kurpark (Kat. Nr. 243)

Eduard Gurk (?), Die Langschen Anlagen im Kurpark (Kat. Nr. 244)

Franz Wolf, Cholerakapelle (Kat. Nr. 236)

Anton Psenner, Bildnisminiatur Otto Prechtler (Kat. Nr. 392)

Nähzeug (Kat. Nr. 385)

Kleines Schreibzeug (Kat. Nr. 384)

Anton Kothgasser, Ranftbecher (Kat. Nr. 377)

Badeglas mit dem Ursprungsbad (Kat. Nr. 379)

C. L. Hoffmeister, Deckelpokal (Kat. Nr. 378)

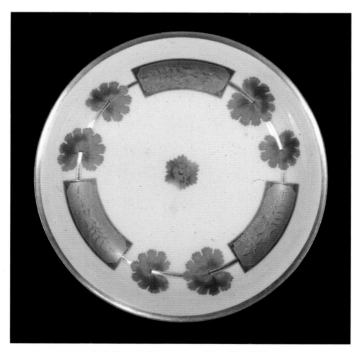

Schale mit Untertasse (Kat. Nr. 375)

Schale mit Untertasse (Kat. Nr. 373)

Schale mit Untertasse (Kat. Nr. 374)

Schale (Kat. Nr. 372)

Schale mit Untertasse (Kat. Nr. 371)

Zeugdruckmodel (Kat. Nr. 417)

Gudrun Dietrich

HANDWERK UND GEWERBE IM SOG EINES GESUNDBRUNNENS

„. . . Es sind dieses Jahr ungemein viele Noblesse und viele Bettler, wenig aber vom Mittelstand in Baden . . ." skizzierte 1805 ein Wiener Logisgast, Josef K. Rosenbaum, in seinen Tagebuchnotizen seine Eindrücke. Baden stand um 1800 einer wechselhaften „Glanzzeit" gegenüber.

Das wirtschaftliche und soziale Gefüge ist in Baden nicht von Kurgästen und Sommerfrischlern zu trennen. Die Stadt zählte nach einem Bericht aus dem Jahre 1802 kaum „. . . 2000 Einwohner und die Hauptquelle ihres Einkommens bestand [soweit die innere Stadt in Betracht kam] wohl vornehmlich im Vermieten ihrer Wohnungen an die Fremden. An Industrie mangelte es fast gänzlich, denn die wenigen Badener Spezialitäten, wie Weichselrohrgalanterie, seine Messer und Klingen, Slibowitz, die später von Genthon erfundenen Kaffeebonbons und das weltberühmte Gebäck, die „Kipfel", reichten kaum für den Lebensunterhalt hin . . ." Der Beobachter, der bereits erwähnte J. K. Rosenbaum, resümierte weiter, „daß im Gegensatz zu den Weinhauern und Restaurateuren, die in den Wiener Vororten anzutreffen waren . . ., an die Hausherren und Quartierverlasser der Löwenanteil des sommerlichen Einkommens fiel". Die Frequenz des Badepublikums zeigt sich auch in der Anzahl der „Parteien", die Baden besuchten (Einzelpersonen werden erst ab 1831 statistisch erfaßt): 1805 — 2189 Parteien, 1806 — 2248 Parteien, 1807 — 2359 Parteien, 1809 — 540 Parteien, 1810 — 3088 Parteien, 1811 — 1942 Parteien, 1836 — 6028 Parteien.

So wohlfeil, wie es in den Briefen eines „Eipeldauers an seinen Vetter in Kagran" lautet, scheint es aber auch für betuchte Gäste in Baden doch nicht zu leben gewesen sein: die minderen Zimmer (über deren Qualität Zeitgenossen wenig Erfreuliches zu berichten wissen) kosteten 15 bis 40 Kreuzer täglich, ja bis zu einem Gulden. Eine Semmel kostete zu diesem Zeitpunkt einen Kreuzer. Für die tägliche Kost mußte der Logisgast von einem Gulden bis zu drei Gulden hinlegen (für einen Gulden bekam man rund 10 kg Schwarzbrot). Auch in bezug auf die Wohnungs- und Ernährungssituation der Badener Gäste wie auch der Einheimischen scheint die Betrachtungsweise über die „gute alte Zeit" weniger nostalgisch als simplifizierend zu sein. Im Zeitabschnitt 1800 bis 1848, verbrämt vom sprichwörtlichen Glück und Fleiß des Biedermeiers, vollzogen sich enorme sozioökonomische Veränderungen, die schließlich in die revolutionären Erscheinungen des Vormärz mündeten. Die Dynamik dieser wirtschaftlichen und sozialen Umwälzungen prägt auch Baden, wenn auch mit schwächeren Vorzeichen. Noch bringt in den frühen zwanziger Jahren des 19. Jahrhunderts der Kaiserhof die Gäste in die Thermalbäder — Kaiser Franz I. galt ja als Mentor der Kurstadt (die Vorliebe des Adels für die Schwefelquellen wurde durch den Attentatsversuch auf Thronfolger Erzherzog Ferdinand gedämpft). Handel, Handwerk und Gewerbe florierten in dieser Zeit, vor allem im Sog der Residenzstadt Wien. Damit verbunden sind aber auch die Erschütterungen, die die Monarchie auch in blühenden Städten wie Baden seismographisch spüren läßt; es ist die Zeit der Franzosenbelagerungen, der Kontinentalsperre mit Vor- und Nachteilen, die Finanzkrise mit Staatsbankrott, Währungsreform und Steuerbelastungen (1812 wird beispielsweise die Erwerbssteuer eingeführt).

Mustertafel mit Buchbinderarbeiten (Kat. Nr. 459)

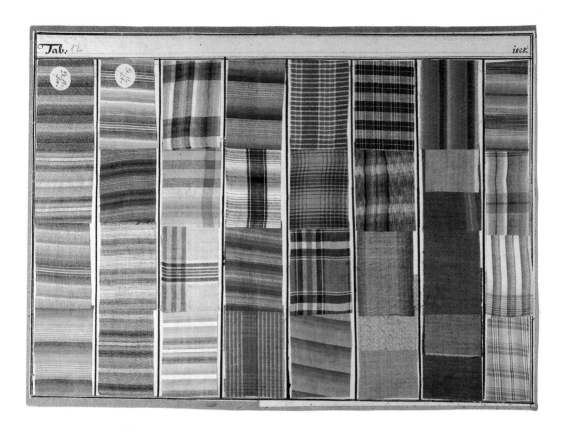

Mustertafel mit feinem Baumwollzeug (Kat. Nr. 434)

Das einschneidendste Ereignis für die Stadt Baden war neben den feindlichen Angriffen durch Napoleon der große Brand von 1812, bei dem 170 Häuser vernichtet worden sind. Aber auch die Choleraepidemie aus den Jahren 1831/32 hatte furchtbare Folgen: die Ortschroniken von Baden und Weikersdorf schreiben von 17 Toten. Obwohl die Stadtväter von Baden bereits zur Jahrhundertwende die Kanalisierung vorangetrieben haben, mußte nun das Gesundheitswesen grundlegend verbessert werden.

Aufzeichnungen über das Badener Handwerk und Gewerbe finden sich in raren Lehrbriefen, Wanderbüchern, Zeugnissen. Viele dieser Dokumente wurden „entrümpelt", verbrannt, als zu unwichtig angesehen. Dessenungeachtet finden sich Hinweise für aufstrebende Wirtschaftszweige in Baden — kapitalschwach, doch leistungsstark, weil sie, um ein Schlagwort des 20. Jahrhunderts zu verwenden, innovationsfreudig waren. Die hausindustriellen Werkstätten leisteten Pionierarbeit, weit über die Stadtgrenzen hinaus. Zahlreiche Patente, Kaiserliche Privilegien, um die im Zeitraum 1820—1850 in der Residenzstadt eingereicht wurde, beweisen den Erfindergeist der Badener.

Unter diesen Privilegierten finden sich auch zwei Badener Unternehmer, die mit ihren Ideen und Produkten „Spezialitäten" im Badener Wirtschaftsleben boten. Zu Beginn des 19. Jahrhunderts begründen zwei findige Unternehmer die Badener Weichselrohrindustrie. Die Kurstadt wurde, wenn auch nur für kurze Zeit, zum Zentrum dieser Weichselbaumplantagen. Michael Biondek (1796—1857) bezog den Weichselsamen vom nördlichen Ufer des Plattensees (Stöcklinge mit samtiger Rinde). Franz Trenner (1764—1868), sein harter Konkurrent, zog seine Weichselstämme aus Samen eines alten Baumes aus dem Park der Weilburg (mit gedrungenem Wuchs und rauher Rinde). Das Hauptaugenmerk lag selbstverständlich auf der Erzielung von geraden Stämmchen, bei denen die Bildung von Zweigen verhindert wurde, um Weichselröhren ohne Schnittstellen zu erhalten. In der Blütezeit dieser Weichselkultur wuchsen in den riesigen Weichselkulturen südlich und östlich der Stadt rund 400.000 Weichselstämme, die zu rund 2 Millionen Spazierstöcken beziehungsweise Pfeifenteilen verarbeitet und europaweit exportiert wurden. In mehreren großen, fabriksähnlichen und in einer großen Anzahl kleinerer Betriebe wurden „Steckn und Röhrln" von Drechslern bearbeitet.

Nichtsdestotrotz — aus welchen Gründen immer — ging diese Industrie zugrunde, neue Weichsel(= Sauerkirschen)gärten entstanden in Sauerbrunn/Burgenland.

Für Baden und sein Umland von Bedeutung waren auch die bodenständigen Krüglmacher — die „Badner Krügler", die Hafnerware, vor allem Gebrauchsgeschirr herstellten. Laut Kaufprotokollen des Magistrates Baden treten „Weißhafner mit Behausung und Wirtschaft" im Ort in Erscheinung. Ende des 18. Jahrhunderts findet sich in einem dieser Kaufprotokolle erstmals das Wort Gewerbe, als M. Hammer in Baden „seine Behausung . . . nebst den auf diesem Hauß Berechtigten Bürg. Krügelmachergewerb dem G. Mayr verkaufte".

Auch die Arbeit des Binders ist naturgemäß für eine Weinregion wie Baden wichtig. Es sind Handwerker, die ihre Faßspunde kunstvoll mit Flachreliefs ausgestalteten; die Badener „Sonnenfässer" erfreuten sich großer Beliebtheit. Bekannt sind auch die Weinpipen aus Baden, die Drechsler aus dem Holz der Eiben hergestellt haben.

Weingartenbesitz, Weinhandel und Weinschank waren schon sehr lange den staatlichen, klösterlichen und grundherrschaftlichen Abgaben unterworfen. Bis ins 17. Jahrhundert war Wein der wichtigste Ausfuhrartikel der Badener Region und auch eine sehr wichtige und lukrative Steuereinnahmequelle der Obrigkeit.

J.M. JACQUARD.

Né a Lyon le 7 Juillet 1752
Mort le 7 Août 1834

F. C. de Passerat, Joseph Marie Jacquard (Kat. Nr. 415)

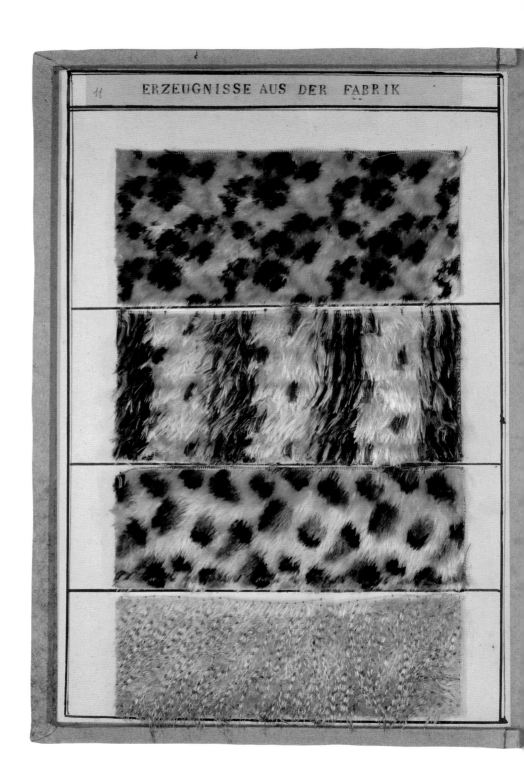

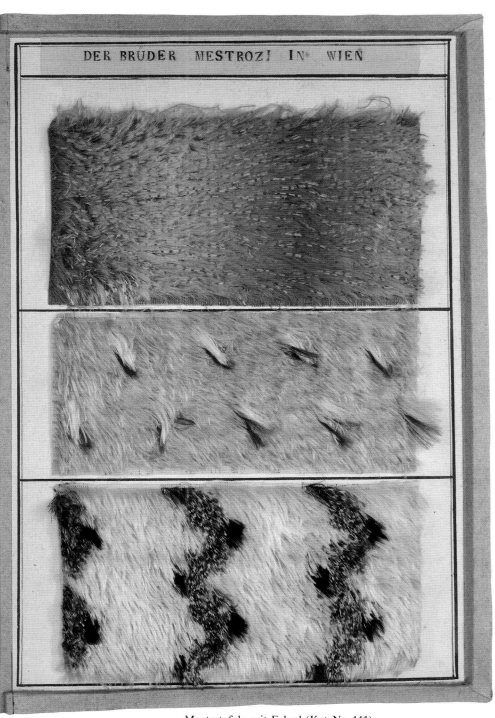

Mustertafeln mit Felpel (Kat. Nr. 441)

Am Ende des 18. Jahrhunderts verblieb dem Produzenten in Baden zum Eigenbedarf ¹/₂₅ steuerfrei, solchen Weinbauern, die den Wein als Lohn für ihre Arbeiter gaben, jeder vierte Eimer.

Die Steuer, das sogenannte Gefälle — in Niederösterreich auch „taz" genannt —, wurde primär von den niederösterreichischen Ständen eingehoben und betrug nach einer Verordnung von 1657 sechs Maß Wein oder deren Gegenwert je Eimer: das waren 8,4 l von 56,5 l. Die Stände verkauften das Steuereinheberecht der „taz" an die Stadt Baden, die dafür 12.360 Gulden bezahlte. Nach der Weiterverpachtung wurden die Abgaben von Wirten, Leutgebern, Most-, Met- und Branntweinschenken eingehoben. Erst 1836 erfolgte eine Änderung im Steuersystem, der Staat hob die „Verzehrsteuer" ein.

Besondere Spezialitäten bzw. Raritäten waren in Baden der Anbau von Hanf und Safran, das letzte Safranfeld verödete 1851. Hanfkulturen hielten sich von 1820 bis 1920.

Ein weiteres Standbein in der Landwirtschaft waren Schafzüchtereien. 1812 beschrieb Rosenbaum auf einer Landpartie im Badener Raum die Schafe im Schafflerhof: „. . . Schönes gesundes, aber kein feines Vieh von besonderer Art. Die Wolle ist dicht. Ganze Schäferei 600—700 Stück . . ."

In der Tat gab es um Baden eine ganze Reihe derartiger Schafzüchtereien. Die Betriebe in Tribuswinkel, Haidhof (700 Stück), Leesdorf (400 Stück), Weikersdorf an der Vöslauerstraße (600 Stück) und in Schönau (1400 Stück) lieferten Schafe als Rohmaterial für die Spinnereien des Einzugsgebietes.

Die ersten beiden Dezennien des 19. Jahrhunderts brachten eine markante Zäsur durch den raschen und endgültigen Einbruch der Maschinen — vor allem auch in die für das Wiener Becken so wichtigen Baumwollspinnereien. Die Produktionsleistung eines Maschinenspinners entsprach ungefähr der von 200 Handspinnern. So mußte auch die Zahl der Handspinner in Niederösterreich von 1800 bis 1810 von 120.000 auf 10.000 Beschäftigte sinken. Hingegen galt der bereits 1785 erfundene mechanische Webstuhl noch als unzuverlässig, so daß sich die Maschinenweberei erst nach 1820 zu amortisieren begann. Das erste Modell eines erfolgreichen Seidenwebstuhls mit Lochkarten entwickelte 1805 der Franzose J. M. Jacquard.

Die durch die Produktionsunterschiede zwischen Spinnen und Weben bedingte Nachfrage nach Webern führte zunächst zu einer Blüte und damit zu einem personellen Überbelag. Mit dem Siegeszug der mechanischen Weberei bestimmte in der Folge die Maschine mit einem 2,5- bis 4fach höheren Ausstoß die Stücklöhne. Die Heimweber versuchten vorerst, der Technik die Stirn zu bieten. Aber auch mit drastischer Arbeitszeitverlängerung und verstärkter Frauen- und Kinderarbeit (bis zu 16 Stunden am Tag) konnten selbst die Hungerlöhne das Tempo der Mechanisierung kaum verlangsamen. Auf der anderen Seite entstanden gerade im textilen Ballungsbereich rund um Baden neue Spinnereien — mit Arbeitsplätzen für die freigewordenen hausindustriell tätigen Weber und Spinner. Sie arbeiteten ja bisher für die lokalen Bedürfnisse und für regionale Verlagskaufleute. Ab 1810 standen sie nun für 2 bis 4 Gulden am Tag im Akkord an der Maschine (Frauen bekamen die Hälfte an Lohn, Kinder erhielten 12 bis 14 Kreuzer für 14 Stunden Fabriksarbeit). So glaubte man, mit der Gründung von Manufakturen dem sozialen Problem „Arbeitslosigkeit" gerecht zu werden. Auch die Badener „Häusler" wurden z. T. Tages- und Wochenpendler, um in diesen neuen Arbeitszyklen zu überleben.

Das Badener Webergewerbe zeigte sich bis zu Beginn dieser Umwälzungen laut zeitgenössischer Beschreibung „wohlhabend und angesehen". Der letzte Badener Webermeister Georg Hiess, der noch mit einigen Gesellen und Lehrlingen arbeitete, wurde 1808 bei offener Lade aufgedungen. Die Badener Weber arbeiteten u. a. für die K. K. Cottonfabrik. Besonders Freiherr Doblhoff-Dier trug zum Gedeihen dieser Zunft bei. Doch auch bei aller Unterstützung ließen die Geschäfte nach und kaum ein Badener Meister konnte mit der in den Handel gekommenen Fabriksware konkurrieren. Noch 1837 versuchte der Weikersdorfer Hiess mit seinem „unbeschränkten Hausirschein" gegen die Fabrikskonkurrenz anzukämpfen — vergeblich!

Auch in der Bleiche und in der Färberei, die in der Färberdynastie Schiestl erfolgreiche Handwerksvertreter in Baden hatten, begannen sich die Chemie und Technik mit auszuwirken.

Bahnbrechend war, wie bereits erwähnt, die Mechanisierung am Baumwollspinnereisektor. Das Prohibitionssystem wie auch die Kontinentalsperre schützten vorerst noch vor der starken englischen Konkurrenz. 1802 entstand die Pottendorfer Spinnerei, die bereits zehn Jahre später mit 1800 Arbeitern und über 38.000 Spindeln als die führende am Kontinent galt.

Um 1850 gab es ein dichtes Netz von Baumwollspinnereien entlang der Thermenlinie, aber auch energie- und verkehrsorientiert an den Flußläufen des Wiener Beckens. Die Bedeutung der Wasserkraft war aber auch für ein weniger bekanntes Gewerbe im Badener Raum, die Holztrift, bedeutend. Dieser Holztransport war bereits seit dem 17. Jahrhundert an der Schwechat aktiv, es wurden immerhin 14 „Klausen" (Schleusen) an den Quellbächen angelegt. Eine sehr wichtige Stauanlage lag im Helenental beim Urtelstein, durch sie mußte das Holz nicht mehr bis Möllersdorf gedriftet werden.

1805 errichtete der Waldbaumeister Philipp Schlucker (er baute auch die Mauer des Lainzer Tiergartens) eine neue Rechenkonstruktion, da im Zusammenhang mit der Erbauung des Wiener Neustädter Kanals (ab 1797) der Rechen von Möllersdorf bis in die Nähe von St. Helena zurückverlegt werden mußte. Die Klause beim Urtelstein wurde 1808 entfernt.

Literatur

Bruckmüller, Ernst, Sozialgeschichte Österreichs, Wien 1985.
Calliano, Gustav, Geschichte der Stadt Baden. Band I—XXII, Baden 1921.
Klose, Karl, Weichselrohrindustrie in Baden (Aus dem Nachlaß).
Klose, Karl, Entwicklung von Handel und Gewerbe in Baden (Aus dem Nachlaß).
Kohlprath, Gunter: Beiträge zur Weißhafnerei in Niederösterreich. Phil. Diss. der Univ. Wien, Wien 1981.
Lausecker, S., Vor- und frühindustrielle Produktionsformen am Beispiel der Seiden- und Baumwollindustrie in Wien und Niederösterreich (1740—1848), Wien 1975.
Matis, Herbert: Die Ansätze der Industrialisierung im Wiener Becken. In: Feigl Helmuth/Andreas Kusternig, Die Anfänge der Industrialisierung Niederösterreichs (= Studien und Forschungen des Niederösterreichischen Institutes für Landeskunde), Wien 1982.
Mikoletzky, H. L., Österreich, das entscheidende 19. Jahrhundert, Wien 1972.
Richter, Josef, Briefe des neu angekommenen Eipeldauers an seinen Herrn Vettern in Kagran, Wien 1818.
Rollett, Hermann, Beiträge zur Chronik der Stadt Baden, Wien 1818.
Schmidt, Leopold, Volkskunde in Niederösterreich, Wien 1966/81.
Zöllner, Erich, Geschichte Österreichs von den Anfängen bis zur Gegenwart, Wien 1974.

Tab. 2. Weibliche Handarbeiten. Kleidermachen. v. d. Madem. Ann. Banz. 1824.

Mantel.

Stoff u. Zugehör: 6 gf. 42 x
Macherlohn — g. —
— 18 f. 42 x

Mustertafel mit Mantel, Hüten und Ballkleid (Kat. Nr. 475)

KATALOGTEIL

DIE STADT UND IHRE GESCHICHTE

Kat. Nr. 14

1

Johann Georg Kolbe

„Grundriß der landesfürstlichen Stadt Baden
Mit einer Übersicht der Merkwürdigsten Gegenstände"

Kupferstich, koloriert; 94 × 62 cm
Bez.: Geometrisch aufgenommen von Joh. Georg Kolbe. Gestochen von Hieronymus Benedict in Wien 1801
Rechts unten im Bild eine Vignette mit dem Aufriß des Theresienbades
RM TS BPL 14

Dieser präzise Stadtplan Kolbes wurde mehrmals ediert und zeigt die Stadt an der Wende vom 18. zum 19. Jahrhundert. Tore und Mauern sind zum Teil noch erhalten; bemerkenswert ist die große Zahl der Gärten, kleinen Parks und Baumpflanzungen im öffentlichen Bereich, die das aus dem Umland in weiten Zungen in die Stadt hineinreichende Grün ergänzen.

Lit.: ÖKT, Baden S. 8

2

Anton Hantl (1769—1850)

Baden, Plan der Stadt mit einem Ausschnitt der Bereiche um die Pfarrkirche

Tuschfeder, laviert; 49,8 × 32,5 cm
Sign. Mi. u.: Anton Hantl bürg. Stadt Baumeister Baaden 12. Novbr 806
RM TS BPL 23

Der Plan zeigt die Stadt noch vor den großen Umbrüchen der Biedermeierzeit. Südlich der Pfarrkirche steht isoliert das Wienertor, östlich ihres Chores wird durch Zurückversetzen der Baulinie Platz geschaffen. Die Weingärten reichen von Norden im Bereich des Kurparkes bis unmittelbar an die Stadt heran, westlich der Annagasse liegen sie mitten in ihr. Nörd-

lich des Schildknechtschen Hauses befindet sich der Friedhof.

3

„Gedenkbuch für die k. k. l. f. Stadt Baden, worin alle jene Individuen, welche Bürger u. Mitglieder dieser Stadt geworden sind, namentlich eingetragen sich befinden."

Der verehrlichen Bürgerschaft gewidmet von ihrem Vorsteher und Bürgermeister Martin Jos. Maÿer. 1808"
Brauner Lederband mit kaiserlichem und Badener Wappen; rote Ledereinsätze, Goldstempelverzierung; 29,0 × 40,5 cm
Buchbinderarbeit verfertigt von Fortunatus Kanz, bürgerlicher Buchbinder in der landesfürstlichen Stadt Baden
Titelblatt sign.: Joseph Mutz Rathsdiener, fecit
RM HB 716/1

4

Anton Hantl (1769—1850)

„Specification uiber die in der l. f. Stadt Baden v. 13. Novbr. 805 bis 11. Januar 806. bequartirt gewesenen kaiserl. französischen Trouppen."

Sign.: Anton Hantl und André Buchhart
RM

5

„Grabschrift von dem gesamten spanischen Volk entworfen für Napoleon I. und letzten Kaiser der Franzosen"

Pamphlet eines unbekannten Autors vom 18. November 1808
RM

6

Vorschreibung über die Ablieferung von Hafer für die französische Armee an die Herrschaft Berghof zu Baden

Gez.: Karl Joseph Herr von Stieler Traiskirchen am 17. März 1809
RM

7

„Tabellarischer Ausweis über die französischen Invasions-Kosten vom Jahre 809 bey der landesf. Stadt Baaden."

RM

8

Trinklied für die Brüder der Landwehr

Wien 1809
RM

9

Schutzbrief

Ausgestellt von Alexander Prinz von Neuchatel, Vize-Connetablé und Major-General der Deutschlandarmee für alle Personen des Gerichtsbezirkes Baden im Auftrage des Kaisers Napoleon im kaiserlichen Hauptquartier Kaiserebersdorf am 25. Mai 1809
RM

10

Aufforderung an den Verwalter der Herrschaft Gutenbrunn

Aufforderung, eine Kutsche mit zwei Pferden für den Transport eines französischen Offiziers in das Regimentsspital nach Wien bereitzustellen
Gez. vom Kommandanten der französischen Truppen für die Ortschaften Gutenbrunn und Weikersdorf: Le Françoir, 10. November 1809
RM

11

Napoleon Buonaparte (1769—1821)

Lebendmaske
Gips; H: 25 cm
RM

Die Maske befand sich ursprünglich im Haushalt von Exkaiserin Marie Louise im Florastöckl und gelangte 1830 in den Besitz von Anton Franz Rollett.

Lit.: Viktor Wallner, Baden bei Wien, St. Pölten 1987, S. 88

12

Napoleon Buonaparte (1769—1821)

Totenmaske
Gips; H: 30 cm
RM

13

Napoleon Herzog von Reichstadt (1811—1832)

Totenmaske
Gips; H: 23 cm
RM
Abb. S. 145

14

Johann Ender (1793—1854)

Napoleon Herzog von Reichstadt auf dem Totenbett

Stahlstich; 29,2 × 22,0 cm
Bez.: Joh. Ender del. / Fr. Stöber sc. / Viennae
RM KS P 273

Napoleon Herzog von Reichstadt wurde als einziger Sohn Napoleons I. aus seiner Ehe mit Marie-Louise in Paris am 20. März 1811 geboren. Bei seiner Geburt erhielt er den Titel König von Rom. Zu seinen Gunsten dankte Napoleon I. 1815 ab, der Prinz wurde dann in Wien und Baden (zuletzt 1830 im Haus Breyerstraße 5) unter der Obhut Kaiser Franz I., seines Großvaters, erzogen. 1818 erhielt er die nordböhmische Herrschaft Reichstadt, er starb am 22. März 1832 in Wien-Schönbrunn an Lungentuberkulose.

15

Elisa Bonaparte (1777—1820)

Brief an ihre Schwester Caroline in Baden

In diesem Brief schreibt die älteste Schwester Napoleons an dessen jüngste, Caroline (1782—1839), in Baden: „... Ich fahre am 31. nach Baden, man versichert mir, daß dort die weichen Wasser meine Schmerzen heilen werden."
Karlsbad am 26. Juli 1819
10,8 × 19,2 cm
RM

16

Marie Louise, Erzherzogin von Österreich, Kaiserin von Frankreich (1791—1847)

Briefumschlag, adressiert an Erzherzogin Marianne in Baden

Von Marie Louise (Tochter Franz I., als 2. Gattin Napoleons I. Kaiserin von Frankreich und Mutter des Herzogs von Reichstadt) an ihre Schwester Marianne in Baden gerichtet
o. O., o. J.
RM

17

Emil Hütter (1835—1886)

Der Brand in Baden, 1812

Federlithographie, koloriert;
70,5 × 46,3 cm
Kopie nach einem Aquarell im Besitz von A. Artaria, koloriert von Hermann Rollett
RM TS B 377

Diese Darstellung vermag die Dramatik der Ereignisse vom 26. Juli 1812 zu schildern, als um halb zwölf am Vormittag im Hirschhoferschen Haus am Hauptplatz (heute Nr. 6) ein Brand ausbrach, der, vom Wind, den Schindeldächern und den Strohvorräten auf den Dachböden genährt, innerhalb von zwei Stunden 137 Häuser mehr oder weniger vernichtete.
Das Bild zeigt die Situation am Josefsplatz, wo das Feuer die Bäder, vor allem aber auch das dahinterliegende Augustinerkloster, dessen brennenden Turm man erkennen kann, in Schutt und Asche legte.

Lit.: Kat. Nr. 18, Darstellung des Brandes in Baden am 26. Juli 1812. Wien, o. Jahr (1812)
Abb. S. 149

18

Unbekannter Autor

„Darstellung des Brandes in Baden am 26. Juli 1812. Aus authentischen Quellen gesammelt."

„Die ganze Einnahme ohne Abzug der Kosten ist den Verunglückten gewidmet"
Wien bei Anton Strauß o. J.
Mit einem Plan von Baden nach dem Brand am Annatag 1812, die abgebrannten Häuser sind schraffiert eingetragen und numeriert (Kupferstich)
RM HB 3

DER BRAND IN BADEN 1812.

Kat. Nr. 17

19

Anton Hantl (1769—1850)

Baden, altes Rathaus

Bauaufnahme des Grundrisses
Tuschfeder, Tusche; 45,7 × 57,7 cm
Bez. re. u.: Anton Hantl k. k. Millidar und
Bürgl. Stadt Baumeister in Baaden
RM, TS BPL 263

Beim Brand von 1812 sprang das Feuer
vom Mackschen Hause „über die schmale
Gasse zum alten Apotheker, von da auf
das gräflich Athemsische Haus, wodurch
das Rathaus, aus dem der Bürgermeister
und Syndikus, mit Beyhülfe einiger andern Menschen bis die Flamme an die
Stiege schlug, Aktenstücke retteten, und
das goldene Kreutz ergriffen wurden"
(aus: Darstellung des Brandes in Baden
am 26. Juli 1812, Kat. Nr. 18).

Bei dem Brand blieben vom alten Rathaus
bloß die Fassadenmauern stehen, der
Turm stürzte ein.

20

Katharinia Mohr

**Baden, Haus Nr. 39 auf dem Platz in der
Stadt (Ecke Hauptplatz/Rathausgasse)**

Werksatz des Dachstuhles
Tuschfeder, laviert; 53,0 × 69,5 cm
Sig. re. u. Katharinia Mohr bürgl. Stadt
Zimmermeisters Witwe, auf der Rückseite
im Zusammenhang mit der Aktenlaufzahl
datiert: 7. 8^{bris} 1812
RM TS B 2644

Dieser Plan aus einem komplett erhaltenen Plansatz wurde für die Wiederherstellungsarbeiten dieses Hauses erstellt,

das beim Stadtbrand bis auf die Hauptmauern niedergebrannt ist. Das Datum auf der Rückseite (7. Oktober 1812) zeigt, mit welcher Geschwindigkeit man die Wiederaufbauarbeiten in Angriff nahm.

21

Joseph Friedrich Freiherr von Haan (1777—1834)

„Die kaiserliche Hofkirche zu Baden in Österreich im Viertel unter dem Wiener Walde"

Handschrift mit 14 kolorierten Federlithographien nach Carl Bschor
Seideneinband mit Metallbeschlag;
20,5 × 25,0 cm
Ursprünglich in der Fedeikommißbibliothek, an die Stadtgemeinde Baden übergeben am 14. Dezember 1878
RM KU B 631

Diese Handschrift wurde über Aufforderung von Franz I. von Freiherrn von Haan in mehreren Exemplaren hergestellt und versuchte die wesentlichen Dokumente mit Bezug zum ehemaligen Augustinerkloster darzulegen.

Lit.: Hildegard Hnatek, Zwei neue Quellen zur Geschichte des Florastöckls. In: Jahresbericht 1986/87 des Bundesgymnasiums und Bundesrealgymnasiums Baden, Frauengasse. — Hildegard Hnatek, unveröffentlichtes Manuskript zur Handschrift Joseph Friedrich Freiherrn von Haans. Das Manuskript wurde mir von der Autorin freundlicherweise zur Einsicht überlassen.
Abb. S. 40

22

Alexander von Bensa (1820—1902)

„Baadens Einwohner erfreulichster Tag. Ankunft Sr. Majestät des Kaisers Franz I. sammt Allerhöchst dero Gemahlin Caroline, zu Baaden" (am 12. Juni 1814)

Kreidelithographie von A. Bensa, koloriert; 48,5 × 25,0 cm
RM TS B 454

23

Unbekannter Autor

Gedicht bei Gelegenheit der feierlichen Grundsteinlegung des Rathauses zu Baden am 15. Juni 1815

Druckschrift
RM HB 178

24

Unbekannter Stecher

„Triumphpforte welche der Herr von Schönfeld auf seinem Landsitze im Helenenthale bey Baden, zum feyerlichen Empfang unsers allgeliebten Kaisers Franz I. nach dem siegreich erkämpften Frieden im Jahre 1814, erbauen ließ."

Kupferstich/Radierung, koloriert;
23,1 × 29,6 cm
Entnommen dem „Denkbuch fuer Fuerst und Vaterland", Zweiter Band, von Joseph Rossi; Wien 1814
RM TS B 232

25

Martin Joseph Mayer (1765—1832)

„Miscellen über den Curort Baden in Niederösterreich"

Erstes Bändchen. Mit 3 Kupferstichen
Baden 1819
RM HB 11b

26

J. Herther

„Das Stadt Thor samt der Pfarr Kirche in Baden"

Aquarell, um 1820; 21,4 × 15,9 cm
Sign. re. u.: J Herther
RM TS B 694

Das Aquarell Herthers, wohl eines Dilettanten, folgt in der Architekturdarstellung dem Kupferstich in M. J. Mayers „Miscellen über den Curort Baden in Niederösterreich", 1. Bändchen Baden 1819 (Kat. Nr. 26). Die figürliche Staffage wurde hinzugefügt.

27

O'karin

„Grundriß der Stadt Baden"

Plan mit Angabe der Unterhaltungsorte in der Stadt, der Spaziergänge und der Spazierfahrten
Kupferstich, koloriert; 1822
38,6 × 27,0 cm
Bez. li. u.: O'karin del. et sculp.
RM TB 18 a

28

J. Baumgartner

„Plan einer neuen Strassenanlage von Baden nach Heiligenkreutz und Durchsprengung des Urthelsteines."

Tuschfeder, aquarelliert; 48,5 × 35,0 cm
Sign. re. u.: Wien den 6ten Nov. $\overline{825}$
Baumgartner K. K. Krsingenieur
RM TS B 1562

29

Ferdinand Anton Johann von Wetzelsberg (1795—1846)

Blick in die Thurngasse mit dem Marienspital, 1825

Tuschfeder, aquarelliert; 27,8 × 18,4 cm
Sign. re. u.: v. F. v. Wetzelsberg. Anno 1825
RM TS B 781

30

„Nachricht über das von der Gesellschaft adeliger Frauen zur Beförderung des Guten und Nützlichen erbaute Marien-Spital nächst Baden"

Druckschrift
RM MEB 87

31

Bittel

Plan von Baden in Arrangement von Spiel- und Glückwunschkarten, Notenblättern, Veduten und ähnlichem mehr, 1829

Tuschfeder, koloriert; 56,8 × 41,0 cm
Bez. in Plan li. o.: Bittel 1829
RM TS BPL 34

32

„Tabellarische Uebersicht der in das Marien-Spital nächst Baden im Jahre 1832 aufgenommenen Kranken."

Druckschrift
RM MEB 88

Das Marienspital befand sich in der Weilburgstraße und wurde 1812 von der „Gesellschaft adeliger Frauen" gegründet.

Lit.: Emil Kaufmann, Die Kunst der Stadt Baden, Wien 1925, S. 73 f.

32

Freiherr Ferdinand von Wetzelsberg (1753—1842)

Ankündigung „Wohnungen samt Stallung und Schupfen zu Vermiethen"

In den Ecken vier Miniaturen, Jahreszeiten, 1830
Tuschfeder, Aquarell; 17,5 × 17,3 cm
Bez. re. u.: Wetzelsberg sen. fec. 1830
TS B 1499

33

Eduard Pazir

Porträt des Freiherrn Ferdinand von Wetzelsberg, 1840

Pinselzeichnung, aquarelliert;
17,5 × 23,0 cm
Sign. re. u.: Ed Pazir 840
RM KS P 284

34

Vierteiliger Lehrgang für Planimetrie

Bildtafeln auf Karton mit insgesamt 25 Darstellungen von Lehrsätzen, 2. V. 19. Jh.
Pappe, Marmorpapier, Kupferstiche;
28 × 18 cm
RM KU B 664

35

Anton Palkl

„Situationsplan der lf Stadt Baaden"

Grundriß des nordöstlichen Teils von Baden (im wesentlichen nach dem franz. Kataster von 1819)
Tuschfeder, laviert; 54 × 42 cm
Sign. re. u.: Wien den 12ten August 833 / Anton Palkl Burgl Baumeister
RM TS BPL 87

36

Carl Graf Vasquez (1798—1861)

Stadtplan von Baden, 1830—35

Federlithographie, koloriert;
69,5 × 53,0 cm
„Situations-Plan der Landesfürstlichen Stadt Baaden mit den angrenzenden Ortschaften Gutenbrunn, Alland, Dörfel,
Breiten, Vestenrohr, Thurngasse, Weikersdorf, Helena u. Rauchenstein nebst 22 der vorzüglichsten Ansichten von Baaden u. d. Umgebung (Ruine Raucheneck, K. K. Militär Badhaus, Sauerhof, Wohngebäude Sr. k. k. Majestät des Kaisers, Frauen und Carolinenbad, Scheiners Caffeehaus, Ruine Rauchenstein, Pfarrkirche, Krainerhütten, Dobbelhof, Mariahilf Kapelle im Helenental, Schloß Leesdorf, Landesfürstliche Stadt Baaden. Die Weilburg, Rathaus der l. f. Stadt Baden, Helena, Haus oder Caffeewiese im Helenenthal, Ruine Merkenstein, Theater, Leopoldi Bäder, Durchbruch und Antons Brücke, Theresien Bad und Ursprung)"
TS BPL 28

Carl Graf Vasquez gab seit 1827 eine Serie von Plänen der Stadt Wien, ihrer Vorstädte und von Baden heraus, deren Wert einerseits in der Genauigkeit der Kartendarstellung, andererseits in den Veduten an deren Rand beruht.

37

J. Baumgartner

„Grundriß der l. f. Stadt Baden mit dem Entwurfe zur Regulirung und Baumsetzung."

Tuschfeder, laviert; 71,5 × 51,4 cm
Sign. re. u.: Wien den 6. August 834 / J. Baumgartner KK. Krs. Ingenieur
RM TS BPL 38

Schon 1810 ließ Johann Ferdinand Ritter von Schönfeld am Ausgang der jetzigen Karlsgasse den Weg durch Sprengung von Felsen erweitern und durch Pappelbäume bepflanzen. 1827 läßt Erzherzog Anton auf Anregung des Kaisers die Pflanzungen jener Baumalleen beginnen, die die innere Stadt umsäumen.

38

Vinzenz Reim (1796—1858)

„Baden von der Südseite"

Umrißradierung, koloriert; 18,5 × 13,1 cm
Bez. re. u.: V. Reim
Nr. 225 aus der Serie „Städte und Orte der
österr. ungar. Monarchie", nach 1841
RM TS B 400

Das Blatt zeigt Baden bereits mit der Eisenbahn, die 1841 in Betrieb gegangen ist.

Lit.: Ilse Friesen, Baden in alten Ansichten. In:
ÖZKD, XXVII 1973, Heft 3/4, S. 181 ff.

39

Vinzenz Reim (1796—1858)

„Der Bahnhof in Baden"

Umrißradierung, koloriert; 18,7 × 13,1 cm
Bez. re. u.: V. R.
Nr. 217 aus der Serie „Städte und Orte der
österr. ungar. Monarchie", nach 1841
RM TS B 35

Lit.: Ilse Friesen, Baden in alten Ansichten. In:
ÖZKD, XXVII 1973, Heft 3/4, S. 181 ff.

40

Gabriel Zimmermann (1813—1882)

Baden, Situationsplan des Bahnhofsplatzes

Tuschfeder, laviert; 66 × 46 cm
Sign. re. u.: Baden am 2. September $\overline{842}$ /
Zimmermann Stadtbaumeister
RM TS BPL 39

41

Einreihungskarte in die National-Garde

Einreihungskarte für den Freiwilligen Johann Rigler aus Baden vom 9. Oktober
1848
RM

42

Unbekannter Autor

Flugblatt

„Nahmen der Wiener Nationalgardisten,
welche sich vor seiner kaiserlichen Hoheit
dem Erzherzoge Johann bei Höchstselben
Durchreise durch Baden am 19. März
1848, Abends um 3/4 auf 6 Uhr, vor dem
Waggon pflichtgemäß aufstellten, unter
allgemeinem Jubel und Lebehoch mit
höchster Rührung sich freundlichen Hän-
dedrucks und liebevoller Worte zu er-
freuen hatten."
RM

43

Unbekannter Autor

Flugblatt

„Man dreht den Mantel nach dem Wind,
oder der große Herr Saphir, als Schild-
knappe der berühmten Herrn Ebersberg,
Endlich, Landsteiner und Raudnitz, oder
Die ersten Waffenthaten eines Badner Na-
tional-Gardisten als Polizeimann; engagiert — wahrscheinlich bei Herrn Saphir
— und genannt Herr (?) Handl junior."
Baden, 14. August 1848
RM

44

Unbekannter Autor

**„Wo hausen die Reaktionäre! Wo? Zu
Baden!"**

Anonyme Satire gegen das reaktionäre
Baden, Sommer 1848
RM

Niemals war der Zuzug aus Wien nach
Baden in der Vor- und Nachsaison so
groß, niemals machten die Wohnungsver-

mieter ein derartig gutes Geschäft wie im Jahre 1848.

Der Bürgermeister Johann Nepomuk Trost galt als „patriotisch"; ihm gelang es, alle unruhigen Elemente zu beschwichtigen und von der Stadt fernzuhalten. Baden wurde „Schwarzgelbowitz" genannt, in dem sich die „Reaktionäre", die „Schwarzgelben" oder die sogenannten „Gutgesinnten" sammelten.

45

„Verzeichnis der Hausbesitzer, die selbst keinen Nachtdienst versehen, sondern für je 30 kr. einen anderen Garden schicken"

RM

46

Trommel der National-Garde von Baden, 1848

Leder, Holz, Seilverspannung, Schlegel auf Ledergurt; DM: 37 cm, H: 35 cm
RM

47

Tambourstab der Nationalgardemusik, 1848

Holz mit Metallbeschlag; L: 171 cm
RM

48

Hirschfänger des Tambours, 1848

Eisen, gegossene Bronze, Messing, Leder; L: 73 cm
RM

Von Bürgermeister Trost wurde in Baden auch eine Nationalgarde eingerichtet. Die Einsätze bestanden jedoch hauptsächlich aus dem Besuch von Fahnenweihen oder anderen ähnlichen Festivitäten in den umliegenden Ortschaften oder in Wien. Die eigene Fahne blieb ungeweiht, weil zuerst die Kaiserin die Patenschaft ablehnte und sich die Nationalgarde im September 1849 bereits wieder auflöste.

Kat. Nr. 70

49

F. v. Wimsberg

Stadtplan von Baden und der angrenzenden Gemeinden mit allen Bädern, 1807

Tuschfeder, koloriert; 141,5 × 59,7 cm
Mit den Unterschriften des Bürgermeisters, des Syndikus, des Kreisarztes, des Pfarrers und der Herschafften
Sign. li. u.: verfertiget durch F. v. Wimsberg. K:K: Kreis Ingenieur des V.U.W.W. anno $\overline{807}$
RM TS BPL 178

50

Norbert Bittner (1786—1857)

Das Ursprungsbad

Umrißradierung, koloriert, 32,5 × 25,0 cm
Bez. li. u.: N. Bittner f.N. I.
RM TS B 507

Die beiden Ursprungsbäder wurden 1796 mit deutlich orientalisierenden Tendenzen nach den Plänen der k.k. n.ö. Oberbaudirektion von Baumeister Anton Hantl erneuert.
Unter dem Kranzgesims zog sich ein Stalaktitenfries, die Mauerfläche war von einem in Rot und Blau gehaltenen Liniennetz überzogen. Die polygonalen Seitenpavillons waren mit geschweiften Kuppeln überdeckt, auf denen hohe Stangen Halbmonde trugen. Das Bad wurde 1909 abgebrochen.

Lit.: ÖKT Baden, S. 173. — Kaufmann, die Kunst der Stadt Baden, Wien 1925, S. 33

51

Vinzenz Reim (1796—1858)

„Der Ursprung in Baden" (Ursprungsquelle)

Umrißradierung, koloriert; 18,4 × 12,8 cm

Blatt Nr. 74 aus der Serie „Städte und Orte der österr.-ungar. Monarchie", nach 1834
Bez. re. u.: V. Reim, dl et sc:
RM TS B 495

Lit.: Ilse Friesen, Baden in alten Ansichten. In: ÖZKD, XXVII 1973, Heft 3/4, S. 181 ff.

52

Schiffchen zur Beleuchtung des Ursprungsbades

Zinkblech mit 4 Kerzen und Haltegriff aus Holz
L: 45 cm, B: 20,5 cm, H: 14 (48) cm
RM KS PST 14
Abb. S. 157

53

Anton Hantl (1769—1850)

Baden, Theresienbad

Grundriß
Tuschfeder, Tusche, laviert; 50,0 × 34,6 cm
Sign. re. u.: Anton Hantl Burgl. Stadt Maurer Meister von Baden
RM TS BPL 375

Das Theresienbad wurde 1758 nach den Angaben des k.k. Leibarztes von Humbourg in Formen eines zurückhaltenden Rokoko errichtet. 1795 wurden die Badeanlagen im Inneren erneuert. 1885 wurde es anläßlich des Neubaues des Kurhauses abgerissen.

Lit.: ÖKT Baden S. 173 f. — Emil Kaufmann, Die Kunst der Stadt Baden, Wien 1925, S. 33

54

Anton Perger

Baden, Leopoldsbad

Grundriß
Tuschfeder, Tusche, laviert; 46,5 × 34,0 cm

Kat. Nr. 52

Kat. Nr. 57

Sign. re. u.: Anton Perger cop.
RM TS B 2640

Das Leopoldsbad mit seiner sehr
schlichten, einfachen Fassade wurde 1812
erbaut. Einziger Schmuck ist der von vier
jonischen Säulen getragene Giebel.

Lit.: ÖKT Baden, S. 9. — Emil Kaufmann, Die
Kunst der Stadt Baden, Wien 1925, S. 28

55

Lucas Benedicti

**Ansicht des Josefsplatzes mit dem Jo-
sefsbad, der Frauenkirche mit dem Neubad
und dem Frauentor**

Kupferstich; 22,0 × 14,8 cm
Bez. li. u.: Gezeichnet und gestochen von
L. Benedicti
RM TS B 2592

Der Stich zeigt die Situation auf dem Josefsplatz noch vor dem Brand von 1812
und den späteren Neubauten mit dem
noch nicht erweiterten Josefsbad, der gotischen Frauenkirche, dem Neubad und

dem Frauentor vor dem Augustinerkloster.

56

Unbekannter Zeichner

**„Ehemaliges Neubad — derzeit Karoli-
nenbad"**

Plan mit zwei Grundrissen und einer Fas-
sade
Tuschfeder, laviert; 22,8 × 38,5 cm
Bez. li. u.: M.G.
RM TS BPL 381

Dieser Plan zeigt das Neubad in seinem
bis zum Umbau 1820 existenten Zustand

57

Emil Hütter (1835—1886)

**„Ansicht des Josephs-Bades und neuen Ca-
rolinenbades i. Baden. 1822"**

Kopie von 1876 nach einer Vorlage von
1822 durch Emil Hütter. Pinselzeichnung,
aquarelliert; 37,0 × 21,7 cm

Sign. li. u.: E. Hütter fec. cop. 1876
RM TS B 549

Emil Hütter (1835—1886), der als Historiker und Vedutenzeichner tätig gewesen ist, verdanken wir eine Fülle von Ansichten, die uns ohne seine unermüdliche Tätigkeit verlorengegangen wären.
Abb. S. 158

58

J. Baumgartner

Baden, Frauen- und Karolinenbad

Plan mit zwei Grundrissen und zwei Schnitten der Badebecken
Tuschfeder, laviert; 44,2 × 32,2 cm
Sign. Mi. u.: Wien den 25. Juny 822 J. Baumgartner K.K. Krsing
RM TS BPL 386

59

Lucas Benedicti

Baden, Sauerhof

Das Gelände des heutigen Sauerhofes mit dem alten Sauerhof, dem Sauerbad, der Engelsburgbadquelle und dem Kaffeehaus vor seinem Umbau
Kupferstich; 20,7 × 14,0 cm
Bez.: Nach der Natur gezeichnet von Lucas Benedicti Sohn/Gestochen von Hieron Benedecti
RM TS B 1353

Lit.: ÖKT Baden, S. 116 ff.

60

Vinzenz Reim (1796—1858)

„Die Schwimschule im Dobblhof's Garten in Baden"

Umrißradierung, koloriert; 19,0 × 12,8 cm
Bez. re. u.: Reim dl. & sc.

Nr. 23 aus der Serie „Städte und Orte der österr.-ungar. Monarchie", nach 1834
RM TS B 35

Lit.: Ilse Friesen, Baden in alten Ansichten. In: ÖZKD, XXVII 1973, Heft 3/4, S. 181 ff.

61

Unbekannter Zeichner

Carl Majnolo Badwaschel im Ursprungsbad zu Baden

Bleistift; 12,4 × 22,0 cm
unsigniert
REM KS P 104

62

Anton Perger

Verstellbarer Kalender

Mit Mondphasen, Merkwürdigkeiten, Stempeltaxen, Bädern, Einwohnerzahlen und Bilanz der Badegäste 1824—1841, um 1830, mit späteren Eintragungen
Aquarell, Collage; 27,5 × 39,0 cm
Sign.: Perger fec.
RM TS B 2522

63

Joseph Tetzer

Kurtze Belehrung zum nützlichen Gebrauch der lauen Schwefelbäder zu Baaden in verschiedenen Krankheiten des menschlichen Körpers.

Denen dieses Baades bedürftigen Kranken gewiedmet
Vom Joseph Tetzer, medicinae Doctor, der Wundarzney u. Entbindungs Kunst
Handschrift, 116 Seiten
Baden im April 1801
RM BB 361

159

Nannette Streicher geb: Stein
gebohren den 2ten Januar. 1769.

Kat. Nr. 78 und 502

64

Joseph Tetzer

Chemische Analyse des Johannis Badwassers bey Baden

Ohne Ort, ohne Jahr
RM BB 412

65

Unbekannter Autor

Beschreibung der landesfürstlichen Stadt Baaden, und ihrer heilsamen Bäder in Niederösterreich, V.U.W.W.

Den Badegästen gewidmet
Wien bei Joseph Eder/Baaden bei V. Kanz 1801
RM BB 28

66

Anton von Geusau

Historisch-topographische Beschreibung der landesfürstlichen Stadt Baaden, derselben heilsamen Bäder, und der umliegenden Gegenden in N.Öst.V.U.W.W.

Mit 4 kolorierten Kupferstichen
Wien und Baden 1802
RM TB 1c

67

Benedict Obersteiner

Einige ernste Worte über den Gebrauch der Badner Heilquellen nächst Österreichs Residenz für Jedermann

Baden bei Ferdinand Ullrich 1816
RM BB 33a

68

Carl Schenk

Die Schwefelquellen von Baden in Nieder-Österreich.

Ein Handbuch über die Untersuchung der physisch-chemischen Bestandtheile, der Wirkungen, und des Gebrauchs der Badner Schwefelquellen; nebst einer kurzen topographisch-historischen Beschreibung der Stadt Baden und ihrer Umgebungen
Baden bei Ferdinand Ullrich 1817
RM BB 34a

69

Martin Joseph Mayer (1765—1832)

Das neuerbaute Frauen- und Carolinenbad in Baden in Niederösterreich

Mit dem Prospecte des neuen Badegebäudes in Kupfer
Wien bei Ferdinand Ullrich 1821
RM BB 36b
Abb. S. 231

70

Johann Nepomuk Beck

Baden in Nieder-Oesterreich

In topographisch-statistischer, geschichtlicher, naturhistorischer, medicinischer und pitoresker Beziehung
Mit einem Titelkupfer
Wien in Commission bei J. G. Heubner, gedruckt bei Ferdinand Ullrich 1822
RM T 18b

71

Carl Schenk

Anweisung zum zweckmäßigen inneren Gebrauche des Badner Schwefelwassers.

Wien bei Tendler und v. Manstein 1825

72

Johann Nepomuk Beck

Chronik der Heilquellen von Baden in Österreich

Mit zwei Steindrucktafeln
Wien bei Ferdinand Ullrich, zweiter Jahrgang 1828
RM BB 41a
Abb. S. 155

73

Max Landesmann

Das Leben der Thermen mit besonderer Be- ziehung auf die warmen Schwefelquellen **Badens bey Wien**

Wien im Verlage der Jos. Benedikt'schen Buchhandlung 1836
RM BB 43a

74

„Temperatura Thermarum"

Tabelle mit den Wassertemparaturen sämtlicher Badener Bäder, 1850
RM BB 561

Kat. Nr. 102

75

**Ludwig van Beethoven (1770— 1827),
Lebendmaske**

Gipsabguß
H: 24 cm
RM

76

**Ludwig van Beethoven (1770—1827),
Haarlocke**

Auf dunkelblauem Samt montiert
DM: 8,5 cm
RM

Die Locke wurde Beethoven auf seinem
Totenbett von Johann Karl Bernard abge-
nommen und von dessen Enkelin 1932
dem Museum geschenkt
Abb. S. 55

77

Vignerot

Ludwig van Beethoven (1770—1827)

Lithographie von Vignerot; 27,0 × 34,8 cm
RM
Abb. S. 59

78

Hermann Rollett

Nanette Streicher (1769—1833)

Bleistiftzeichnung, aquarelliert;
19,2 × 25,7 cm
Kopie des Originals von L. Krones (1785
bis nach 1830) im Gästebuch Franz Anton
Rolletts
Sign.: HR fecit nach Krones
RM KS P 136

Nanette Streicher, geborene Stein, Tochter
eines Augsburger Klavierfabrikanten, Pia-
nistin und Sängerin heiratete Andreas Jo-

hann Streicher 1793. Gemeinsam mit ihm
und ihrem Bruder Matthäus übersiedelte
sie nach Wien, Matthäus Stein erhielt mit
Hofdekret vom 17. Jänner 1794 die Bewilligung zur Niederlassung und zur Erzeugung von Instrumenten in Wien. 1802
löste Nanette die Verbindung mit ihrem
Bruder und gründete mit ihrem Mann eine
neue Klavierfabrik, die bald zu einer der
wesentlichsten Erzeugungsstätten in Wien
wurde; Streicher ist die Erfindung der
„Wiener Mechanik" des Hammerklaviers
zu danken. 1812 erbaute Streicher in Wien
einen Saal (Ungargasse 46), der sich zu
einem der beliebtesten Veranstaltungsorte
der Zeit für Kammermusik entwickelte.
Allein und mit ihrem Gatten weilte sie oftmals in Baden und ging als Verehrerin
und Freundin Beethovens, dessen ver-
nachlässigten Haushalt sie sich des öfteren annahm, in die Musikgeschichte ein.

Lit.: Felix Czeike, Das Große-Groner-Wien-Lexikon, Wien 1974, Baden, S. 315. — Alfred Willander, Musikgeschichte der Stadt Baden 1980,
S. 22

79

Friedrich Fleischmann

Carl Maria von Weber (1786—1826)

Stahlstich, von Friedrich Fleischmann;
16,6 × 24,3 cm
RM

Carl Maria von Weber besuchte Beethoven in Baden am 5. Oktober 1823.
Weber berichtet seiner Frau über diesen
Besuch in einem Brief am 6. Oktober:
„. . . die Hauptsache war, Beethoven zu
sehen. Dieser empfing mich mit einer
Liebe, die rührend war; gewiß 6—7 Mal
umarmte er mich auf's herzlichste und rief
endlich voller Begeisterung ‚Ja, Du bist
ein Teufelskerl, ein braver Kerl!' Wir
brachten den Mittag miteinander zu, sehr
fröhlich und vergnügt. Dieser rauhe, zurückstoßende Mensch macht mir ordent-

lich die Cour, bediente mich bei Tisch mit einer Sorgfalt wie seine Dame ec., ..."

Lit.: Alfred Willander, Musikgeschichte der Stadt Baden, Baden 1980, S. 36 f.

80

Fremdenliste der Kurgäste Badens vom Jahre 1821

Aufgeschlagen Nr. 77 mit Eintragung von: Herr Ludwig v. Beethoven, Tonsetzer, wohnt in der Rathausgasse Nr. 94. (Ankunftstag 8. September)
RM BB 225

81

Ignace Duvivier (1758—1832)

Schloß Braiten (Vue de la Maison de son Excellence Monsieur le Comte Ossolynski à Baden)

Lithographie
36,7 × 52,5 cm
RM

Im Ossolynskyschen Haus in der Allandgasse Nr. 9 (heute: Schloß Braiten, Braitnerstraße 26) wohnte Beethoven während des Sommers 1816 und skizzierte hier die Klaviersonate op. 101.

Lit.: Alfred Willander, Musikgeschichte der Stadt Baden, Baden 1980, S. 35

82

Thomas Ender (1793—1875)

„Das neue Gebäude der Sauerbäder Des Bar. Doblhoff — (Baden pres de Vienne) — Nouveau Etablissement des Bains Du Bar. Doblhoff"

Umrißradierung, koloriert; 23 × 17 cm
Verlegt bei Artaria et Compag.
RM TS B 1356

83

Thomas Ender (1793—1875)

Laube im Hof des Hauses Frauengasse 2, im Hintergrund Frauenkirche und Augustinerkloster, 1825

Aquarell; 17,3 × 10,7 cm
Sign.: Thomas Ender 24. May 1825
RM TS B 1578

Lit.: ÖKT Baden, S. 184, Nr. 11 — Kat. Thomas Ender, NÖ. LM 1982, Nr. 24, Abb. 3

84

Thomas Ender (1793—1875)

Laube im Hof des Hauses Frauengasse 2, Blick aus der Laube, 1825

Aquarell; 14,7 × 9,9 cm
Auf der Rückseite Skizze zum Aquarell des Sauerhofbades, ehemals im NÖ. Landesarchiv (laut ÖKT Baden)
RM TS B 1579

Lit.: ÖKT Baden, S. 184, Nr. 11 — Kat. Thomas Ender, NÖ. LM 1982

85

Baden, Beethovenhaus (Kupferschmiedhaus) in der Rathausgasse

Foto, um 1910
RM, Fotosammlung

Für dieses Haus sind mehrere Aufenthalte Beethovens belegt. Als Beethoven 1823 wiederum in das Haus einziehen will, verlangt der Hausherr die Bezahlung neuer Läden, denn er hätte die von Beethoven verunzierten erneuern lassen müssen. In Wahrheit hatte er jedoch die alten, von Beethoven beschriebenen Fensterläden an Kurgäste teuer verkauft, die vom gegenüberliegenden Haus aus Beethoven bei seinen Notizen beobachtet hatten. In diesem Haus entwirft Beethoven den größten Teil der Neunten Symphonie.

Lit.: Alfred Willander, Musikgeschichte der Stadt Baden, Baden 1980, S. 36

Abb. S. 61

86

Joseph Lanzedelly (1774—1832)

Die Kinder Erzherzog Karls

Karl (geb. 1818), Friedrich (geb. 1821), Albrecht (geb. 1817), Maria Theresia (geb. 1816)
Bleistift (Vorzeichnung zu einer Lithographie?); 24 × 24 cm
Unbezeichnet
RM KS P 164

Der Miniaturmaler Joseph Lancedelly studierte an den Akademien in Venedig und Wien und war der bei weitem produktivste Lithograph der Frühzeit. Lanzedelly erschloß der Wiener Lithographie das Sittenbild, das in Frankreich so beliebt gewesen ist. Seine Bedeutung liegt ferner in seiner Tätigkeit als Chromolithograph; er hat als einer der ersten bereits 1819 Versuche mit mehreren Platten durchgeführt. Daneben schuf er eine große Zahl von Porträts.

Lit.: ÖKT, Baden, S. 185, Nr. 23

87

Grevedon

Fanny Elßler (1810—1889)

Lithographie, 1835; 37,5 × 49,0 cm
RM KS P 106

Im Sommer 1830 hielt Baron Gentz, die rechte Hand des Staatskanzlers Metternich, dem Ballettstar Fanny Elßler eine Sommerwohnung in Baden.

1835 trat sie zusammen mit ihrer Schwester Therese im Badener Stadttheater auf.

Lit.: Alfred Willander, Musikgeschichte der Stadt Baden, Baden 1980, S. 26 und 58

88

Unbekannter Künstler

Fanny Elßler (1810—1884)

Als Gräfin Saint Olivar im Divertissement von Jules Perrot „Des Malers Traumbild", 1844
Figurengruppe, Wiener Prozellanmanufaktur; 8,0 × 8,5 × 5,0 cm
Auf der Sockelunterseite bez.: $\overline{844}$, Bindenschild;
Wien, Privatbesitz

Die Erstaufführung dieses Balletts fand am 21. April 1844 im Kärntnerthortheater statt. Ihr Partner als Maler Leonello war Gustav Carey. Ähnliches Stück in der Theatersammlung der Österr. Nat. Bibliothek (Inv. Nr. 0-3714).
Fanny Elßler weilte 1830 und 1884 in Baden und trat 1835 anläßlich eines Gastspieles in Baden auf.

Lit.: R. Raab, F.E. — Eine Weltfaszination, Wien, 1962. — Ausstellungskatalog „Theaterkult in Wien", Österr. Theatermuseum, Wien, 1983, S. 10. Kat.- Nr. 48 (Abb.). — Fanny Elßler, Materialien, Wien 1984, S. 32

89

Carl Mayer

Porträt von Felix Mendelssohn-Bartholdy (1809—1847)

Stahlstich
Bez. re. u.: Stahlstich von Carl Meyer
13,0 × 18,2 cm
RM

Im Herbst 1829 weilte Felix Mendelssohn-Bartholdy während der Rückfahrt von seiner ersten Londoner Reise in Baden und logierte bei den Damen v. Ephraim. Vor geladenen Freunden seiner Gastgeber spielte er auf der Orgel der Stadtpfarrkirche St. Stephan.

Lit.: Musikgeschichte der Stadt Baden, Baden 1980, S. 24

90

Unbekannter Künstler

Johann Nepomuk Hummel (1778—1837)

Stahlstich, Bibliographisches Institut Hilburghausen
RM

Der Konzertmeister des Fürsten Esterházy weilte 1805 zur Kur in Baden und wohnte im Haus Heiligenkreuzergasse 80 (heute Nr. 3)

Lit.: Alfred Willander, Musikgeschichte der Stadt Baden, Baden 1980, S. 21f.

91

Eduard Gurk (1801—1841)

„Die Krainer-Hütte. La Cabane-Carniole."

Aquatintastich, koloriert; 16,0 × 12,1 cm
Nr. 62 der bei Tranquillo Mollo verlegten Serie „Wiens Umgebungen", 1825
RM TS B 309

Der Hofkapellmeister Antonio Salieri schrieb während des Sommeraufenthaltes in Baden 1820 zwei Werke: Mit 20. August datierte er sein Duett „Questa fuga e fatta in Baden" und im Salon der Gräfin Viczay in der Krainerhütte schrieb er den Kanon „Zum Lob des Greiner Hüttel".

Lit.: Alfred Willander, Musikgeschichte der Stadt Baden, S. 44

93

Joseph Kriehuber (1800—1876)

Johann Michael Vogl (1768—1840)

Lithographie, 1830
27 × 57 cm
Historisches Museum der Stadt Wien, Inv. Nr. 109.830

Hofopernsänger Johann Michael Vogl, Förderer, Gönner und Freund Franz Schuberts, sang 1812 in der Benefizvorstellung für die Badener Brandgeschädigten den Grafen in Mozarts Hochzeit des Figaro.

Lit.: Alfred Willander, Musikgeschichte der Stadt Baden, Baden 1980, S. 22

92

Theaterzettel des Stadttheaters Baden

Zur Vorstellung vom 30. 8. 1812: Le nozze di Figaro (Die Hochzeit des Figaro). Zum Besten der, durch den Brand vom 26ten Juli Verunglückten.
35 × 21 cm
RM

Da das neue Stadttheater Kornhäusels vom Brand am 26. Juli 1812 verschont blieb, konnte hier bereits am 30. August die Benefizvorstellung mit Figaros Hochzeit gegeben werden.

94

Tobias Haslinger (1787—1842)

„Der Brand in Baden."
„Eine musicalische Skizze für das Piano-Forte. Badens verunglückten Bewohnern gewidmet von Tobias Haslinger"

Wien 1812
Titelblatt mit dem Hauptplatz während

des Brandes, Kupferstich von Peter Allmer; 26,7 × 35,0 cm
RM TS B 179

Tobias Haslinger übersiedelte 1810 aus Linz nach Wien, trat als Buchhalter in die Musikalienhandlung des Sigmund Anton Steiner ein und wurde 1814 dessen Teilhaber; als sich Steiner 1826 aus dem Geschäft zurückzog, übernahm Haslinger den Laden als alleiniger Inhaber. Seine verlegerische Tätigkeit brachte ihn in enge geschäftliche, aber auch freundschaftliche Beziehungen zu Ludwig van Beethoven. Wie dieser nahm auch er oft Aufenthalt in Baden.

Lit.: Felix Czeike, das Große-Groner-Wien-Lexikon, Wien 1974, S. 155 f.

95

Karl Haslinger (1816—1868)

Souvenir de Baden

A son Altesse Imperiale et Royale Hildegarde Archiducesse d' Autriche Souvenir de Baden. Fantasie-Caprice pour le Piano par Charles Haslinger, OEuvre 89
Vienne, chez Charles Haslinger qudm. Tobie (1850)
Titelblatt mit der Weilburg, lithographiert von F. Berndt; 27,0 × 34,5 cm
RM MS 270

Nach dem Tod von Tobias Haslinger übernahm dessen Sohn Carl 1842 die Musikalienhandlung in Wien. Er wohnte während der Revolutionsereignisse 1848 in Baden.

Lit.: Alfred Willander, Musikgeschichte der Stadt Baden, Baden 1980, S. 25
Abb. S. 64

96

Johann Strauß, Vater (1804—1849)

Mein schönster Tag in Baden

Walzer für das Piano-Forte. Ihrer kaiserlichen Hoheit der durchlautigsten Frau Maria Clementina Prinzessin von Salerno, Erzherzogin von Österreich etc. in tiefster Ehrfurcht zugeeignet von Johann Strauß, 1832. Wien bei Tobias Haslinger; 34 × 26 cm
RM MS 265

Am 12. August 1832 fand aus Anlaß der Errettung des Kronprinzen Ferdinand von dem Pistolenattentat des Hauptmannes Reindl auf der Hauswiese ein Volksfest statt, bei dem sich sogar „ihre allerhöchsten kaiserlichen Durchlauchten tanzend unters Volk zu mischen geruhten". Bei dieser Gelegenheit hob Johann Strauß Vater sein op. 58, den Walzer „Mein schönster Tag in Baden", aus der Taufe.

Lit.: Alfred Willander, Musikgeschichte der Stadt Baden, Baden 1980, S. 58

97

Johann Strauß, Vater (1804—1849)

Souvenir de Baden

Helenen-Walzer für das Piano-Forte. 38tes Werk, 1830
Wien bei Tobias Haslinger
Titelblatt mit der Hauswiese, Lithographie von F. Wolf; 31,3 × 23,0 cm
RM MS 406

98

Joseph Kriehuber (1800—1876)

Johann Strauß, Vater (1804—1849)

Lithographie, koloriert, 1853; 21 × 28 cm
RM

99

Jakob Alt (1789—1872)

Ansicht des Parkes in Baden bey Wien — Vue du Parc a Baden pres de Vienne, 1825

Umrißradierung, koloriert; 43,3 × 32,5 cm
Bez. re. u.: C. Beyer v. D. sc
Nr. 58 der bei Artaria erschienenen Folge von Ansichten
RM TS B 650

Lit.: Ilse Friesen, Baden in alten Ansichten. In: ÖZKD, XXVII, 1973, Heft 3/4, S. 181 ff.

100

Carl Czerny (1791—1857)

Le Charmes des Baden

Rondeau pastorale por le Pianoforte
Hamburg bei A. Cranz
34 × 26 cm
RM MS 137

Carl Czerny, ein Schüler Beethovens, war einer der bedeutendsten Klaviervirtuosen seiner Zeit. Seine Schulwerke zählen noch heute zur Standardstudienliteratur jedes Klavierschülers. Er verbrachte 1819 einige Sommertage in Baden und kam in den Folgejahren bis 1834 noch neunmal hierher zurück.

Lit.: Alfred Willander, Musikgeschichte der Stadt Baden, Baden 1980, S. 22 f.

101

C. Georg Lickl (1769—1843)

Badner-Bilder. 6 Eklogen für das Piano-Forte

Lithografiertes Titelblatt mit 6 Veduten aus Baden und seiner Umgebung
Wien bei Carl Haslinger, ohne Jahr
RM MS 114b

102

Joseph Lanner (1801—1843)

Bearbeitung von Giacomo Rossinis Ouvertüre Le Siège de Corinth für kleines Streichorchester

Autograph, auf der letzten Seite sign.: Mit Gott geendet am 25ten Apprill $\overline{841}$ J. Lanner
32,0 × 24,5 cm
RM MS 221 HS
Abb. S. 163

103

Franz Eybl (1806—1880)

Porträt von Johann Nepomuk Trost, Bürgermeister und Apotheker in Baden (1788—1866)

Lithographie; 31 × 45 cm
Bez.: Ged. bei A. Leykum in Wien Eybl. $\overline{852}$ RM KS P 31

104

Joseph Prokop Freyherr von Heinke

Kaiser Franz I. (1768—1835)

Punktierstich; 27,3 × 37,0 cm
Bez.: gezeichnet von Jos. Prokop Freyh. v. Heinke / gest. v. Sigmund v. Perger (1788 bis 1841)
RM KS P 258

105

Unbekannter Künstler

Catharina Canzi (1805—1890)

Kreidelithographie; 20 × 33 cm
Bez. li. u.: Catharina Canzi. Sängerin geb. 1805 zu Baden
RM KS P 491

Catharina Canzi wurde in Baden als Tochter des Buchbindermeisters Fortunat

Kanz geboren. Sie war Schülerin Salieris und trat zuerst in Italien (Florenz, Mailand) mit großem Erfolg auf. Nach einer erfolgreichen Auftrittsreise durch Norddeutschland wurde sie an die Leipziger Bühne engagiert und ging später nach Stuttgart. Im August 1820 gab sie im Badener Stadttheater einen Zyklus von Konzerten.

Lit.: Alfred Willander, Musikgeschichte der Stadt Baden, Baden 1980, S. 12

Abb. S. 57

106

Unbekannter Künstler

Leopold von Meyer (1816—1883), Karikatur

Lithographie; 35,7 × 51,0 cm
RM

Leopold Edler von Meyer studierte in Wien bei Czerny und Fischhof und erregte schon in jungen Jahren bei Hof und in den Wiener Salons Aufsehen als Pianist. Er bereiste Rußland, Frankreich, England, die Türkei und sogar Amerika; seine letzten Lebensjahre verbrachte er in Dresden.

Lit.: Alfred Willander, Musikgeschichte der Stadt Baden, Baden 1980, S. 12 f.

107

Georg Decker

Wenzel Müller (1767—1835)

Lithographie von F. Wolf, 1835;
34,4 × 48,2 cm
Historisches Museum der Stadt Wien,
Inv. Nr. 1016

Der Komponist starb am 3. August 1835 im Haus Johannesgasse 25 in Baden

Lit.: Alfred Willander, Musikgeschichte der Stadt Baden, Baden 1980, S. 25

LITERATUR UND THEATER

Kat. Nr. 133

108

Josef Schmutzer

Der Dichter, 1837

Tuschfeder, aquarelliert; 38,7 × 32,0 cm
Aus der Serie Der Mensch und sein Beruf

Sign. li. u. Josef Schmutzer: Der Dichter
Juli 1837
RM KS 117

109

Philipp Veit

Friedrich von Schlegel (1772—1829)

Foto einer Xylographie nach der Zeichnung von Philipp Veit
ÖNB, Bildarchiv

Friedrich von Schlegel, der eigentliche Theoretiker der deutschen Romantik, lebte seit 1808 mit seiner Gattin Dorothea als Hofsekretär der Staatskanzlei in Wien. Ihre Wohnung war eines der Zentren der katholischen Restauration und Romantik in Österreich, wo sich der Hofbauer-Kreis traf.

110

Philipp Veit

Dorothea von Schlegel, geb. Mendelssohn (1763—1839)

Foto einer Zeichnung
ÖNB, Bildarchiv

Dorothea, Tochter des Philosophen Moses Mendelssohn, war in erster Ehe mit dem Berliner Bankier Simon Veit verheiratet und hatte zwei Söhne, Johann und Philipp, die beide als Nazarener-Maler in Rom wirkten.

111

Fremden-Listen von Baden 1811

Aufgeschlagen Nr. 66 mit Eintragung: „Herr Friedrich Schlegel k.k. Hoffsekretär, wohnt eben allda" (Guttenbrunn Nr. 41) vom 9ten May
RM BB 215

Friedrich von Schlegel war zum erstenmal im Oktober 1810 Kurgast in Baden; Dorothea und deren Sohn Philipp Veit besuchten ihn damals. Weitere Kuraufenthalte des Ehepaars im Sauerhof sind für die Jahre 1821, 1823, 1824 und 1827 nachweisbar.

112

Johann Ender (1793—1854)

Friedrich Ludwig Zacharias Werner (1768—1823)

Kupferstich/Radierung; 16 × 24 cm
Historisches Museum der Stadt Wien, Inv. Nr. 73.991

Der Dramatiker Werner gehörte dem Kreis um Friedrich von Schlegel und Klemens Maria Hofbauer an. Der ehemalige Freimaurer konvertierte in Rom zum katholischen Glauben und wurde Priester. Als lebhafter Kanzelredner in St. Stephan erregte er besonders während des Kongresses in Wien großes Aufsehen. Mündlicher Überlieferung nach soll der damals bereits todkranke Zacharias Werner in der Helenenkirche in Baden im Mai des Jahres 1822 gepredigt haben.
Abb. S. 172

113

Friedrich Ludwig Zacharias Werner (1768—1823)

Friedr. Ludw. Zacharias Werners letzte Lebenstage und Testament.

Wien bei Joh. Bapt. Wallishauser 1823
RM LO 15

Die kleine Schrift enthält das Testament vom 24. Juli 1822 mit einem Nachtrag vom 27. Juli sowie eine kurze, bruchstückhafte Autobiograpie, in der er sein früheres Leben bereut.

Kat. Nr. 112

114

Joseph Raabe

Joseph Freiherr von Eichendorff (1788—1857)

Foto nach einer Xylographie
ÖNB, Bildarchiv

Joseph Eichendorff weilte zusammen mit seinem Bruder Wilhelm vom Herbst 1810 bis Frühjahr 1813 in Wien, um das Jusstudium zu beenden. Seinen Tagebucheintra-

gungen nach besuchte er am 16. Juni sowie am 14. und 15. Juli 1811 Baden. Er ging im Kurpark und in den Langschen Anlagen spazieren, aß im Café Scheiner Eis und unternahm eine Spazierfahrt in das Helenental, dessen Landschaft den großen Lyriker tief beeindruckte. Auch die Brüder Eichendorff verkehrten im Hause Schlegels.
Erst nach seiner Pensionierung als preußischer Regierungsrat kam Joseph von Eichendorff wieder auf ein Jahr nach Wien (1846/47) und hielt sich einige Monate in Baden bei seiner Schwester Luise Freiin von Eichendorff (1804—1883) auf.

115

Wilhelm Kosch (Herausgeber)

Tagebücher des Joseph Freiherrn von Eichendorff

Regensburg 1908 (erste gedruckte Ausgabe)
Baden, Privatbesitz

116

Luise Freiin von Eichendorff (1804—1883)

Foto Baden, Privatbesitz

Wie die erst in diesem Jahrhundert aufgefundenen Briefe der Schwester Joseph Freiherrn von Eichendorffs beweisen, verfügte auch sie über hohes stilistisches Können in der Schilderung des Mitterberges und des Helenentals. Nach dem Tod des Bruders und des besten Freundes, Adalbert Stifters, vereinsamte sie und stellte ihr großes Haus herumstreunenden Katzen und Hunden („Katzenbaronin") zu Verfügung. 1879 mußte sie in die Irrenanstalt Oberdöbling eingeliefert werden, wo sie auch starb.

117

Moritz Michael Daffinger (1790—1849)

Adalbert Stifter (1805—1868)

Gestochen von Carl Mahlknecht, Wien
16,3 × 23,0 cm
Historisches Museum der Stadt Wien,
Inv. Nr. 11.834

„Seit wir die nach Süden führende Eisenbahn besitzen, gehört auch Baden gewissermaßen zu den unmittelbaren Umgebungen Wiens, da man es von dem Bahn-
hofe aus in vierzig Minuten erreichen
kann — und die Umgebungen Badens
und der Brühl sind seit undenklichen
Zeiten in den Annalen Wiens berühmt ...
Baden war einst der Lieblingsort der
Wiener, da noch der Hof alle Sommer einige Zeit dort zubrachte, aber auch jetzt
ist die kleine freundliche Stadt noch reich-
lich besucht. Sie liegt ebenfalls am Rande
des Wiener Waldes, und von ihr führt
ebenfalls ein Tal in denselben hinein, das
so oft beschriebene und besungene Helenental. Es ist eine der lieblichsten Wanderungen durch dieses Tal bis zum Kloster
Heiligen-Kreuz. Mit seiner andern Seite
blickt Baden über eine sehr große Ebene
bis zu den Leithabergen Ungarns. Jede
seiner Waldhöhen hat daher eine sehr
schöne Aussicht. Was es im Sommer in
Baden an Reunionen, Bällen u. dgl. gibt,
gehört nicht hierher, da dies eigentlich ein
Stück Stadtleben ist, welches die Landbe-
wohner mit hinausnehmen, wir aber hier
bloß vom Lande und den Ausflügen dahin
reden. Eben so wenig lassen wir uns hier
in die Heilquellen Badens ein. Freilich,
wenn wir einmal in Baden sind, könnte
uns die Lust verleiten, mit allen unsern
Lesern in das Gebirge zu wandern, sie
nach Guttenstein zu führen, durch das
Klostertal, auf den Schneeberg, ins Höl-
lental, in die Preun, dann wären wir bald
in Steiermark, — — aber, da wir hier nur
von den Umgebungen Wiens reden, so

darf uns die Lust nicht verführen, sonst
kämen wir mit demselben Rechte auch in
Steiermark sachte von einem Stücke zum
andern, und ständen dann auf einmal in
Triest, was doch wahrlich nicht zu den
Umgebungen Wiens gehört."
Die etwas matten Preisungen der Badener
Landschaft, die Adalbert Stifter 1844 in
dem Sammelwerk „Wien und die Wiener,
in Bildern aus dem Leben" anstimmt, ver-
raten die Ungeduld des „Waldgängers"
der südböhmischen Heimat und des
Hochtouristen mit der verbindlichen Spa-
ziergängerlandschaft des Wiener Raumes,
und unüberhörbar gilt die Sehnsucht den
am Horizont aufragenden Gebirgen.
Ebenso deutlich spricht jedoch aus der topographischen Genauigkeit die gute
Kenntnis der Szenerie, die sich Stifter spä-
testens in den frühen vierziger Jahren erworben haben mußte, wie auch Tausig
meint.

118

C. E. Weber

Rahel Varnhagen (1771—1833)

Stahlstich; 35,2 × 51,2 cm
Historisches Museum der Stadt Wien,
Inv. Nr. 11.773

Rahel, die 1814 den Diplomaten und Pu-
blizisten Karl August Varnhagen von Ense
geheiratet hatte, war in Berlin die Gastge-
berin eines der berühmtesten schöngei-
stigen Salons der Romantik.

119

P. N. Guerin

**Franziska Freiin von Arnstein
(1758—1818)**

Schabblatt von Kininger; 15,7 × 20,3 cm
Historisches Museum der Stadt Wien,
Inv. Nr. 85.909

FANNY
Freyinn von d'Arnstein
... ...

Wie ihre Landsmännin Rahel Levin öffnete auch Franziska Baronin von Arnstein ihr gastliches Haus in der Nähe des Kurparks den vielen prominenten Besuchern der Kurstadt Baden. Ihrer Initiative ist es auch zu danken, daß der Bau des Marienheimes im damaligen Dörfel, einem Ortsteil von Weikersdorf, heute Weilburgstraße 27—29, durch großzügige Spenden reicher Adeliger und Geschäftsleute ermöglicht wurde.

120

Kriegs-Gebeth der Israelitischen Gemeinde in Wien. 5569 (= 1809)

o. O., 1809
RM

Das Heftchen aus dem Franzosenjahr 1809 (5569 Jahre nach Erschaffung der Welt) enthält eine Tefillah, ein Gebet, für Kaiser und Vaterland. Im österreichischen Biedermeier gab es, noch vom Geist der josephinischen Aufklärung her, keinen Antisemitismus. Schon unter Maria-Theresia wurden jüdische Bankiers, die für die Wirtschaft des Reiches von Bedeutung waren, geadelt.
Der erste Jude, dem es 1805 erlaubt wurde, sich in Baden anzusiedeln, war Isaak Schischa aus Mattersdorf (Mattersburg), der in der Bäckergasse 509 (Breyerstraße 3) eine Gastwirtschaft mit einem kleinen Betsaal eröffnete, die bis 1871 bestand. Die gleiche Genehmigung erhielt 1820 Leopold Herz, ebenfalls aus Mattersdorf, dessen Witwe 1848 das Haus Wassergasse 14 erwarb, wo ein Bethaus mit 285 Sitzplätzen entstand.

121

Ludwig Krones (1785 bis nach 1830)

Caroline Pichler (1769—1843)

Bleistiftzeichnung, aquarelliert;
17,6 × 22,8 cm

Sign. Re. o. L. K. $\frac{1}{9}\overline{829}$

RM KS P 187

Caroline Pichler ist nicht als Dichterin, sondern als Mittelpunkt eines im ganzen deutschen Sprachraum bekannten literarischen Wiener Kreises in die Literaturgeschichte eingegangen. In ihrem geräumigen Haus in der Alservorstadt Wiens diskutierten Adelige, Beamte, Geistliche sowie die literarischen und künstlerischen Größen der Zeit über Politik, Philosophie, Dichtung und Kunst. In den „Denkwürdigkeiten aus meinem Leben" (1835—1841) schrieb die bürgerlich schlichte, aber gebildete Hofratsgattin im Plauderton ihre reichen Erfahrungen mit

Menschen, Zeitläufen und Landschaften nieder. Ausführlich berichtet sie in diesem Werk über ihre Badener Aufenthalte in den Jahren 1822, 1823, 1828, 1829, 1831, 1834—1836. Besonders interessant schildert sie das Cholerajahr 1832 und den in diesem Jahr abgehaltenen Naturforscherkongreß in Baden. Sie wohnte meist am Josefsplatz oder in Gutenbrunn (Pelzgasse).

122

Tobias Dionys Raulino (1787—1839)

Schloß Weilburg, 1824

Aquarell; 23,5 × 15,7 cm
Bez.: T. Raulino ad. Natu 1824
RM TS B 204

Die zarte Aquarellstudie, staffiert mit arbeitendem Landvolk und vornehmen Besuchern, erschien in allerdings veränderter Komposition als Blatt 7 der Lithographien-Folge „Wiens Mahler: Umgebungen" 1834 bei J. Trentsensky („Die Weilburg im Helenenthal. 7. T. Raulino del. e. lith.").
Erzherzog Karl und seine Gemahlin, Henriette von Nassau-Weilburg, empfingen in ihrem von Joseph Kornhäusel 1820—1823 errichteten, von einem gepflegten Park umgebenen Sommerschloß am Fuß des Rauheneckerberges so manchen illustren Besucher aus der literarischen Szene, wie Franz Grillparzer, Karl August Varnhagen von Ense und Ludwig Uhland.

123

Unbekannter Künstler

Ludwig Uhland (1787—1862)

Stahlstich, Weger in Leipzig;
22,4 × 28,8 cm
Historisches Museum der Stadt Wien,
Inv. Nr. 1.238

Im Sommer 1838 war Ludwig Uhland nach Wien gekommen, um in der Handschriftensammlung der Hofbibliothek Nachforschungen anzustellen. Am 21. Juli brachte Josef Bergmann, Kustos der Sammlung und zugleich Erzieher Erzherzog Wilhelms, des jüngsten Sohnes Karls, Uhland zur Mittagstafel in die Weilburg. Der Hausherr wollte den berühmten Freiheitssänger der Napoleonischen Kriege kennenlernen. Ludwig August Frankl schildert in seinen Erinnerungen, wie der kauzige Schwabe in seiner Schüchternheit weder durch die Leutseligkeit des Erzherzogs noch durch den gezielten Charme der hübschen Prinzessin Maria Therese zum Sprechen zu bringen war. Erst am Nachmittag, als Uhland und Bergmann durch das Helenental nach Heiligenkreuz wanderten, verlor der schwäbische Romantiker seine Gehemmtheit und begann heiter und gelöst zu plaudern.

124

Joseph Kriehuber (1800—1876)

Nikolaus Lenau (1802—1850)

Lithographie, 1841
27,3 × 36,0 cm
Historisches Museum der Stadt Wien,
Inv. Nr. 103.586

125

Unbekannter Künstler

Sophie Franziska Löwenthal, geb. Kleyle (1810—1889)

Foto nach einer Xylographie
ÖNB, Bildarchiv

Sophie Löwenthal, die Tochter des Vermögensverwalters Erzherzog Karls, des Hofrats Franz Joachim Ritter von Kleyle, war mit dem Hofkammerbeamten Max Löwenthal verheiratet und verbrachte die Sommermonate bei ihrem Vater auf der Weilburg. Nikolaus Lenau (eigentl. Niembsch Edler von Strehlenau) lernte Sophie 1833 wahrscheinlich durch deren Bruder Fritz, einen seiner besten Jugendfreunde, kennen. Vergeblich versuchte er sich elf Jahre lang von der Leidenschaft zu dieser verheirateten Frau zu befreien, die ihn schließlich in den Wahnsinn trieb. Der von niederösterreichischen und burgenländischen Vorfahren abstammende größte österreichische Lyriker des neunzehnten Jahrhunderts wohnte während seines Jusstudiums in Stockerau und unternahm mit seinem Schwager Schurz ausgedehnte Wanderungen in die Voralpenwelt südlich von Wien. Es ist wahrscheinlich, daß Lenau bereits Ende der zwanziger Jahre durch Baden gekommen ist.

Kat. Nr. 126

126

August Prinzofer (1817—1885)

Betty Paoly (Barbara Elisabeth Glück; 1814—1894)

Lithographie, 1848; 35,6 × 50,7 m
Historisches Museum der Stadt Wien, Inv. Nr. 103.581

Von 1890 bis zu ihrem Tod lebte die Lyrikerin in Baden, Albrechtgasse 23.
Betty Paoli, die schwermütige Lyrikerin, war zeit ihres Lebens als Hauslehrerin, Gesellschafterin, Vorleserin in den Häusern reicher Philanthropen von der Großmut anderer abhängig. Als sie 1842 als Begleiterin der Gattin des Bankiers Josef Wertheimer einen Besuch bei Sophie Löwenthal in der Weilburg machte, lernte sie dort auch Nikolaus Lenau kennen, der sie tief beeindruckte.
Abb. S. 177

127

Betty Paoli

Abendgang

In: Wiener Zeitschrift für Kunst, Literatur, Theater und Mode. Jg. 1841. 1. Febr. S. 140
Wien bei Anton Strauß's sel. Witwe 1841
RM LO 63/1

128

Joseph Kriehuber (1800—1876)

Franz Grillparzer (1791—1872)

Lithographie
Historisches Museum der Stadt Wien, Inv. Nr. Grillp.Inv. 17

129

Fremdenliste der ankommenden Kurgäste 1818

Aufgeschlagen Nr. 19 mit Eintragung: Herr Franz Grillparzer, Concepts = Practikant bey der k.k. allgemeinen Hofkammer, wohnt eben allda (Gutenbrunn Nr. 23)
RM BB 222

In seiner Autobiographie erzählt Grillparzer, wie er sein Zimmer in Gutenbrunn beziehen wollte, in dem die Sachen seines Vorgängers, eines Studenten, noch nicht ausgeräumt waren. Grillparzer blätterte in einem der fremden Bücher — einem mythologischen Lexikon — und begann über Medea zu lesen. Natürlich kannte er die Geschichte der berüchtigten Zauberin bereits, aber nun gliederte sich ihm plötzlich „dieser ungeheure, eigentlich größte" Stoff, „den je ein Dichter behandelt hat", zum Entwurf eines Dramas. — Doch konnte der junge Dichter diesmal wahrscheinlich das Klima nicht vertragen, sein gesundheitlicher Zustand verschlimmerte sich derart, daß an Arbeit nicht zu denken war. Da riet ihm sein Freund Ladislaus Pyrker, damals noch Abt des Zisterzienserstiftes Lilienfeld, mit ihm nach Gastein zu fahren. Tatsächlich erholte sich Grillparzer dort und kehrte „gestärkt und arbeitsfähig" nach Wien zurück.

130

Johann Ladislaus von Pyrker von Felsö-Eör, Erzbischof von Erlau (1772—1847)

Totenmaske; H: 24 cm
RM

Ladislaus Pyrker, ein Versepiker zwischen Klopstock und Romantik, besuchte Baden in den Jahren 1817, 1818, 1827 (Wassergasse 1), 1830 (Hauptplatz 12), 1832 (Theresiengasse 1), 1840 (Kaiser-Franz-Ring) und 1842 (Antonsgasse 4; alle Adressen nach heutiger Bezeichnung). — 1818 wurde Pyrker Bischof von Zips in der Ostslowakei, 1821 Patriarch von Venedig, 1827 Erzbischof von Eger (Erlau) in Nordungarn.

131

Moritz Michael Daffinger (1790—1849)

Katharina Fröhlich (1800—1879)

Radierung; 23,7 × 32,6 cm
Historisches Museum der Stadt Wien, Inv. Nr. 17.774

1823 war die Vermählung Grillparzers mit Katharina Fröhlich bereits beschlossene Sache, es kam aber nicht dazu. Die beiden Sonderlinge blieben in lebenslanger „Brautschaft" miteinander verbunden. Zahllose Briefe des Dichters aus den Kurstädten der Monarchie, vor allem aus Baden, an Kathi Fröhlich berichten über Wohlbefinden, Schlaf, Verdauung oder Beißschwierigkeiten und klingen nicht selten in bärbeißige Andeutungen von Zärtlichkeit aus.

132

Franz Karl Gewey (1764—1819)

Briefe des neu angekommenen Eipeldauers an seinen Herrn Vettern in Krakau, 9. und 11. Heft

Wien in der Rehm'schen Buchhandlung 1818
RM HB 7, 9

Unter dem Einfluß der Aufklärer Josef von Sonnenfels und Kornelius Hermann von Ayrenhoff gab der Wiener Kaufmann und Schriftsteller Joseph Richter (1749—1813) die von 1793 bis zu seinem Tod regelmäßig erscheinende (mit einer Pause im Jahre 1798) Wochenschrift „Briefe eines Eipeldauers etc." heraus. Hinter der biederen Maske eines niederösterreichischen „Gscherten" konnte

Richter bequem Gesellschaftskritik betreiben. Nach Richters Tod setzte Franz Karl Gewey (1764—1819), ein journalistisch begabter Beamter der Hofkanzlei, die Linie fort. Er nahm vor allem die Verschwendungs- und Vergnügungssucht der Kongreßzeit aufs Korn. Mehrere Hefte des Jahres 1818 sind dem Kur- und Badebetrieb Badens gewidmet und schildern u. a. das Leben und Treiben in der Doblhoffschen Meierei und einen Theaterbesuch. Der letzte Herausgeber der „Eipeldauerbriefe" zwischen 1819—1821 war der bekannte Bühnenautor und Theaterkritiker Adolf Bäuerle. — Im Gebrauch einer stilisierten Wiener Mundart, in Wortwitz und Satire werden die „Eipeldauerbriefe" zum Vorläufer Nestroyscher Sprachkunst.

133

Moritz Michael Daffinger (1790—1849)

Inganz Franz Castelli (1781—1862)

Stahlstich von Blasius Höfel;
23,5 × 32,0 cm
Historisches Museum der Stadt Wien,
Inv. Nr. 44.574
Abb. S. 171

134

Ignaz Franz Castelli (1781—1862)

Wörterbuch der Mundart in Österreich unter der Enns

Wien bei Tendler und Compagnie 1847
RM LO 260

Die Pflege von Volkslied und -märchen führte — besonders im oberdeutschen Sprachraum — zur Mundartdichtung. Allerdings gab es auf der Wiener Vorstadtbühne von Stranitzky bis Nestroy eine ununterbrochene Tradition theatralischer Mundartpflege. Nun setzte mit der musi-

schen Erschließung des Biedermeier-Alltags auch die Eroberung der Lyrik und der Verserzählung durch den österreichischen Dialekt ein. Einer der ersten, die sich in Praxis und Theorie mit der niederösterreichischen Mundartdichtung beschäftigten, war Ignaz Franz Castelli, der fruchtbare Verfasser von 228 Unterhaltungsstücken und umfangreichen Memoiren. Als Bibliothekar der niederösterreichischen Landesregierung hatte er auch heimatkundliche Interessen, die er vor allem dem in „Österreich unter der Enns" gesprochenen Dialekt zuwandte. 1828 erschien „Gedichte in niederösterreichischer Mundart, samt allgemeinen grammatischen Andeutungen über den niederösterreichischen Dialekt", mit einem Wörterbuch versehen, das er später, vervollkommnet und verbessert, als Einzelpublikation herausbrachte. Obwohl Castelli oft genug in Baden wohnte (1814, 1837, 1838, 1844, 1854, 1855, 1856, 1861), ließ er sich in seinen Memoiren nicht über die Stadt aus. 1861 verfaßte er, ein knappes Jahr vor seinem Tod, im Sauerhof seine eigene Grabinschrift.

135

L. Fischer

Anton Freiherr von Klesheim (1816—1884)

Lithographie von L. Fischer, 1845;
25,0 × 33,8 cm
Historisches Museum der Stadt Wien,
Inv. Nr. 137

136

Anton Freiherr von Klesheim
(1816—1884)

s'Schwarzblattl aus'n Weanerwald. Gedichte in der oesterreichischen Volksmundart

Wien bei Carl Gerdd's Sohn 1858
RM LO 20

Ursprünglich Bühnendichter und Schauspieler, versuchte sich Anton Freiherr von
Klesheim mit seinen Gedichtsammlungen
„s'Schwarzblattl" (1843—1881), „Das
Mailüfterl" (1854) und „Das Frauenkä-
ferl" (1854) als Mundartdichter. Der lang-
jährige Wahlbadener, dessen Verse
„Wenn's Mailüfterl waht" zum Volkslied
wurden, starb verarmt in seinem Haus,
Palffygasse 33.

137

Joseph Kriehuber (1800—1876)

Eduard von Bauernfeld (1802—1890)

Lithographie; 31,4 × 40,8 cm
Historisches Museum der Stadt Wien,
Inv. Nr. 2.060

Der beliebte Lustspieldichter des Vormärz, ein überzeugter Liberaler, hielt sich
zwischen 1825 und 1854 oftmals auf
Schloß Weikersdorf als Gast des als frei-
heitlich bekannten Anton Freiherrn von
Doblhoff-Dier auf, des Ministers des
Jahres 1848.

138

Joseph Kriehuber (1800—1876)

Moritz Gottlieb Saphir (1795—1858)

Lithographie; 32,5 × 46,0 cm
RM KS P 489
Abb. S. 72

139

Moritz Gottlieb Saphir (1800—1876)

Des Hauses letzte Stunde

Autograph (?), 4 Seiten; 13,4 × 20,7 cm
RM

Moritz Gottlieb Saphir, der gefürchtete
Satiriker und Kritiker, sollte ursprünglich
Rabbiner werden. Nach Jahren der Emi-
gration kehrte er 1835 nach Österreich zurück, arbeitete zunächst für Adolf
Bäuerles „Wiener Theaterzeitung" und
gründete 1837 sein eigenes Blatt: „Der
Humorist", mit dem er bis zu seinem Tod
Erfolg hatte. Der Kurstadt Baden widmete
er zahllose satirische Prosastudien und hu-
moristische Gedichte. 1850 wählte sich
der scharfzüngige Journalist Baden zu
seinem ständigen Wohnsitz: Kaiser-
Franz-Ring 11, wo er auch starb. Saphir
war trotz seiner Bissigkeit sehr populär
und seiner auffallenden Erscheinung
wegen ein dankbares Opfer für Karikatu-
risten. 1852 ließ ihm die Stadtgemeinde
auf halber Anhöhe des Kalvarienberges
ein von Van der Müll und Siccardsburg
entworfenes Gartenhäuschen, die sogenannte Moritz-Ruhe, errichten. Das dort
aufgelegte Gästebuch weist Eintragungen Grillparzers, Hebbels u. v. a. auf.
Das Häuschen existierte bis 1945.

140

E. Koralek

Der stille Gang

Druck nach einer Lithographie von A.
Heinrich
46,0 × 65,5 cm
RM

141

Moritz Gottlieb Saphir (1800—1876)

Der stille Gang

Ballade aus: Album österreichischer
Dichter, 1858, S. 435 f.
Wien 1858
RM LO 67

Die Ballade Saphirs erzählt einen rührenden Vorfall am Badener Friedhof: Kaiser Franz folgt als einziger Trauergast dem Sarg eines Armen. Der Kaiser soll nach der Lektüre geäußert haben: „A schöni G'schicht, aber wahr is nit!"

Schon im 18. Jahrhundert wurde auf dem Platz der heutigen Stadtbühne im Wirtschaftsgebäude der ehemaligen Burg Baden, im sogenannten Hellhammerhof, Theater gespielt. Schauspielertruppen, wie die des Franz Joseph Moser und des Johann Schulz, traten sowohl in Baden als auch in der Leopoldstadt auf. Johann Matthias Menninger (1733—1792) ließ 1767 das Gebäude als Theater adaptieren und engagierte Johann La Roche (1745—1806), den ersten elementaren Meister des Extemporierens und Improvisierens des Wiener Volkstheaters, der so oft auf unserer Bühne zu sehen war, daß er als „Badener Kasperl" ein landläufiger Begriff wurde.

142

Matthäus Mutz

Porträt von Johann Georg Wilhelm

Öl auf Leinen; 53,0 × 68,3 cm
Sign. li. u.: M. Mutz pinx.
Auf Rückseite bez.: Georg Wilhelm Schauspiell und Redouten Unternehmer in Baaden alt 52 Jahr aus Allerhöchster Gnade gemahlen den 16. August 1803
RM KS P 34

Unter der Direktion Joahnn Georg Wilhelms (1784—1811) wurde 1798 das Theatergebäude renoviert und 1800 mit dem neuen Redoutengebäude (an der Stelle der heutigen Pfarrschule) verbunden.

143

Theaterzettel des Stadttheaters Baden

Zur Vorstellung vom 11. Jänner 1810: Eduard und Leonore oder: Der Sieg der Liebe, Schauspiel (von Martin Joseph Mayer). Gastspiel der Wilhelmschen Schauspieler-, Sänger- und Tänzergesellschaft zu Ehren des Hochzeitstages von Bürgermeister Martin Joseph Mayer, am 11. Jänner 1810.
22,5 × 32,5 cm
RM
Abb. S. 70

144

Martin Joseph Mayer (1765—1832)

Eduard und Leonore, oder der Sieg der Liebe

Ein Original-Schauspiel in vier Aufzügen von M. J. Mayer. Wien 1796.
ÖNB, Theatersammlung

Martin Joseph Mayer (1765—1832), ausgebildeter Jurist, besaß Haus und Weinhandlung in der Antonsgasse 7 (heutige Bezeichnung). Er war von 1805 bis zu seinem Tod Bürgermeister von Baden. Zu seinem Hochzeitstag ließ er ein Stück aufführen, das er selbst 14 Jahre vorher geschrieben hatte — ein Erstling, wie die entschuldigenden Worte des Autors im Vorwort belegen. Später verfaßte Bürgermeister Mayer Schriften zur Geschichte der Stadt und ihrer Bäder, aber keine dichterischen Texte mehr.

145

Franz von Maleck (1787—1849)

Das alte Stadttheater in Baden, 1820

Bleistift; 28,5 × 38,0 cm
Sign.: F. Maleck. 1820
RM TS B 772

Franz von Maleck, Landschaftsmaler und Radierer (Dilettant?), war in Wien tätig.

146

Eduard Gurk

Baden, Das Theater — Le Theatre

Aquatintastich, koloriert; 17,1 × 12,8 cm
Blatt Nr. 48 aus der 1825 bei Tranquillo
Mollo erschienenen Folge „Wiens Umge-
bungen"
RM TS B 774

Direktor Franz Freiherr von Zinnicq ließ
bei seinem Amtsantritt im Jahre 1811 das
Theater von Joseph Kornhäusel neu errichten und 1817 vergrößern, so daß es ungefähr 1200 Zuschauer faßte. Das Korn-
häusel-Theater wich 1909 dem heutigen,
von Ferdinand Fellner und Hermann
Helmer erbauten Jubiläums-Stadttheater.

147

Unbekannter Künstler

Carl Friedrich Hensler (1761—1825)

Lithographie; 19,4 × 25,0 cm
Historisches Museum der Stadt Wien,
Inv. Nr. 109.710

1818 löste Carl Friedrich Hensler Zinnicq
in der Direktion des Theaters ab und leitete das Badener Haus zugleich mit dem
Preßburger und dem Theater in der Josefstadt. Als echter Romantiker hatte
Hensler besonderes Verständnis für das
Zauberstück, aber auch für das gerade in
Mode kommende Schicksalsdrama.
Nach dem Tod Henslers (1825) wurde für
die nächsten zehn Jahre Leopold Hoch
(geb. um 1785, nach 1845 verschollen) Direktor der Badener Stadtbühne. Hoch war
ein fähiger Theaterfachmann, der schon
jahrelang eine Wandertruppe, bei der
auch Therese Krones aufgetreten war,
sowie das Badstuben-Theater in Meidling
geleitet hatte. Nach der Badener Direktion übernahm er die Bühnen in Olmütz,
Krems, Preßburg und — als Pächter —
das Theater in der Josefstadt.

148

Theaterzettel des Stadttheaters Baden

Zur Vorstellung vom 1. Juni 1818: Die
Ahnfrau, von Franz Grillparzer
29,5 × 22,5 cm
RM

Als Auftakt und Markenzeichen seiner Direktion brachte Hensler Grillparzers
„Ahnfrau" (uraufgeführt am 31. Jänner
1817 am Burgtheater, Erstaufführung in
Baden am 24. September des gleichen
Jahres). Unter den Zuschauern befand
sich auch Grillparzer, den Anna Bandini
als Berta so begeisterte, daß er sich für sie
bei Joseph Schreyvogel, dem Drama-
turgen des Burgtheaters, einsetzte. Tatsächlich gehörte Anna Bandini
1822—1850 dem Ensemble des Burgtheaters an.

182

149

Theaterzettel des Stadttheaters Baden

Zur Vorstellung vom 13. Juli 1819: Tischl deck dich! Zauberspiel mit Gesang von Adolf Bäuerle
24 × 36 cm
RM

Adolf Bäuerle (1786—1859), ursprünglich Beamter, beherrschte als Herausgeber der „Wiener Allgemeinen Theaterzeitung" mit seinen Kritiken die Bühnen Wiens. Als langjähriger Sekretär des Leopoldstädter Theaters eignete er sich auch die Routine des Bühnenautors an und entwickelte sich zu einem der erfolgreichsten Vertreter der Wiener Lokalposse. Hier bearbeitete er den bekannten Märchenstoff in der Art der Perinetschen Zauberburlesken.

Kat. Nr. 150

150

Joseph Kriehuber (1800—1876)

Ignaz Schuster (1779—1835)

Lithographie, 1830; 28,7 × 39,5 cm
Historisches Museum der Stadt Wien, Inv. Nr. 18.812

Bäuerle kreierte die Gestalt des bürgerlichen Parapluiemachers Chrysostomus Staberl für den Komiker Ignaz Schuster, der in einer unabsehbaren Reihe von „Staberliaden" Karriere machte. Ignaz Schuster, der schon der Marinellischen Gesellschaft angehört hatte, gastierte zwischen dem Beginn des 19. Jahrhunderts und 1835 unzählige Male in Baden.
Abb. S. 183

151

Ignaz Schuster als Zweckerl im Lustspiel „Der Freund in der Noth"

Kupferstich, koloriert; 22,5 × 29,0 cm
Aus: Costüme Bilder zur Theaterzeitung Nr. 33. Kern del./Neumayer sculp.
Wien, Privatbesitz

152

Joseph Kriehuber (1800—1876)

Ferdinand Raimund (eigentlich Raiman; 1790—1836)

Lithographie; 36 × 51 cm
RM

Unter der Direktion Henslers trat Ferdinand Raimund zum erstenmal wahrscheinlich 1820 in Baden auf. Für die Jahre 1823, 1824 und 1832 jedenfalls sind Gastspiele dieses am Theater in der Leopoldstadt als Schauspieler und später als Direktor wirkenden Dramatikers durch den Briefwechsel mit seiner Lebensgefährtin Antonie Wagner bezeugt, doch dürfte sich Raimund in den zwanziger und dreißiger Jahren weit häufiger in Baden aufgehalten haben.

Abb. S. 66

153

Anton Franz Rollett (1778—1842)

Der zu früh Kommende

Eigenhändige Aufzeichnungen des Badener Wundarztes und Naturwissenschaftlers Anton Franz Rollett (1778—1842) vom 17. Okt. 1836 über den Tod Ferdinand Raimunds, ergänzt durch ebenfalls eigenhändige Abschriften des auf den Schädelknochen Raimunds bezüglichen Schriftwechsels Anton Rolletts mit den Behörden. Auf der aufgeschlagenen Seite simuliert Rollett die mit der linken Hand ausgeführten Schriftzüge des Sterbenden: Gott anbeten.

Handschrift; 13 × 21 cm
RM LB 372/1a

Am 30. Aug. 1836 schoß sich Ferdinand Raimund im Gasthof „Zum goldenen Hirschen" in Pottenstein in den Mund, aus Angst, er könne durch einen Hundebiß mit Tollwut infiziert sein. Der eigentliche Antrieb zu dieser übereilten Tat entsprang dem schon seit Jahren von Gram und Verbitterung zerstörten Gemüt des Dichters, dessen Stücke vom Burgtheater abgelehnt wurden und der sich auf seinem ureigenen Gebiet, dem Volksstück, immer mehr von dem jungen Nestroy verdrängt sah. Da Raimund am nächsten Tag noch am Leben war und die ortsansässigen Ärzte versagt hatten, ließ Antonie Wagner aus Baden den bekannten Chirurgen Anton Rollett kommen. Doch auch er konnte die im Schädel steckende Kugel durch den Schußkanal im Gaumen nicht erreichen und mußte den Todkranken aufgeben. Raimund blieb noch weitere fünf Tage am Leben, bis ihn am 5. September der Tod von seinen Qualen erlöste. Nach der Obduktion der Leiche, zu der Anton Rollett eingeladen war, behielt dieser aus wissenschaftlicher Neugier, wie es damals möglich war, den interessanten Schädelknochen des Verstorbenen, mußte ihn aber nach langen Auseinandersetzungen mit den Behörden schließlich an Antonie Wagner abtreten, die die Schädeldecke im Strohsack ihres Bettes jahrzehntelang bis zu ihrem Tod verbarg. Später gelangte das Cranium Ferdinand Raimunds auf mancherlei Umwegen in den Besitz der Stadtgemeinde Wien, die es endlich am 6. September 1969 im Grab des Dichters in Gutenstein beisetzen ließ.

ANTON HASENHUT
Mitglied des k. k. Hof-Operntheaters in Wien, und Wien's ältester Komiker

154

Theaterzettel des Stadttheaters Baden

Zur Vorstellung am 19. September 1826: Alle sind verheiratet. Lustspiel von Joseph Korntheuer; mit Anton Hasenhut als Hausknecht Adam
18,5 × 23,0 cm
RM

Der ehemalige Burgtheaterdirektor Friedrich Joseph Korntheuer (1779, Wien— 1829, das.) machte als Schauspieler und Regisseur der Leopoldstädter Bühne und des Theaters an der Wien Karriere. Er verfaßte auch mehrere Lustspiele.

155

F. Heer

Anton Hasenhut (1766—1841)

Lithographie; 11,2 × 19,0 cm
Historisches Museum der Stadt Wien
Inv. Nr. 439

Wie Ignaz Schuster hatte Anton Hasenhut bereits unter Marinelli und J. G. Wilhelm in Baden gespielt. Den Hausknecht Adam mit seinen „literarischen Ambitionen" verkörperte bei der Uraufführung Ferdinand Raimund, und auch Nestroy versuchte sich später in dieser dankbaren Rolle. Hasenhut war zur Zeit der Badener Aufführung schon durch Ignaz Schuster aus der Gunst des Publikums verdrängt worden.

156

Theaterzettel des Stadttheaters Baden

Zur Vorstellung vom 25. Juli 1829: Der bucklichte Liebhaber, Posse von I. F. Castelli
38,5 × 48,5 cm
RM

Die Posse, eines der zahlreichen flachen, aber erfolgreichen Stücke des Autors,

wurde am 8. Februar 1823 in der Leopoldstadt uraufgeführt. Hofschauspieler Nikolaus Heurteur (1781, Wien—1844, das.),
der erste Jaromir in Grillparzers „Ahnfrau", war einer der bedeutendsten Hel-
dendarsteller des Burgtheaters.

157

Theaterzettel des Stadttheaters Baden

Zur Vorstellung vom 12. August 1830: Der
Müller und sein Kind, Volksdrama von
Ernst Raupach
23,0 × 35,5 cm
RM

Das Schauerstück „Der Müller und sein
Kind" von dem Berliner Modedramatiker
der Spätromantik, Ernst Raupach (1784,
Straupitz—1852, Berlin), entstand im
selben Jahr 1830. Es ist das erfolgreichste
seiner geschickt auf Wirkung angelegten
Bühnenwerke und wird in Wien und
Baden bis in unsere Zeit gerne am Aller-
seelentag aufgeführt.

158

Theaterzettel des Stadttheaters Baden

Zur Vorstellung vom 5. Juni 1832: Adel-
heit von Burgau, Schauspiel von Johanna
Franul von Weissenthurn
Zu Ehren des neu gewählten Bürgermeisters Johann Nepomuk Trost
33,5 × 20,0 cm
RM

Als Nachfolger im Bürgermeisteramt nach
dem Tod Martin Joseph Mayers (1832)
wurde der „Landschaftsapotheker" Johann Nepomuk Trost (1788—1866) ge-
wählt, dessen Geschäftslokal sich am
Hauptplatz neben dem Rathaus (Putten-
fries über dem Portal) befand. Johanna
Franul von Weißenthurn (1773, Ko-

blenz—1845, Wien) war seit 1789 Burg-
schauspielerin und Bühnenautorin.
Abb. S. 71

159

Theaterzettel des Stadttheaters Baden

Zum Abend vom 7. Juli 1834: Vorstellung
des Illusionisten Anton Fobric
19 × 23 cm
RM

1835 übernahm der Direktor des Theaters
in der Josefstadt, Dr. Ignaz Scheiner, das
Theater in Baden, überließ jedoch während der Sommersaison die Leitung
seinem Regisseur, dem Breslauer Bühnenautor Karl von Holtei (1798—1880), der in
seiner aufschlußreichen Autobiographie
„Vierzig Jahre" (1837) über die damalige
Krisensituation der Badener Bühne ausführlich berichtete. 1836 trat Ignaz
Scheiner die Direktion an seinen Bruder
Johann ab und mußte ein Jahr später
wegen Urkundenfälschung fliehen. Auch
Karl von Holtei verließ 1837 unsere Stadt.

160

Gabriel Decker

Franz Pokorny (1797—1850)

Lithographie, 1850; 22 × 28 cm
Historisches Museum der Stadt Wien,
Inv. Nr. 23.747

Die Badener Bühne erhielt 1837 eine der
bedeutendsten Theaterpersönlichkeiten
des Biedermeier als Leiter: Franz Pokorny, der sich vom böhmischen Musi-
kanten zum Direktor des Theaters in der
Josefstadt emporgearbeitet hatte. Er blieb
ein leidenschaftlicher Musiker und versuchte mit seinen Inszenierungen in der
Josefstadt und im Theater an der Wien
mit der Hofoper zu konkurrieren. Dem
Unternehmungsgeist Franz Pokornys ver-

dankt die Stadt Baden den Bau der Sommerarena im Kurpark. Der ungedeckte Holzbau wurde 1841, im Jahr des Anschlusses Badens an die Südbahn, als erste Freilichtbühne Österreichs, als eine der ersten der Welt errichtet. Kassaeröffnung und Beginn der Vorstellung wurden durch je drei Böllerschüsse kundgemacht. Eine auf Rollen laufende Schiebedekoration diente als Vorhang, ein paar schlichte Kulissen deuteten Landschaften oder Innenräume an. Es durfte geraucht werden. Wenn bei einsetzendem Regen die Schauspieler bis in den zweiten Akt hinein durchhielten, brauchte das Eintrittsgeld nicht zurückgezahlt zu werden. Zur Eröffnung am 1. August 1841 wurde das Scherzspiel mit Gesang „Blumenfest — Hochzeitsfest — Maskenfest" von dem letzten Epigonen der barocken Maschinenkomödie, Franz Xaver Told von Toldenburg (1792, Wien—1849, das.), gegeben. Franz Pokorny hatte damit bei der Uraufführung in seinem Wiener Haus auf der Wieden geschäftlichen Erfolg gehabt. Weniger glücklich war die Arenaauffüh-

rung, „welche unter trüben Auspicien begonnen, sich unter nassen Argumenten auflöste. Ein anfänglicher nur leise markirter, später derb anwachsender Regen trieb das ziemlich zahlreich versammelte Publikum hinweg" (Allgemeine Theaterzeitung, hrsg. von Adolf Bäuerle, vom 3. August 1841, Nr. 184). Die Vorstellung, zu der auch Erzherzog Karl gekommen war, wurde im Stadttheater fortgesetzt. — Zweimal, 1865 und 1882, wurde die Arena umgebaut, ehe das jetzige Theatergebäude mit verschiebbarem Glasdach im Jahre 1906 entstand.
Franz Pokorny wurde 1844 durch Anton Roll abgelöst, der das Badener Stadttheater bis 1849 führte.

161

Theaterzettel des Stadttheaters Baden

Zur Vorstellung vom 17. August 1739: Die Räuber von Friedrich Schiller. Mit Hofschauspieler Carl La Roche als Franz Mohr
37,5 × 31,0 cm
RM

Carl La Roche (1794, Berlin—1884, Wien), mit dem „Badener Kasperl" Johann L. R. in keiner Weise verwandt, war Charakterdarsteller sowie Opernsänger. Nach vielen Engagements in Deutschland (am Hoftheater in Weimar übte Goethe persönlich mit ihm die Rolle des Mephisto ein) kam er 1832 nach Wien und wurde 1833 zum Mitglied des Burgtheaters ernannt. Die Gestalt des Franz Moor gehörte zu seinen Glanzrollen.

162

Theaterzettel des Stadttheaters Baden

Die Burg Scharfeneck, Ritterspiel von Franz Karl Weidmann

Unter der Direktion von Franz Pokorny, ohne Jahr
19 × 25 cm
RM

Franz Karl Weidmann (1787, Wien—1867, das.), Sohn des Hofschauspielers Joseph W., war Bühnenautor und Theaterkritiker. Später wandte er sein literarisches Interesse der Topographie der Umgebung Wiens zu. Das oben genannte Schauspiel wurde unter dem Titel „Die Scharfenecker" 1823 am Isarthortheater in München uraufgeführt, in Österreich am Theater an der Wien am 29. Oktober 1825 zum erstenmal gegeben.

163

Theaterzettel des Stadttheaters Baden

Zu: Eulenspiegel, oder: Schabernack über Schabernack, Posse mit Gesang von Johann Nestroy. Unter der Direktion von Franz Pokorny; ohne Jahr
36,0 × 21,5 cm
RM

Die Uraufführung des „Eulenspiegel" im Theater an der Wien am 22. April 1835 war ein großer Erfolg. Das Publikum vermerkte mit Begeisterung die Wende in Nestroys dramatischer Kunst vom Feen- und Zauberstück zur satirischen Lokalposse.

164

Joseph Kriehuber (1800—1876)

Wenzel Scholz, Carl Treumann und Johann Nestroy

Lithographie, 1855; 46,5 × 42,0 cm
RM

Über die Anwesenheit Johann Nepomuk Nestroys (1801, Wien —1862, Graz) in Baden liegen keine gesicherten Angaben vor. Carl Carl eröffnete 1831 dem gescheiterten Opernsänger eine glänzende Karriere als Komiker und Theaterdichter am Theater an der Wien. Nach dem Tod Carls übernahm Nestroy für sechs Jahre (1854—1860) die Direktion des Carl-Theaters und zog sich dann nach Graz zurück. Angeblich soll Nestroy 1832 unter der Direktion Hochs und dann erst wieder in den späten fünfziger Jahren am Badener Stadttheater aufgetreten sein. Auch wurde am Beginn unseres Jahrhunderts von Badener Zeitzeugen behauptet, Nestroy habe im Jahre 1852 den Ertrag zweier Wohlfahrtveranstaltungen am Carl-Theater für den Bau des „Spitals für arme skrophulöse Kinder" in der Hildegardgasse zur Verfügung gestellt.

Wenzel Scholz (eigentl. von Plümeke), geb. 1787 in Innsbruck, gest. 1857 in Wien, entstammte einer alten preußischen Junkerfamilie. Ähnlich wie bei dem Paar Schuster/Raimund beruhte die komische Wirkung des dicken, gutmütigen Scholz auf der Partnerschaft mit dem mageren, ätzenden Nestroy, mit dem zusammen er auf der Josefstädter und Leopoldstädter Bühne Triumphe feierte. 1847 gastierte Wenzel Scholz in Baden.

Carl Treumann (1827, Hamburg—1877, Baden), Sohn des Billeteurs des Hamburger Stadttheaters, wirkte in den fünfziger Jahren zusammen mit Nestroy und Scholz als Komiker am Carl-Theater, dessen Direktion er nach dem Ausscheiden Nestroys übernahm. Er war ein hinreißender Sprachen- und Idiome-Imitator. Besondere Verdienste erwarb er sich um die Entstehung und Förderung der Wiener Operette. Carl Treumann starb 1877 in Baden, Helenenstraße 5.
Abb. S. 69

165

Unbekannter Künstler

Amalie Haizinger (1800—1884)

Biskuitporzellan — Büste auf rundem, teils vergoldetem, glasiertem Sockel mit Beschriftung in Gold. Wiener Porzellanmanufaktur; H:21 cm. Rückseitig bez.: 1856 und „FC" legiert. Auf der Sockelunterseite: Bindenschild und „(1) 861"
Wien, Privatbesitz

Die nachmals berühmte Burgtheaterschauspielerin wurde als A. Morstadt in Karlsruhe geboren und war mit dem Operntenor Anton Haizinger verheiratet. Sie war seit dem 7. 1. 1846 Mitglied des Burgtheaters.

Lit.: A. Kobl, Beiträge zur Chronik des Theaters in Baden, Baden 1928.

166

Theaterzettel des Stadttheaters Baden

Zur Vorstellung vom 4. Juli 1849: Uriel Acosta, Trauerspiel von Carl Gutzkow
37,5 × 45,5 cm
RM

Ein deutliches Signal der Zeitenwende setzte dieses Tendenzstück eines radikalen „Jung-Deutschen" (1811, Berlin—1878, Frankfurt) auf dem Spielplan des Theaters der konservativen Stadt Baden. Obwohl die Revolution niedergeschlagen war, konnte es Direktor J. Neufeld (1849—1855) wagen, ein Drama aufzuführen, das den Konflikt zwischen freiem Denken und dogmatischer Enge zum Thema hat.

167

Johann Nepomuk Trost (1788—1866)

Theaterordnung / Règlement touchant le Spectacle

Zweisprachig (deutsch / französisch), erlassen vom Magistrat Baden am 31. August 1839
Sign.: Johann Nep. Trost, Bürgermeister/ Carlo Braunendal, Synd.
RM

ARCHITEKTUR

Kat. Nr. 178

168

Anton Drobausch

Baden, Rathaus

Grundriß des Erd-, ersten und zweiten
Obergeschoßes
Tuschfeder, laviert; 83,0 × 56,5 cm
Sign. re. u.: Ant: Drobausch Kreis Inge-
nieur
Bez. re. u.: (nachträglich) Anton Hantl.
K. K. Militär und bürgl. Stadtbaumeister
in Baaden
In der Amtshandlung des k: k: Hofbau-
rathes und Buchhaltung gewesen, Wien
den 12: Juny $\overline{813}$
RM TS BPL 264

Lit.: ÖKT Baden, S. 46 ff. — Hedwig Herzmansky,
Joseph Kornhäusel, Wien 1964, S. 114 ff.

169

Unbekannter Zeichner

Baden, Rathaus

„Facade N^{ro} 1 für das neu zu erbauende
Rathaus in Baaden"
Tuschfeder, laviert; 46,4 × 34,8 cm
RM TS B 1766

Lit.: ÖKT Baden, S. 46 ff. — Hedwig Herzmansky,
Joseph Kornhäusel, Wien 1964, S. 114 ff.
Abb. S. 193

170

Unbekannter Zeichner

Baden, Rathaus

„Facade N^{ro} 2. für das neu zu erbauende
Rathaus in Baaden"
Tuschfeder, laviert; 46,4 × 35,3 cm
RM TS B 1756

Lit.: ÖKT Baden, S. 46 ff. — Hedwig Herzmansky
Joseph Kornhäusel, Wien 1964, S. 114 ff.
Abb. S. 193

171

Unbekannter Zeichner

Baden, Rathaus

Hauptfassade, Aufriß (Fassadenschnitt)
Tuschfeder, laviert (Bleistift);
51,5 × 34,0 cm
Vidiert „Von dem k. k. Hofbaurath und
Buchhaltung. Wien am 30ten May $\overline{814}$
RM TS B 1757

Lit.: ÖKT Baden, S. 46 ff. — Hedwig Herzmansky,
Joseph Kornhäusel, Wien 1964, S. 114 ff. — Johann Kräftner, Joseph Kornhäusel. In: Parnass,
3/1987, S. 50 ff., Abbildung. — Johann Kräftner,
Joseph Kornhäusel. In: Archives d'Architecture
moderne, Nr. 37, Bruxelles 1988, S. 59, Abb.

Abb. S. 80

172

Georg Frühauf (1787—1874)

Baden, Rathaus

Hauptfassade, Aufriß; 56,3 × 42,0 cm
Tuschfeder, laviert;
Bez. re. u.: Frühauf gezeichnet den 20ten
October 1818
RM TS B 1767

Lit.: ÖKT Baden, S. 46 ff.

173

Thomas Ender (?)

**Der Hauptplatz in Baden gegen Süden,
nach 1833**

Federzeichnung, aquarelliert;
14,0 × 9,5 cm
RM TS B 1289

Die Zuschreibung des Blattes an Th.
Ender von Stadtarchivar Hermann Rollett
ist anzuzweifeln. Der Reiz der wohl als
Stichvorlage gedachten Vedute liegt in der
topographischen Genauigkeit und der
durch die Lichtführung erreichten Stimmung.

Kat. Nr. 169

Kat. Nr. 170

Kat. Nr. 173

Lit.: P. Weninger, Thomas Ender — Baden und das Helenental, Baden 1879, Nr. 2
Abb. S. 194

174

„Licitations Protocoll der Stadt Kanzley Baaden am 20ten April 815 Ueber die öffentlich zu versteigernden Arbeiten des städtischen Rathausneubaues"

Sign.: M. J. Mayer Bürgermeister
RM K B 278

175

Joseph Klieber (1773—1850)

„Steinmetz Uiberschlag Uiber nachstehende Steinmetzarbeiten zum Rathausgebäude"

Sign.: Jos. Kleiber bürgl. Steinmetz-meister. Baaden den 26ten Juny 1815
RM K B 279

176

Joseph Klieber (1773—1850)

Quittung über den Erhalt von 7481 fl. 12 Kr. für Steinmetzarbeiten am Rathaus zu Baden

Sign.: Baaden am 12ten August 1820 / Jos. Kleiber hiesiger bürgerl. u. Staadt Steinmetzmeister
RM K B 277

Schon 1811 war vom Stadtrat der Neubau des Rathauses beschlossen worden, der durch den großen Stadtbrand von 1812, bei dem das bestehende Gebäude ebenfalls schwer in Mitleidenschaft gezogen wurde, neue Aktualität erfuhr.
Erste Kostenschätzungen stammen aus dem Jahre 1813, Kostenüberschläge zu den einzelnen Varianten liegen aus dem Jahre 1814 vor. Am 20. April 1815 erhielt Anton Hantl im Zuge eines Licitationsver-

fahrens den Zuschlag für die Baumeister-, der in Baden ansässige Joseph Klieber zu den Steinmetz- und Bildhauerarbeiten. Am 15. Juni 1815 erfolgt die Grundsteinlegung durch Erzherzog Anton.

Für die Urheberschaft Kornhäusels als Architekt, die ohne Quellennachweis von Tausig in die Literatur eingeführt wurde, lassen sich im heute noch vorhandenen Archiv- und Quellenmaterial keinerlei Hinweise finden. Einzig ein von Carl Leopold signierter und vom 3. August 1817 datierter Plan mit drei Grundrissen kann vielleicht einen gewissen Zusammenhang mit Kornhäusel herstellen: Durch ein Zeugnis Kornhäusels ist Leopolds Tätigkeit für ihn am Sauerhof als Polier und später als Polier und Zeichner in Wien verbrieft.

Die vorhandenen Fassadenvarianten hingegen zeigen eine logische Entwicklungsreihe von einer sehr flächigen ersten Version, bei der die Mitte nur durch einen dreiachsigen Balkon und die darüberliegende Attika betont wird, bis zur schließlich zur Ausführung gelangten Lösung mit dem dreiachsigen, giebelbekrönten Mittelrisalit und dem kleinen, auf Doppelkonsolen ruhenden Balkon.

Die sparsame Nüchternheit dieser Fassaden, die sich vor allem in der ersten Variante dokumentiert, läßt sich ohne Probleme im Genre der vom Hofbaurat exekutierten Beamtenarchitektur unterbringen.

Der Fassadenriß Frühaufs — schon nach der Vollendung des Gebäudes entstanden — und eine Thomas Ender zugeschriebene Aquarellskizze geben uns ein verläßliches Bild des Baues, wie er bis zu seinem Umbau von 1897, als die nüchterne, aber elegante Fassade wesentlich bereichert wurde, bestanden hat.

177

Vinzenz Reim (1796—1858)
„Das Theater in Baden"

Umrißradierung, koloriert; 18,5 × 12,5 cm
Bez. re. u.: Reim del. & sc.
Blatt Nr. 84 aus der Serie „Städte und Orte der österr. ungar. Monarchie", nach 1834
RM TSB 1481

Dieses Blatt zeigt das Theater schon nach seiner Erweiterung von 1817; links im Bild das Haansche Haus (Theaterplatz 2), ebenfalls von Kornhäusel entworfen.

Lit.: Ilse Friesen, Baden in alten Ansichten. In: ÖZKD XXVII 1973, Heft 3/4, S. 181ff.

178

Baden, altes Stadttheater

Foto der Hauptansicht vom Theaterplatz, um 1900
RM Fotosammlung

Einige Fotos, der bei Tranquillo Mollo in der Serie „Wiens Umgebungen" 1825 erschienene Aquatintastich von Eduard Gurk und die nach 1834 erschienene Radierung von Vinzenz Reim sind neben einer Bleistiftzeichnung von F. Maleck (1820; Kat. Nr. 145) die einzigen verläßlichen Dokumente, die das 1909 demolierte Theater wenigstens in seinem zweiten Zustand nach der Erweiterung von 1817 zeigen. Der ursprüngliche Bau ist durch keine Abbildung belegt, auch vom Zuschauerraum ist keine Darstellung erhalten.

Im Archiv des Bauamtes ist auch noch ein Aufmaßplan mit dem Grundriß, unmittelbar vor dem Abriß aufgezeichnet, vorhanden.

Mit der Demolierung des Vorgängerbaues wurde am 28. Oktober 1811 begonnen, der Neubau wurde am 9. Mai 1812 eröffnet und überstand den großen Stadtbrand unbeschadet.

1817 erfolgte eine wesentliche Vergrößerung, durch die der Fassungsraum um hundertfünfzig Sperrsitze und dreißig Logen erweitert wurde; das Theater faßte nunmehr 1200 Personen.

Lit.: ÖKT Baden, S. 60. — Hedwig Herzmansky, Joseph Kornhäusel, Wien 1964, S. 107 ff. — Johann Kräftner, Joseph Kornhäusel. In: Parnass, 3/1987, S. 50 ff., Abbildung

Abb. S. 191

179

Joseph Kornhäusel (1782—1860)

Jägersches Haus (Theresiengasse 8)

Grundriß des Erd-, ersten und zweiten Obergeschoßes, 1808 (?)
Tuschfeder, laviert; 51,8 × 29,5 cm
RM TS B 2641

Lit.: ÖKT Baden, S. 59. — Hedwig Herzmansky, Joseph Kornhäusel, Wien 1964, S. 99 ff. — Johann Kräftner, Joseph Kornhäusel. In: Archives d'Architecture moderne, Bruxelles, Nr. 37 — 1988, S. 62 f., Abb.

Abb. S. 85 und 196

180

Joseph Kornhäusel (1782—1860)

Jägersches Haus (Theresiengasse 8)

Aufriß und Fassadenschnitt, 1808 (?)
Tuschfeder, laviert; 29,0 × 26,7 cm
RM TS B 2640

1810 ist das überlieferte Baujahr für dieses Haus, das Kornhäusel für den Wiener Großhändler Anton von Jäger erbaute. Später wurde es von Erzherzog Karl bewohnt, was ihm auch die Bezeichnung „Zum Erzherzog Karl" eingebracht hat.
Jetzt im Stadtarchiv aufgefundene Pläne mit den Grundrissen und der Fassade sind auf der Rückseite mit einem handschriftlichen Vermerk von fremder Hand „1808" versehen, wahrscheinlich dem Datum der Einreichung. Diese nicht signierten Pläne sind von ihrer graphischen Ausfertigung her Kornhäusel zuzuschreiben.
Im Grundriß, vor allem im Vestibül, zeigt sich die volle Entfaltung räumlicher Komposition in der Art Kornhäusels. Das von

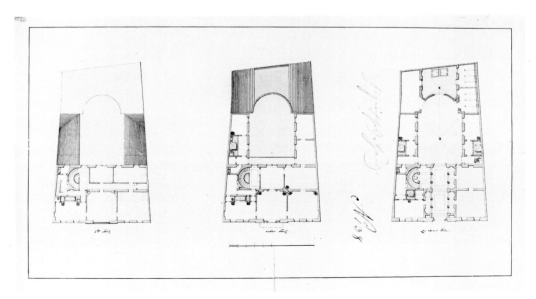

Kat. Nr. 179

196

seiner Grundgeometrie her quadratische erste Kompartiment der Einfahrtshalle wird durch vier Säulen in drei Schiffe unterteilt, im zweiten Abschnitt wiederum durch vier Säulen der Weg ins halbkreisförmige Stiegenhaus vorbereitet.

Der erste Teil des Hofes ist zweigeschoßig verbaut und durch eine halbkreisförmige abschließende Wand vom zweiten Hof mit den nur eingeschoßigen Stallungen abgeschlossen worden. Raffiniert versteht es Kornhäusel hier, die Hierarchie der Funktion in architektonische Form umzusetzen. In der Fassade unterscheidet sich das eingereichte Projekt in wesentlichen Teilen vom schlußendlich ausgeführten, was einen gewissen Reifeprozeß bekundet und durch die zeitliche Differenz zwischen beiden Versionen erklärbar ist. Viel stärker als im Einreichprojekt hebt sich in der ausgeführten Version der gebänderte Mittelrisalit von den stark flächigen Seitenflanken ab, andererseits wird die entstehende Spannung durch reicheren bauplastischen Dekor wieder ausgeglichen und im Streben nach einer harmonischen Gesamtwirkung wieder deutlich abgeschwächt.

Lit.: ÖKT Baden, S. 59. — Hedwig Herzmansky, Joseph Kornhäusel, Wien 1964, S. 99 ff. — Johann Kräftner, Joseph Kornhäusel. In: Archives d'Architecture moderne, Bruxelles, Nr. 37 — 1988, S. 62 f. Abb.

Abb. S. 84

181

Joseph Kornhäusel (1782—1860)

Plan zur Regulierung des Areals gegenüber dem Jägerschen Haus, 1810

Tuschfeder, laviert; 100,0 × 39,5 cm
Sign. re. u.: Kornhäusel Architect
RM TS B 2630

Dieser jüngst im Stadtarchiv Baden aufgefundene Plan und das zugehörige Ansuchen von Anton Jäger, datiert mit 21. September 1810, befassen sich mit dem Gegenüber des zu diesem Zeitpunkt bereits fertiggestellten Jägerschen Hauses in der Theresiengasse 8.

Jäger bemüht sich um die Zurückversetzung der Baulinie gegenüber seinem Haus und verbürgt sich, „. . . meinen Plan einzubringen, worin ich etwas aufführen wolle, wodurch alda ein freyer Platz gewonnen und ein gefälliger Bau geführt wird, der zur Verschönerung der ganzen Stadt sehr . . . beytragen solle."

Er bittet um schnelle Entscheidung, damit die ganze Bauführung im Mai nächsten Jahres, zu Beginn der Saison, bereits ordentlich fertiggestellt ist. Am 23. Jänner 1811 wird sein Ansuchen abgelehnt.

Kornhäusel plant ein Haus mit einer großen mittleren Konche, die Raum für einen kleinen, gestalteten Vorplatz gibt.
Abb. S. 84

182

Anton Perger

Baden Esterházysches Haus (Pfarrgasse 7, Theaterplatz 1)

Grundriß des Erdgeschoßes und des ersten Obergeschoßes
Tuschfeder, laviert; 51 × 33 cm
Sign. re. u.: Ant. Perger 1821
Bez. li. o.: Perger Jos. Jahr 1814
RM TS B 2643

Schon für 1810 sind Verhandlungen zwischen Karl Graf von Esterházy und Joseph Kornhäusel belegt, 1811 ist der erste Bau fertiggestellt gewesen, der dann 1812 dem großen Stadtbrand zum Opfer gefallen ist. 1812 wurde dieses Haus von Kornhäusel ein zweites Mal erbaut.

Erhalten hat sich ein Plan mit den Grundrissen von Erd- und erstem Obergeschoß, der von Perger signiert ist und an seinem Kopf den Vermerk „Perger Jos. Jahr 1814" trägt.

Ähnlich wie das Jägersche Haus in der

Theresiengasse zeigt auch dieses Haus Kornhäusels Virtuosität in der Gestaltung von Grundrissen. Auch hier gliedern sich die Haupträume des Hauses um einen in seiner Tiefe halbkreisförmig abgeschlossenen Hof, an den ein zweiter kleinerer mit den untergeordneten Funktionsteilen anschließt, ein Prinzip, wie es Kornhäusel sogar bei so großen Bauführungen wie dem Sauerhof umzusetzen versteht. Mit besonderem Geschick sind in diesem Grundriß auch schwierigste Zwickelräume befriedigend bewältigt.

Die Hauptfassade des Gebäudes zeigt zum Theaterplatz, das so fast ausschließlich durch Bauten Kornhäuselscher Invenienz geprägt gewesen ist: neben diesem Haus zeichnete er noch für das Haus Theatergasse 2 des Freiherrn Haan und das Theater verantwortlich.

Zentrum dieser Hauptfassade ist der dreiteilige Mittelrisalit mit einem vollkommen glatten Mittelteil, wo sich ein großes, von einer Halbkreislünette mit eingestellten Säulen abgeschlossenes Fenster entfalten kann.

Die Flanken dieses im Obergeschoß gebänderten Mittelrisalites besitzen vor allem durch das Motiv des Fensters, das sich aus einem Rechteckfeld mit Relieflünetten der eigentlichen Fensteröffnung und einer Balustrade zusammensetzt, und der über dem Gesims liegenden akzentuierten Attikazone mit Vasenaufsätzen, stark vertikalisierende Tendenzen. Diesen wirkt das durch Triglyphen und Kreisscheibenschmuck besonders betonte Gesimse entgegen, das sich in Höhe des Hauptgesimses der Seitenflanken in den Mittelrisalit hineinzieht und beide Teile wieder miteinander verknüpft.

Lit.: ÖKT Baden, S. 59f. — Hedwig Herzmansky, Joseph Kornhäusel, Wien 1964, S. 103. — Johann Kräftner, Joseph Kornhäusel. In: Archives d'Architecture moderne, Bruxelles, Nr. 37 — 1988, S. 61, Abb.

Abb. S. 88

183

Baden, Esterházysches Haus (Theaterplatz 2)

Mittelrisalit am Theaterplatz
Foto der heute in wesentlichen Teilen veränderten Fassade
Aus: Gerlach/Wiedling, Volkstümliche Kunst in Österreich-Ungarn
Wien o. J., Abb. 568

Im Vergleich zum Plan Pergers zeigen sich verschiedene Differenzen: im Erdgeschoß liegt die Einfahrt nicht in der rechten, sondern in der linken Flanke des Mittelrisalites, das Mittelfenster des mit „Wägen-Schupfen" bezeichneten Raumes ist nicht wie im Plan blind. Im Obergeschoß ist das Mittelfenster in seiner Breite im Plan ident mit den übrigen gezeichnet, während es im Foto als zentrales Motiv deutlich breiter und durch zwei eingestellte Säulen zusätzlich akzentuiert ist.

Lit.: W. Georg Rizzi, Joseph Kornhäusels Wiener Bauten für den Fürsten Liechtenstein. In: Alte und moderne Kunst, Heft 152, 1977, S. 23 ff.

Abb. S. 86

184

Unbekannter Künstler

Ankündigung zur „Großen Lotterie" (Versteigerung) der Haanschen Häuser am 10. März 1825

Umrißradierung, koloriert, auf Holztafel aufgezogen; 48,7 × 70,5 cm
RM TS B 805

185

Ankündigung der „Großen Lotterie" (Versteigerung) der Haanschen Häuser am 10. März 1825

Flugblatt
Baden, Privatbesitz

Joseph Friedrich Freiherr von Haan (1777—1834) konnte 1814 das Areal vor dem abgebrannten Frauenkloster erwerben, auf dem er 1816 das Florastöckl errichten ließ. 1818 wurde auch die Kirchenruine von ihm angekauft, 1822 schließlich das Kloster. Haan beginnt sofort mit Wiederherstellungsarbeiten, gerät jedoch aufgrund seiner umfangreichen Bauführungen (Haus Theaterplatz 2, 1818; Haus Wassergasse 4; 1822) in finanzielle Schwierigkeiten, was ihn zum Ausspielen seines Besitzes in der „Großen Lotterie" vom 10. März 1825 veranlaßt. Die Eindachung und Einrichtung der Hofkirche ermöglicht 1826 bereits der Kaiser. Die „Große Loterie" wird im vorliegenden Kupferstich, auf dem alle Objekte dargestellt sind, und dem Flugblatt angekündigt.

Als Architekt wird sowohl für das Augustinerkloster („... von dem berühmten Architekten, Herrn Kornhäusel allhier, überbaut ...") als auch das Haus am Theaterplatz („... 1818 ebenfalls durch den Architekten, Herrn Kornhäusel, im neuesten Style erbaut ...") Kornhäusel eindeutig genannt. Im Fall des Florastöckls stellt sich die Situation nicht so klar dar, Freiherr von Haan als Bauherr und stilistische Kriterien sprechen aber auch in diesem Fall für ihn als Architekt.

In der Beschreibung wird uns auch die reiche Innenausstattung des Florastöckls, von der sich nichts erhalten hat, überliefert: „... die Haupttrakte des ersten und zweyten Stockes sind schön parquetirt und gemahlt, mit Doppeltüren versehen, und äußerst kostbar meublirt, die übrigen Zimmer aber ebenfalls geschmackvoll eingerichtet. Der Werth dieser größtenteils aus Mahagonyholz, Alabaster und Bronze bestehenden Einrichtung, worunter sich Spiegel von außerordentlicher Größe befinden, wird noch durch ein zugehöriges Kabinet von 38 Stücken schöner Oehlgemälde vorzüglicher Meister erhöhet, worüber, so wie über sämmtliche Kunstwerke, Meubles, dann Bettfournituren, Bett- und Hauswäsche, Porzellan- und Glasvorräthe, gleichfalls ein gerichtliches Inventar besteht ..."

Lit.: Hildegard Hnatek, Zwei neue Quellen zur Geschichte des Florastöckls. In: Jahresbericht 1986/87 des Bundesgymnasiums und Bundesrealgymnasiums Baden, Frauengasse

186

Joseph Kornhäusel (1782—1860)

Baden, Florastöckl, Grundriß des Erdgeschoßes

Tuschfeder, laviert; 74 × 52 cm
Wien, Albertina
Arch. Z. 3/3/4 Inv. Nr. 9193
Abb. S. 200

187

Joseph Kornhäusel (1782—1860)

Baden, Florastöckl, Aufriß der Vorder- und der Rückseite

Tuschfeder, laviert; 74 × 52 cm
Wien, Albertina
Arch. Z. 3/3/6 Inv. Nr. 9195

Bauherr dieses Hauses in der Frauengasse Nr. 83 (heute Breyergasse Nr. 2) war Joseph Friedrich Freiherr von Haan, der ab 1814 das gesamte Areal des Frauenklosters, beim Stadtbrand 1812 schwer beschädigt und aufgehoben, erwarb und damit auch in den Besitz des Vorgängerbaues des Florastöckls kam. Der gesamte Komplex blieb bis 1826 in seinem Besitz, als er ins Staatsaerarium überging.

Neben dieser weitläufigen Liegenschaft besaß Haan in Baden auch noch ein Haus am Theaterplatz und in der Pfarrgasse.

Eine Kopie des Konsensplanes, das den Hauptbaukörper des Florastöckls zeigt, wie zwei weitere erhaltene Grundrisse, auf

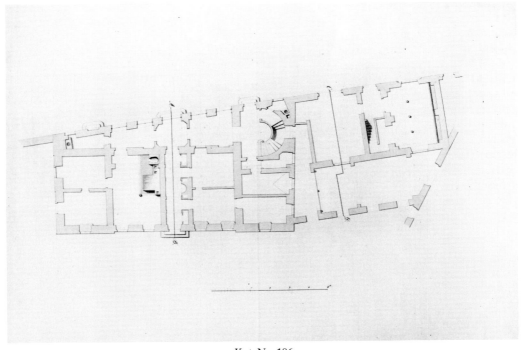

Kat. Nr. 186

denen lediglich der Verbindungstrakt zum Kloster ausgezeichnet ist, sind von Johann Georg Schmidberger (geb. 1778) gezeichnet, der in Alland bei Baden als Maurermeister ansässig gewesen ist.

Ein kürzlich aufgefundenes Flugblatt einer „Großen Lotterie", bei der am 10. März 1825 die Haanschen Häuser in Baden versteigert hätten werden sollen, ist imstande, zusätzliches Licht in die Architektenfrage zu bringen. Niemand geringerer als Joseph Kornhäusel wird dort für zumindest drei Objekte als Architekt genannt.

Erstens wird festgehalten, daß „das größte Haus in der landesfürstlichen Stadt Baden, ehemals von dem allerhöchsten k. k. Hofe bewohnt, von dem berühmten Architekten, Herrn Kornhäusel allhier, überbaut" worden ist. Neben dieser Zuschreibung an diesen Architekten, die auch aus stilistischen Gründen als glaub-

haft erscheint, wird natürlich die zusätzliche Frage aufgeworfen, ob mit dem Wort „allhier" Kornhäusel wohl als ein in Baden ansässiger Architekt angesprochen werden soll . . .

Ein zweites Mal wird Kornhäusel als Architekt des Hauses am Theaterplatz 2 genannt, das, auch in Haanschem Besitz, „1818 ebenfalls durch den Architekten, Herrn Kornhäusel, im neuesten Style erbaut" worden sei.

Kann sich — streng genommen — dieses „ebenfalls . . . im neuesten Style erbaut" nur auf das „nach dem neuesten Geschmack erbaute" Florastöckl und nicht das bloß „überbaute" Frauenkloster beziehen und damit Kornhäusel als Urheber fixieren, sprechen auch andere Argumente für ihn: die zeitliche Abfolge der drei Bauführungen unter ein- und demselben Bauherrn und stilistische Faktoren.

Diese besonders stark den Tendenzen des

französischen Revolutionsklassizismus verpflichtete Fassade mit ihren isolierten stereometrischen Baukörpern, der flachen Schichtung des Reliefs und einer deutlichen Hierarchie zwischen Vorder- und Rückseite nimmt Tendenzen vorweg, die sich auch beim Haanschen Haus am Theaterplatz und noch ausgeprägter beim Sauerhof und bei der Weilburg zeigen werden. Schon E. Kaufmann hat in diesem Zusammenhang auf die Freundschaft Kornhäusels zu Pietro Nobile hingewiesen, der ihm offensichtlich die neuesten Architekturtendenzen nähergebracht hatte.

Lit.: ÖKT Baden, S. 36. — Emil Kaufmann, Die Kunst der Stadt Baden, Wien 1925, S. 64. — Emil Kaufmann, Architecture in the Age of Reason, Cambridge/Mass. 1955, S. 117

Abb. S. 74

188

Baden, Westfassade der Frauenkirche

Nach dem Umbau durch Joseph Kornhäusel
Federlithographie; 13,6 × 18,5 cm
Nach Carl Bschor, um 1827
RM TS B 715

189

Baden, Blick in die Frauenkirche

Nach dem Umbau durch Joseph Kornhäusel
Federlithographie; 13,6 × 18,5 cm
Nach Carl Bschor, um 1827
RM TS B 718

Beim Brand von 1812 wurde die Frauenkirche schwer beschädigt, das Areal 1813 versteigert. Ab 1814 erwarb die Liegenschaft Joseph Friedrich Freiherr von Haan. Im Flugblatt zur großen Lotterie vom 10. März 1825 heißt es, daß „das größte Haus in der landesfürstlichen Stadt

Baden, ehemals von dem allerhöchsten k. k. Hofe bewohnt, von dem berühmten Architekten, Herrn Kornhäusel allhier, überbaut" worden sei. Kornhäusel gelang es bei dieser „Überbauung", die Brandruine mit sparsamsten Mitteln dem herrschenden Zeitgeschmack anzupassen.

Lit.: ÖKT Baden, S. 28 ff. — Emil Kaufmann, Die Kunst der Stadt Baden, Wien 1925, S. 40 ff.

190

Unbekannter Zeichner

Baden, Haansches Haus (Theaterplatz 2)

Grundriß des ersten Obergeschoßes, 1817 (Vidierungsvermerk auf Rückseite)
Tuschfeder, laviert; 61 × 46 cm
RM TS B 2634

191

Unbekannter Künstler

Baden, Haansches Haus (Theaterplatz 2)

Orthogonale Ansicht
Umrißradierung, koloriert; 14 × 14 cm
RM TS B 1482

Dieses Haus, mit Kornhäusel immer wieder in Verbindung gebracht, ist für den Architekten durch das Flugblatt für die „Große Lotterie" am 10. März 1925 gesichert, in dem es heißt, dieses Haus sei „1818 ebenfalls durch den Architekten, Herrn Kornhäusel, im neuesten Style erbaut" worden.
Bauherr war wie bei der „Überbauung" des Augustinerklosters und beim Florastöckl Joseph Friedrich Freiherr von Haan.
Die hier angegebene Datierung stimmt mit der Datierung auf der Rückseite des kürzlich aufgefundenen Plansatzes (Erd- und erstes Obergeschoß) des Rollett-Museums überein.

Lit.: Emil Kaufmann, Die Kunst der Stadt Baden, Wien 1925, S. 62

Abb. S. 86

192

Baden, Sauerhof

Grundriß des Erdgeschoßes
Nach ÖKT Baden, Fig. 176

Der Sauerhof wurde 1820—1822 von Joseph Kornhäusel für Karl Freiherrn von Doblhoff als Hotel mit Bad, Restaurant und Kapelle, umgeben von einer englischen Gartenanlage, errichtet.
Das Gebäude setzt sich aus einem langgestreckten Straßentrakt mit weit vorspringenden Seitenflügeln, die einen U-förmigen, weitgezogenen Ehrenhof schaffen, und einem doppelflügeligen Hintertrakt zusammen, der einen hufeisenförmigen Hof umschließt. Die an ihn hinten angefügten Wirtschaftstrakte sind heute verschwunden.
Im linken Seitenflügel befindet sich das Bad, im rechten das Restaurant, während die Mitte und die um den Hof liegenden Räume das Hotel beinhalten.
Die Gliederung der Fassaden ist äußerst sparsam und flach. Das zart genutete Erdgeschoß wird als Sockelgeschoß vom glatten Oberbau klar abgesetzt, die horizontale Gliederung dominiert. Die sparta-

nische Radikalität dieser Fassade erinnert an französische Vorbilder und besitzt deutliche Parallelen zum vier Jahre früher entstandenen Florastöckl.

Lit.: ÖKT Baden, S. 116 ff. — Hedwig Herzmansky, Joseph Kornhäusel, Wien 1964, S. 170 ff. — Johann Kräftner, Joseph Kornhäusel. In: Archives d'Architecture moderne, Bruxelles, Nr. 37 — 1988, S. 52 ff., Abb.

193

Eduard Gurk (1801—1841)

Das Bad des Sauerhofes

Aquatintastich, koloriert; 13,6 × 9,1 cm
Nr. 55 aus der bei Tranquillo Mollo erschienenen Serie „Wiens Umgebungen", 1825
RM TS B 595

194

Thomas Ender (1793—1875)

Das Bad des Sauerhofes

Foto einer verschollenen Skizze (ehem. im Nö. Landesarchiv)
ÖNB, Bildarchiv

Beide Abbildungen zeigen das Bad in seinem Originalzustand mit der verschollenen Äskulapstatue Kliebers.

Lit.: ÖKT Baden, Fig. 175. — Hildegard Schmid, Josef Klieber, Wien 1987, S. 348 (Abb.)

Abb. S. 89

195

Franz Sartory (1765—1846) und Jakob Schuhfried (1785—1857)

Der Sauerhof

Ansicht, um 1822
Aquarell; 23,6 × 14,3 cm
Wien, Österreichisches Museum für ange-

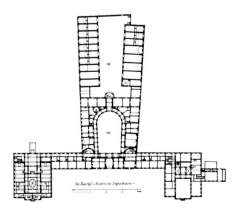

Der Sauerhof – Grundriss des Erdgeschosses –

wandte Kunst; Inv. Nr. XVIII C/1/37
Vergleiche Kat. Nr. 192

Der Vedutenmaler der Wiener Porzellan-Manufaktur, Franz Sartory, übte sein Amt von 1799 bis 1841 aus. In einer Serie von 51 Ansichten aus Wien und Niederösterreich finden wir 14 Blätter mit Badener Ansichten. Diese weder mit Datum noch Signatur versehenen Arbeiten sind in enger Zusammenarbeit mit Jakob Schuhfried entstanden, der seit 1805 als Landschaftsmaler an der Manufaktur tätig war.

Lit.: Ilse Friesen, Baden in alten Ansichten. In: ÖZKD XXVII 1973, Heft 3/4, S. 181ff. — Große Welt reist ins Bad, Katalog der Ausstellung in Baden bei Wien, Badgastein, Bad Ischl, Franzensbad, Karlsbad, Marienbad, Teplitz, Kat. Nr. 4, S. 60

196

Franz Sartory (1765—1846) und Jakob Schuhfried (1785—1857)

Sauerhof und Engelsbad

Ansicht, um 1822
Aquarell; 20,7 × 14,4 cm
Wien, Österreichisches Museum für angewandte Kunst; Inv. Nr. XVIII C/1/38
Vergleiche Kat. Nr. 192, 195, 199

197

Franz Sartory (1765—1846) und Jakob Schuhfried (1785—1857)

Das Landhaus des Barons Eichelburg

Ansicht, um 1822
Aquarell; 20,6 × 15,3 cm
Wien, Österreichisches Museum für angewandte Kunst; Inv. Nr. XVIII C/1/28
Vergleiche Kat. Nr. 195

198

Franz Sartory (1765—1846) und Jakob Schuhfried (1785—1857)

Villa Hudelist

Ansicht, um 1822
Aquarell, 19,8 × 13,1 cm
Wien, Österreichisches Museum für angewandte Kunst; Inv. Nr. XVIII C/1/25
Vergleiche Kat. Nr. 195, 200

199

Baden, Engelsbad

Foto der Hauptfront, um 1920
ÖNB, Bildarchiv

Das Engelsbad, für das keinerlei Plandokumente existieren, wurde von Joseph Kornhäusel 1820—1822 gleichzeitig mit dem unmittelbar danebenliegenden Sauerhof für Baron Karl Freiherrn von Doblhoff errichtet.
Es setzt sich aus mehreren, streng kubischen, miteinander verschnittenen Baukörpern zusammen: an den Würfel des zentralen Hauptbaukörpers schließen an den Flanken niedrigere, querrechteckige Kuben an, an der Rückseite ein Halbzylinder.
Der Eingang liegt in der Mittelachse des Hauptblocks, den Seitenpavillons entspricht je ein Raum im Inneren. Der mittlere Kubus hingegen und der Zylinder sind im Inneren mehrmals unterteilt. Der Außenbau hat also den Primat vor der inneren Organisation, die nur sehr bedingt nach außen durchdringt und nicht formbildend wirkt.
Vergleiche Kat. Nr. 196

Lit.: ÖKT Baden, S. 118. — Emil Kaufmann, Die Kunst der Stadt Baden, Wien 1925, S. 57

Abb. S. 204

Kat. Nr. 199

200

Pietro Nobile (1774—1854)

**Baden, Villa Hudelist
(Kaiser-Franz-Ring 7)**

Straßenfront
Foto, um 1900
ÖNB, Bildarchiv

Diese Villa, lange Zeit Joseph Kornhäusel zugeschrieben, wurde 1818/19 von Pietro Nobile für Staatsrat Hudelist errichtet. Sie weist in ihrem Typus sehr direkt auf Nobiles Beschäftigung mit Palladio hin. Während ihre beiden Hauptfronten eine repräsentative Gestaltung erfahren, wird den Seitenansichten nur wenig Augenmerk zugewendet. Der leicht vorgescho-bene und durch einen Dreiecksgiebel betonte Mittelrisalit bleibt in seiner Plastizität äußerst sparsam, an den Seitenflanken hingegen ist die Tiefe des Mauerwerkes durch die eingestellten Säulen betont; die gleiche Behandlung der Parapete durch idente Balluster führt ebenso wie die Nutung des Erdgeschoßes zu einem Ausgleich der architektonischen Gestaltungsmittel.

Das Foto zeigt den Bau noch mit all jenen diffizilen Attributen seiner Fassadenmöblierung, die auch schon Nobiles jüngst aufgetauchte Entwürfe aufweisen.

Lit.: ÖKT Baden, S. 173, Abb. — Emil Kaufmann, Die Kunst der Stadt Baden, Wien 1925, S. 66, Abb. — Ingeborg Köchert, Peter von Nobile, Wien 1951, S. 77 ff.

Abb. S. 100

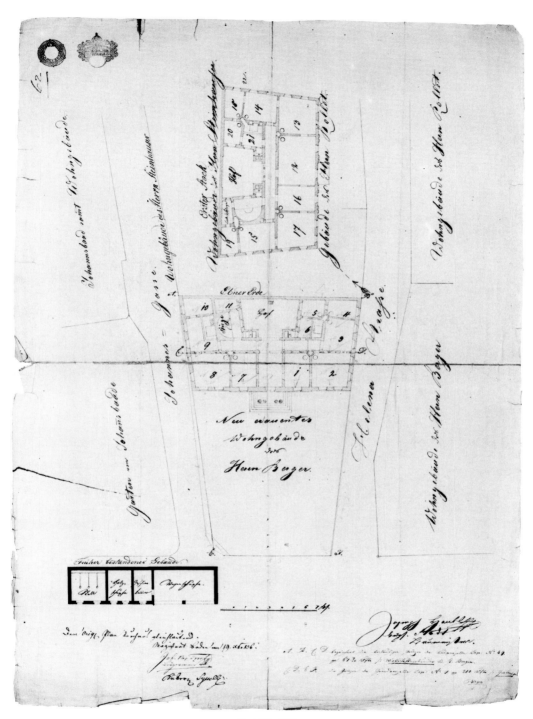

Kat. Nr. 201

201

Joseph Hantl (1769—1850)

**Baden, Villa Perger
(Gutenbrunnerstraße 1)**

Plan mit Grundriß des Erd- und ersten
Obergeschoßes, 1836
Tuschfeder; 49 × 69 cm
Sign. re. u.: Joseph Hantl bürgl. Stadt
Baumeister
RM TS B 2639

Dieser Plan, der links unten den Vermerk
„Dem Orig. Plan durchaus gleichlautend"
trägt, zeigt die 1836 von Joseph Kornhäusel für Josef Perger errichtete Villa.
In der Fassade, im Plan nicht dargestellt,
trennt ein kräftiges Gesims das genutete,
niedrige Sockelgeschoß vom glatten
Oberbau. In der Fassadenmitte tritt ein
dreiachsiger Mittelrisalit, der durch einen
von vier Pilasterpaaren getragenen Giebel
abgeschlossen wird, schwach hervor. Er
erfährt durch einen breiten, von zwei
Doppelsäulen getragenen Balkon eine
weitere Akzentuierung.
Auf die Verwandtschaft dieser Villa mit
der 1837, also ein Jahr danach entstandenen Attemsvilla hat bereits E. Kaufmann hingewiesen.

Lit.: Emil Kaufmann, Die Kunst der Stadt Baden,
Wien 1925, S. 67. — Hedwig Herzmansky, Joseph
Kornhäusel, Wien 1964, S. 344 f.

Abb. S. 205

202

Jakob Hainz (1775—1839)

Baden, Villa Attems (Rainerring 21)

Plan mit Grundrissen des Kellers, Erd-
und ersten Obergeschoßes, Aufriß der
Fassade und Fassadenschnitt, 1837
Tuschfeder, laviert; 80 × 62 cm
Sign. re. u.: Jakob Hainz v Korbest St bau-
meister
RM TS B 2638

Diese 1837 bei der Baubehörde einge-
reichte Villa, die auf ihrer Rückseite die
Jahreszahl 1838 trägt, gehört demselben
Typ an, wie die von Kornhäusel geplante
Villa Perger in der Gutenbrunnerstraße.
Jakob Hainz, seit 1819 konzessionierter
bürgerlicher Stadtbaumeister in Wien, war
für Joseph Kornhäusel vom Anfang der
zwanziger Jahre bis 1830 als ausführender
Baumeister tätig.

Lit.: ÖKT Baden, S. 173. — Emil Kaufmann, Die
Kunst der Stadt Baden, Wien 1925, S. 70. —
Hedwig Herzmansky, Joseph Kornhäusel, Wien
1964, S. 360

203

Unbekannter Baumeister

Baden, Villa Albrechtgasse 10

Foto der Hauptansicht, um 1910
RM Fotosammlung

Diese lange und immer wieder mit Kornhäusel in Verbindung gebrachte Villa, oft
als Miniatur-Weilburg bezeichnet, dürfte
erst sehr spät entstanden sein. Im Plan
von Vasquez von 1835 scheint sie noch
nicht auf, ein Besitzwechsel 1844 datiert
den Bau vielleicht in die Mitte des vierten
Jahrzehnts.
Im Inneren der Villa haben sich einige
Räume in ihrer ursprünglichen Ausstattung erhalten, insbesondere das Stiegenhaus beeindruckt durch seine formalen
Qualitäten.

Lit.: ÖKT Baden, S. 118. — Emil Kaufmann, Die
Kunst der Stadt Baden, Wien 1925, S. 70. —
Hedwig Herzmansky, Joseph Kornhäusel, Wien
1964, S. 367 f.

Abb. S. 100

204

Unbekannter Baumeister

Baden, Albrechtgasse 10

Foto des Stiegenhauses
Archiv Kräftner
Abb. S. 102

205

Eduard Gurk (1801—1841)

„Palast des Erzherzogs Anton — Palais de l'archduc Antoine" (Antonsgasse 10—12)

Aquatintastich, koloriert; 13,8 × 9,2 cm
Dieser Stich erschien 1825 als Nr. 49 in
der bei Tranquillo Mollo edierten Serie
„Wiens Umgebungen" (1825)
RM TS B 1459

Lit.: Ilse Friesen, Baden in alten Ansichten. In:
ÖZKD XXVII — 1973, Heft 3/4, S. 181. — ÖKT
Baden, S. 160

206

Unbekannter Baumeister

Baden, Palais Erzherzog Anton

Foto des Stiegenhauses
RM Fotosammlung

Erzherzog Anton, neben dem Kaiser und
Erzherzog Karl der dritte große Förderer
Badens im Biedermeier, ließ diesen in der
Antonsgasse gelegenen Palast 1816 errichten. Es handelt sich um einen an der
Straße gelegenen sechzehnachsigen Bau
mit zwei Toren, die in die Gartentrakte
führen. Der Kopfbau am Ende des Pro-
spektes eingeschoßiger Flügelbauten besitzt einen giebelbekrönten Risalit und in
seinem Inneren ein bemerkenswertes halb-
rundes Stiegenhaus mit toskanischen Pila-
stern.

Dem eigentlichen Palast gegenüber liegen
die Stallungen, die 1822 errichtet wurden;
Pläne zur Fassade und ein Grundriß befinden sich im Rollettmuseum.

Lit.: ÖKT Baden, S. 160. — Emil Kaufmann, Die
Kunst der Stadt Baden, Wien 1925, S. 63

Kat. Nr. 208

207

Hornstein

Baden, Stallungen des Antonspalais

Plan mit dem Aufriß der Fassade in der Antonsgasse, 1822
Tuschfeder, laviert; 47 × 30 cm
Bez. li. u.: Die Facade haben S:k.k. Hoheit N:1 ausgewählt . . .
Wien, am 18 9ber 1822 Hornstein
RM
Vergleiche Kat. Nr. 206

208

Unbekannter Baumeister

Baden, Schloß Braiten

Foto der Fassade in der Braitnerstraße, um 1920
Archiv Kräftner

Während der Gebäudeteil in der Elisabethstraße schon 1809 für den Grafen Ossolinksy erbaut worden ist, entstand der Bauabschnitt in der Braitnerstraße 26 erst später. Er besitzt eine streng kubische Gesamtform, der Mittelrisalit ist durch vier jonische Pilaster gegliedert, die über dem Kordongesims durch Blendbogen zusammengefaßt werden; über dem stark ausladenden Kranzgesims liegt eine hohe Attika.

Lit.: Emil Kaufmann, Die Kunst der Stadt Baden, Wien 1925, S. 71
Abb. S. 207

209

Karl Leopold

Plan zu einem Gartengebäude, Aufriß

Bleistiftzeichnung; 27,7 × 13,4 cm
Sign. re. u.: Carl Leopold Wien den 7ten November $\overline{82}$ (2). Abends um 1/2 10 Uhr Montag
Baden, Kaiser-Franz-Josef-Museum
Abb. S. 208

210

Karl Leopold

Plan für einen Wirtschaftshof, Aufrisse

Bleistiftzeichnung; 46,4 × 29,9 cm
Sign. re. u.: Karl Leopold Wien d 20ten März 827
Baden, Kaiser-Franz-Josef-Museum

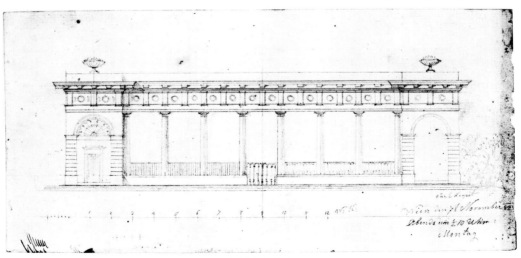

Kat. Nr. 209

211

Karl Leopold

Aufriß einer Palastfassade

Tuschfeder, laviert; 52,2 × 37,8 cm
Sign. re. u.: Carl Leopold Wien den 23ten
Februar 1828
Baden, Kaiser-Franz-Josef-Museum

212

Karl Leopold

**Entwurf für ein Grabmonument, Grund-
und Aufriß**

Tuschfeder, laviert; 32,4 × 47,8 cm
Sign. re. u.: Karl Leopold Baumeister am
2ten Februar 1831
Baden, Kaiser-Franz-Josef-Museum

213

Karl Leopold

„Grundplan von einer Färberey"

Tuschfeder, laviert; 31,5 × 44,0 cm
Sign. re. u.: Wien den 31t December 1832
Baden, Kaiser-Franz-Josef-Museum

214

Karl Leopold (?)

Aufriß einer Wanddekoration

Aquarell und Temperafarben;
27,5 × 34,3 cm
Unsigniert, in einem Konvolut mit Plänen
Karl Leopolds enthalten
Baden, Kaiser-Franz-Josef-Museum

215

Karl Leopold

Aufriß zu einer Fassade

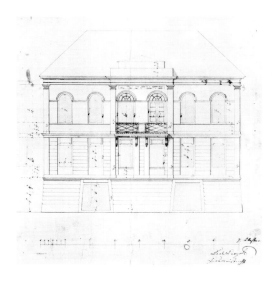

Tuschfeder, laviert; 33,2 × 46,3 cm
Sign. re. u.: Karl Leopold Baumeister
Baden, Kaiser-Franz-Josef-Museum

216

Karl Leopold

**Plan zu einem Haus über Weinkeller (Kel-
lerei?) mit Grundrissen, Fassade und
Schnitt**

Tuschfeder, laviert; 33,7 × 43,7 cm
Sign.: Karl Leopold Baumeister
Baden, Kaiser-Franz-Josef-Museum

217

Karl Leopold

**Haus des Joseph Felbinger in der Alexan-
drowitschgasse**

Plan mit dem Grundriß des Keller-, Erd-
und ersten Obergeschoßes, Grundriß und
Schnitt
Tuschfeder, Tusche, laviert; 43,4 × 53,0 cm
Sign.: Karl Leopold Baumeister/Leesdorf
am 20t July 837
RM TS B 2633
Abb. S. 101

218

Joseph Kornhäusel

Zeugnis für Karl Leopold

„Zeugnis für Leopold Carl aus Ofen, der bey mir durch acht Jahre, ... drey Jahre als Pollier bey dem Bau des Sauerhofes ... fünf Jahre als Zeichner und Pollier in Wien gearbeitet hat ...“
Gez.: Wien den 23ten May 827 Joseph Kornhäusel k. k. Architekt und Mitglied der bildenden Künste m/p
RM K B 276

Mit Carl Leopold, von dem wir bis jetzt nur das Todesdatum (3. Juni 1856) kennen, wird für uns erstmals einer der Mitarbeiter Kornhäusels, der dann auch seinen eigenen Weg ging, greifbar. Ein erstes Mal taucht er mit einem Plan für das Rathaus in Baden auf, der mit 3. August 1817 datiert und von ihm signiert ist. Wenig später dürfte er bei Kornhäusel eingetreten sein, wo er am 1822 fertiggestellten Sauerhof als Polier arbeitete. Später war er bei Kornhäusel in Wien für Jahre als Zeichner und Polier beschäftigt; in dieser Zeit entstanden so wesentliche Bauten wie der Umbau des Albrechtspalais (Albertina), das Gemeindehaus in der Leopoldstadt und die Häuser in der Seitenstettengasse mit Kornhäusels eigenem Haus und der Synagoge.
Leopold ist uns ein nächstes Mal greifbar in zwei Bleistiftzeichnungen mit Fassaden eines Gartengebäudes beziehungsweise eines Wirtschaftshofes, die beide große Nähe zur Formensprache Kornhäusels besitzen beziehungsweise vielleicht überhaupt Projekte Kornhäusels überliefern. Beide Projekte, mit 7. November 182(2) und März 1827 datiert, stammen aus der letzten Zeit von Leopolds Beschäftigung bei Kornhäusel, nimmt man zur Zeit der Ausstellung des Zeugnisses (23. Mai 1827) das Ende von Leopolds Tätigkeit für Kornhäusel an.

Seit 1826 besuchte er die öffentliche Zeichen-Schule bei Vinzenz Krenauer, in deren Zeugnis vom 28. November 1829 die Gegenstände Geometrisch-architektonisch Zeichnen, Perspectiv-Optik, Stein- und Holzschnitt und Projektional-Zeichnung belegt sind.
Aus dieser Zeit dürften auch die von ihm verfertigten Schulzeichnungen stammen.
Am 5. Mai 1830 wird ihm das Maurermeistergewerbe verliehen.
In dem bisher unbearbeiteten Konvolut von Plänen des Badener Kaiser-Franz-Josef-Museums, aus dem diese genannten Entwürf stammen, hat sich auch noch eine Reihe anderer Zeichnungen Leopolds erhalten. Interessant ist eine Folge von Blättern, die die Entwicklung eines Hauses Leopolds in der Alexandrowitschgasse zeigen. Das Ausgangsprojekt besitzt vor allem in seiner Plangraphik größte Nähe zu Kornhäusel, in der Umsetzung zeigt sich aber doch, vor allem im groben Detail und der verständnislosen Kompilation verschiedenster formaler Elemente, der große Abstand zwischen beiden.
Als Landbaumeister hatte sich Leopold schließlich mit einfachsten Bauaufgaben auseinanderzusetzen; so sind mehrere Entwürfe zu Bauernhäusern aus seiner Hand vorhanden, die sich in ihrer präzisen architektonischen Durcharbeitung deutlich von Projekten anderer Baumeister absetzen.

219

Karl Leopold

Plan eines Bauernhauses für Kasper Massinger

Grundriß des Kellers und des Erdgeschoßes, Aufriß; 1849
Tuschfeder, laviert; 38,5 × 32,0 cm
Sign. re. u.: Leesdorf am 6ten July 849 / Karl Leopold Baumeister
RM TS B 2642

In der Palffygasse wurden gegen die Jahrhundertmitte mehrere eingeschoßige Weinhauerhäuser errichtet. Karl Leopolds Entwurf hebt sich von den anderen durch seine ausgewogene, straffe architektonische Gliederung ab.

220

Joseph Hantl (1769—1850)

Plan eines Bauernhauses für Herrn Biondek

Grundriß des Kellers und des Erdgeschoßes, Aufriß; 1833
Tuschfeder, laviert; 25 × 37 cm
Bez. li. o.: Biondek 1833
Sign.: Baden den 10. Februar $\overline{833}$ / Joseph Hantl bürgl. Baumeister
RM TS B 2636

Dieser Plan zeigt ein einfaches Bauernhaus mit mittlerer Einfahrt, das dem Typus des sogenannten Gassenfrontenhauses zuzuordnen ist, bei dem der Wohntrakt vollständig zur Straße hin ausgerichtet ist.
Der Bauherr Michael Biondek nahm eine führende Stellung in der Weichselholzzucht ein; er reichte am 24. 10. 1833 auch ein Patent zur Weichselbaumzucht ein (Kat. Nr. 407).

221

Gabriel Zimmermann (1813—1882)

Baden, Bau Plan über das neuzubauende Wohnhaus für Herrn Gabriel Zimmermann

Plan mit den Grundrissen des Keller-, Erd- und ersten Obergeschoßes, Aufriß der Straßenfassade
Tuschfeder, laviert; 66,6 × 47,0 cm
Sign. re. u.: Baden am 6ten Februar $\overline{845}$
Zimmermann Stadtbst.
RM

Gabriel Zimmermann ist einer der wesentlichen Vertreter der in Baden ansässigen Baumeister, die um die Jahrhundertmitte das Baugeschehen bestimmen. Aus seiner Hand stammt eine Fülle von Villen, in denen sich der Historismus anfänglich immer stärker ankündigt, bis er am Anfang der zweiten Jahrhundertmitte voll zum Durchbruch kommt.

222

Christian Friedrich Ludwig Förster (1797—1863) und Theophil Hansen (1813—1891)

Baden, Villa der Gräfin Traun in der Weilburgstraße 20, 1847

Grundrisse, Ansichten und Schnitte
Stahlstiche, aus: Allgemeine Bauzeitung, Bl. 115—117
Wien 1847
Technische Universität Wien, Bibliothek

Diese 1847 vollendete Villa am Beginn der Weilburgstraße mußte von ihren Architekten Christian Friedrich Ludwig Förster und Theophil Hansen für die Summe von 20.000 fl. so gebaut werden, „daß sie gegen die mit weit größerem Kostenaufwand gebauten Häuser an derselben Straße nicht gedrückt erscheine. Ein hoher Unterbau, eine ausgedehnte Anlage der Wohnetage und ein erhöhter Mittelbau in Verbindung mit Terrassen, die Anwendung der einfachsten, den Ortsverhältnissen und den festgesetzten Kosten entsprechenden Konstrukzionen und die Wahl eines selbstgestellten, vom Schulzwang, aber auch von der Maßlosigkeit freien und einfachen Baustiles schienen uns die Mittel, um der Aufgabe möglichst gut entsprechen zu können."
Stilistisch ist dieses Landhaus dem späten Klassizismus der vierziger Jahre verpflichtet und lehnt sich insbesondere in

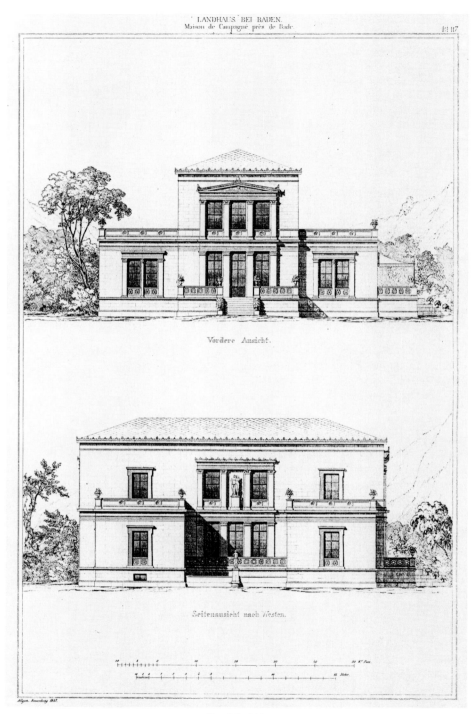

Vordere Ansicht.

Seitenansicht nach Westen.

Kat. Nr. 222

der dominanten Gliederung in einzelne Baukörper an ältere Vorbilder an. In der Hauptfront geben der zweigeschoßige Mittelteil und die bloß eingeschoßigen Seitenflanken, die Terrassen tragen, dem Gebäude basilikalen Querschnitt. Deutlich lehnt sich dieser Bau an Berliner Vorbilder Schinkels an, die Intensität und Detailgenauigkeit der antikisierenden Bauplastik entspringt der Auseinandersetzung Hansens mit antiken Baudenkmälern in Athen.

So bildet dieses Bauwerk am Ende der ersten Jahrhunderthälfte eine letzte Reminiszenz an die klassizistische Architektur, die diese Zeit trotz verschiedener gegensätzlicher Tendenzen beherrschte. Das Gewicht und die Bedeutung, die dem Dekor zufallen, weist bereits in die zweite Jahrhunderthälfte, in der das Ornament die Fassaden zu regieren beginnt.

Lit.: Mario Schwarz, Entwicklungstendenzen in der Villenarchitektur der Gründerzeit in Niederösterreich. In: Landhaus und Villa in Niederösterreich, 1840—1914, Wien 1982, S. 70 ff.

Abb. S. 212

223

Johann Aman (1765—1834)

Frauenbad, „Zweiter Grundplan zu Ebnererde"

Tuschfeder, laviert; 52,0 × 35,6 cm
Sign. re. u.: Aman feb $\overline{811}$
RM TS B 459

Dieser offensichtlich aus einer größeren Serie stammende Grundrißplan befand sich bereits am 11. März 1811 in der Amtshandlung des k. k. Hofbaurats und dessen Buchhaltung. Das existente Gebäude des Neubades bleibt zu diesem Zeitpunkt unberücksichtigt, eine großzügige Lösung für den Neubau wird angestrebt.

224

„Plan des ebenerdigen Geschosses des neu herzustellenden Frauen-Bades, und des mit letztern zu verbindenden für S^e k. k. Majestät in der Landesfürstlichen Stadt Baaden zu erbauenden Wohn-Gebäudes"

Tuschfeder, Tusche, laviert; 97,6 × 62,5 cm
Wien, Albertina
Arch. Z. 3/4/13 Inv. Nr. 7249

Dieser, am 24. März 1812 vom Hofbaurat und seiner Buchhaltung vidierte, aus einer größeren Planserie stammende und von einem Zeichner der Hofbaudirektion verfaßte Grundriß zeigt ein weitläufiges Projekt, das dann offenbar dem großen Brand der Stadt (26. Juli 1812) zum Opfer fiel und durch andere Dispositionen ersetzt worden ist. Neben dem Badgebäude selbst liegt ein großer Wohntrakt für den Kaiser und seinen Hofstaat, der an das 1812 aufgelöste Augustinerkloster anschließt.
Abb. S. 81

225

„Plan zur Erbauung des Frauenbades in der L. F. Stadt Baaden"

Blatt mit Grundriß, zwei Schnitten und Werksatz
Tuschfeder, laviert; 44,2 × 67,0 cm
Bez. li. u.: Von der K:K: n:o: Hofbaudirection
RM TS BPL 385

Dieser, vor 1818 enstandene, von der Hofbaudirektion verfaßte Plan zeigt eine sparsame Variante, die das Neubad in seiner bestehenden Form berücksichtigt.

226

Baden, Frauenbad

Plan mit Erd- und erstem Obergeschoß
Tuschfeder, Tusche, laviert; 39 × 48 cm

Kat. Nr. 229

Bez. (nachträglich?) re. u.: Anton Hantl
Bürgl. Stadtbaumeister in Baden
RM TS B 2642

Auch in dieser, ebenfalls vor 1818 entstandenen Entwurfsvariante ist das Neubad in
seiner bestehenden Form berücksichtigt.
Während das Erdgeschoß den Badelokali-
täten vorbehalten ist, sind im ersten Obergeschoß des Gebäudes, das nun zweigeschoßig angelegt ist, Wohnungen untergebracht.

227

Unbekannter Zeichner

Baden, Frauenbad

Grundriß des Erdgeschoßes
Tuschfeder, Tusche, laviert; 35,7 × 46,0 cm
RM TS BPL 183

Dieser Plan zeigt den Grundriß des
Frauenbades, wie es bis zu seinem grund-
legenden Umbau 1876—1878 existierte.

Der Plan zu einem großzügigen Ausbau
als kaiserliche Baderesidenz war offensichtlich schon lange aufgegeben worden,
waren doch das Frauenkloster und die angrenzenden Grundstücke schon 1813 versteigert und ab 1814 von Joseph Friedrich
Freiherrn von Haan erworben worden, der
hier 1816 durch Joseph Kornhäusel das
Florastöckl errichten ließ.

Für die von Schenk schon 1825 überlieferte Zuschreibung an Charles von Moreau (1758—1840) lassen sich weder im
vorhandenen Plan- noch Quellenmaterial
Hinweise finden. Zwei Blätter der Albertina (Architekturzeichnungen 3/3/1,
3/3/2), die mehrmals mit Kornhäusel in
Zusammenhang gebracht wurden, zeigen
Grundrisse und Schnitte des Frauenbades
(fälschlicherweise dem Theresienbad zu-
geordnet). Johann Aman, der seit 1803
dem Generalhofbaurat angehörte und bereits 1811 mit einem Entwurf zum
Frauenbad vertreten ist, kommt auch als

214

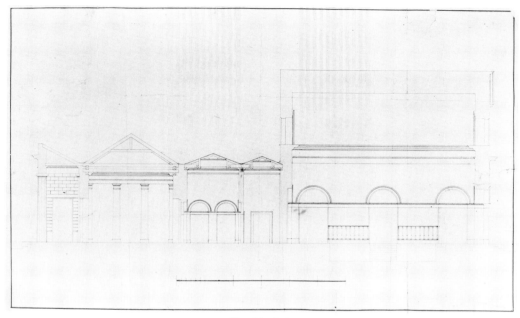

Kat. Nr. 230

Architekt für den ausgeführten Bau in Frage.

Die Bauarbeiten wurden von Baumeister Anton Hantl — der nach zuerst freihändiger Vergabe den Zuschlag nach einer „Licitation" erhielt — durchgeführt, die Steinmetzarbeiten von dem in Baden ansässigen Joseph Klieber. Auch er mußte sich im selben Jahr in einem Licitationsverfahren gegen seine Konkurrenten behaupten.

Lit.: Carl Schenk, Die Schwefelquellen von Baden in Nieder-Österreich 2. Auflage, Wien 1825. — ÖKT Baden, S. 63 f. — Emil Kaufmann, Die Kunst der Stadt Baden, Wien 1925, S. 29 f.

Abb. S. 81

228

Unbekannter Zeichner

Baden, Frauenbad

Aufriß der Seitenfassade
Tuschfeder, 53 × 24 cm

Auf der Rückseite im Zusammenhang mit der Aktenlaufzahl datiert $\overline{818}$
RM TS B 2641

229

Unbekannter Zeichner

Baden, Frauenbad

Aufriß der Hinterfassade
Tuschfeder, 51 × 36 cm
Auf der Rückseite im Zusammenhang mit der Aktenlaufzahl datiert $\overline{818}$
RM TS B 2644
Abb. S. 214

230

Unbekannter Zeichner

Baden, Frauenbad

Querschnitt, 1818
Tuschfeder, laviert; 51,5 × 33,0 cm
Auf der Rückseite im Zusammenhang mit

215

der Aktenlaufzahl datiert $\overline{818}$
RM TS BPL 460

Bei diesen beiden Fassadenrissen und dem Querschnitt, alle datiert 1818, handelt es sich um jene Pläne, die dem 1820 begonnenen (Grundsteinlegung am 7. April 1821 durch Erzherzog Anton) und 1822 vollendeten Bauwerk zugrundeliegen. Die spartanische Haltung verweist auf die Hofbaudirection als Urheber und hier wiederum auf Johann Aman, der von Anfang an in dieses Projekt involviert gewesen ist.
Abb. S. 215

231

Joseph Lutz

„Frauen- und Carolinen-Bäder in Baden"

Aufriß der Hauptfassade
Kupferstich; 18,0 × 15,2 cm
Bez. re. u.: Jos. Lutz del: et sculpsit.
RM TSB 1335

Der Stich zeigt die Hauptfront des Bades zum Josefsplatz vor seinem einschneidenden Umbau im Jahre 1876—78; er stammt aus dem 1821 erschienenen Buch: Martin Joseph Mayer, Das neuerbaute Frauen- und Carolinenbad in Baden in Niederösterreich (Kat. Nr. 69).
Abb. S. 83

232

Georg Frühauf (1787—1874)

Baden, Josefsbad

Aufriß des alten und neuen Teiles
Tuschfeder, Tusche, laviert; 45 × 30 cm
Sig. re. u.: Georg Frühauf den 23 Februar 1814
RM TS B 1818

Der bestehende Bau wurde 1803—04 durch einen runden Kuppelbau im Stile des römischen Tempels der Vesta erweitert.

Lit.: ÖKT Baden, S. 64. — Mario Schwarz, Architektur des Klassizismus und der Romantik in Niederösterreich, St. Pölten - Wien 1982, S. 46
Abb. S. 77

233

Unbekannter Zeichner

„Plan des Kais: Königl: Militaire Badhauses in Baden."

Plan mit den Aufrissen des Badegebäudes im Hof und des Offizierstraktes an der Straße nach Vöslau
Tuschfeder, laviert; 50,0 × 35,7 cm
RM TS B 886

Das Petersbad wurde 1796 vom Militärärar angekauft. Das Bad wurde 1819 nach einer kaiserlichen Anordnung vom Jahre 1818 zu bauen begonnen. Es besaß einen leicht vorspringenden dreiachsigen, von einem mittleren Palladiomotiv beherrschten Risalit und dreiachsige Seitenflanken. Der Mittelrisalit selbst war wieder von schwach vortretenden, genuteten Ecken mit hohen Rundbogenfenstern eingefaßt.

Lit.: ÖKT Baden, S. 115 f. — Emil Kaufmann, Die Kunst der Stadt Baden Wien 1925, S. 73

234

Cajetan Schiefer

Baden, Mariazellerhof

Plan mit Aufriß der Hauptfassade
Tuschfeder, laviert; 34,5 × 22,7 cm
Sign. außerhalb des Planes (später offensichtlich wie der Plan selbst auch aus einem größeren Blatt herausgeschnitten): Cajetan Schiefer 1ster Amtszeichner der KJ:K:N:Ö: Civilbaudirektion Entworfen, ausgeführt und gezeichnet.
RM TS B 1569

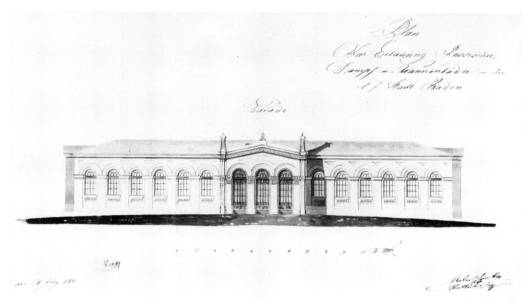

Kat. Nr. 235

Dieses 1825 errichtete Wohltätigkeitshaus
ist einer der besten Repräsentanten des
vom Ärar diktierten Bauens, das sich ganz
wesentlich etwa von der leichten Eleganz
gleichzeitiger Bauten Kornhäusels unterscheidet.

Lit.: ÖKT Baden, S. 91f. — Emil Kaufmann, Die
Kunst der Stadt Baden, Wien 1925, S. 73

235

Eduard van der Nüll (1812—1868) und
August Sicard von Sicardsburg
(1813—1868)

**„Plan zur Erbauung Russischer, Dampf
und Wannenbäder in der L. f. Stadt Baden"**

Tuschfeder, aquarelliert; 74,3 × 43,8 cm
Bez. li. u.: am 20. Juny 1852; re. u.: Anton
Hantl Stadtbaumeister
RM TS B 1899

Die Russischen Dampf- und Wannenbäder wurden 1850 im Kurpark nach den
Plänen der Architekten Eduard van der
Nüll und August Sicard von Sicardsburg,
den Architekten des Mineralschwimm-
bades, errichtet. Zweifellos stammt auch
dieser Plan aus ihrem Atelier. Anton
Hantl, der schon 1850 verstorben war,
dürfte des öfteren Pläne, die im Zuge von
Bauführungen in seinen Besitz kamen,
zum Zweck des Eigentumsvermerks mit
seinem Namen bezeichnet haben.

Dieses Bauwerk steht gleichzeitig am
Ende der einen wie am Anfang der nächsten Epoche.

Schon 1832 wurde die Cholerakapelle in
gotischen Formen erbaut, mit dem 1848
vollendeten Mineralschwimmbad und in
den Dampf- und Wannenbädern ist der
Historismus in einer romantischen, orientalisierenden Spielart voll zum Durchbruch gelangt.

Lit.: ÖKT Baden, S. 175f.

Abb. S. 217

236

Franz Wolf (1795—1859)

Baden, Cholerakapelle (1831; erweitert 1847)

Pinselzeichnung, graue Tusche, laviert; 33,8 × 25,2 cm
Bez. o.: Kapelle Mariahilf im Helenenthale bey Baden. Gestiftet Anno $\overline{832}$ bey Veranlassung des zweyten Ausbruches der Cholera in Wien. Weiters ein Vermerk des Zensors Mayrhofer: Excudatur Wien 13. Nov. 1832
RM TS B 321

Diese, von dem Wiener Bürger und Hausbesitzer Karl Boldrini gemeinsam mit seiner Frau Elisabeth 1831 gestiftete Kapelle am Burgstallberg im Helenental ist das erste Zeugnis in Baden für den langsam immer stärker in den Vordergrund drängenden Historismus, der schließlich in der Jahrhundertmitte voll zum Durchbruch kommen wird.
Franz Wolf (1795—1859 Wien), Landschaftsmaler, war hauptsächlich als Lithograph, meist nach Vorlagen anderer Künstler, tätig und hielt aktuelle Ereignisse für das von ihm mitherausgegebene „Journal pittoresque" fest.
Gleichzeitig entstand Jakob Alts schöne Ölvedute mit dem Blick auf die Cholerakapelle (Österreichische Galerie, Wien).

Lit.: Emil Kaufmann, Die Kunst der Stadt Baden, Wien 1925, S. 80
Abb. S. 123

237

Unbekannter Zeichner

Baden, Luisenbrücke

Kat. Nr. 238

Plan mit Aufriß
Tuschfeder, Tusche, laviert; 72,5 × 51,6 cm
RM KS PST 3

Am 19. Oktober 1813 legte Erzherzog
Anton den Grundstein zum Bau dieser
Brücke über die Schwechat, die aus der
Stadt zum Kaffee Scheiner führte. Bei
ihrer Einweihung am 15. Juni 1815 stürzte
sie ein, wobei einige Personen Knochen-
brüche und Quetschungen erlitten.
Dieser Plan der Brücke, die von Franz
Egger gebaut wurde, zeigt ein kühnes, ele-
gantes Ingenieurbauwerk, die erste eiserne
Brücke in der Monarchie.
Abb. S. 34/35

238

Anton Köpp von Felsenthal (1766—1826)

**„Die eiserne, nachmahls eingestürzte
Brücke in Baden, V.U.W.W."**

Tuschfeder, aquarelliert; 47,5 × 33,0 cm
RM TS B 758

Nicht in Köpp von Felsenthals Radie-
rungsfolge „Historisch mahlerische Darstellungen von Österreich", 1814—1824,
aufgenommen.

Lit.: Ilse Friesen, Baden in alten Ansichten. In:
ÖZKD XXVII 1973, Heft 3/4, S. 181 ff.
Abb. S. 218

239

Unbekannter Autor

**„Gedichte bey Gelegenheit der feyerlichen
Legung des Grundsteins der eisernen
Brücke über den Aubach bey Baaden am
19. October 1813"**

Beigebunden eine Abschrift der „Inschrift
auf der in dem Grundstein der Brücke
über den Aubach zu Baaden gelegten
bleyernen Platte".
RM TB 215

240

Unbekannter Zeichner

**Baden, Antonsbrücke und Steg auf dem
Siebenfelderweg**

Plan mit Grundrissen, Aufrissen und
Schnitten
Tuschfeder, laviert; 69 × 43 cm RM TS
BPL 459

Der Auftrag zum Bau der Antonsbrücke,
die beim Urtelstein über die Schwechat
führte, ging von Erzherzog Anton aus,
nach dem sie auch benannt ist; 1813 war
sie fertiggestellt.

241

Andreas Heitzer

Baden, Kiosk im Kurpark

Grundriß, Schnitt und Ansicht
Bleistift, Tuschfeder; 36 × 48 cm

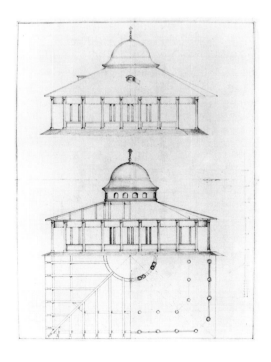

Sign. auf Rückseite: Andreas Heitzer bürgerl. Stadtzimmermeister
RM TS B 2631

Der Kiosk im Kurpark wurde 1800 von einer Gesellschaft von Badegästen nach den Plänen des Hofarchitekten Louis Montoyer (1749—1811) unter Anleitung des in Baden weilenden ottomanischen Gesandten erbaut. In der abgeschrägten Ecke unter dem Dach trug er die Inschrift „Von einer Gesellschaft dem Publikum gewidmet." Wegen Baufälligkeit wurde er schon 1853 abgebrochen.

Lit.: Hofer, Naturschönheiten und Kunstanlagen der Stadt Baden, S. 77 ff. — ÖKT Baden, S. 175. — Emil Kaufmann, Die Kunst der Stadt Baden, Wien 1925, S. 33. — Mario Schwarz, Architektur des Klassizismus und der Romantik in Niederösterreich, St. Pölten - Wien 1982, S. 46

242

Jakob Alt (1789—1872)

Der Kurpark mit dem Kiosk

Tuschfederzeichnung, aquarelliert; 41,4 × 27,2 cm
Vorzeichnung zur Umrißradierung von C. Beyer für Artaria, 1825
Bez. e. u.: Beyer v. D. sc
RM TS B 650

Lit.: Ilse Friesen, Baden in alten Ansichten. In: ÖZKD XXVII 1973, Heft 3/4, S. 181 ff.

243

Eduard Gurk (?) (1801—1841)

Baden, die Langschen Anlagen im Kurpark

Pinselzeichnung, 31,3 × 22,5 cm
Bez. Mi. u.: Aus den Langischen Anlagen im Parke zu Baden
RM TS B 673
Abb. S. 122

244

Eduard Gurk (?) (1801—1841)

Baden, die Langschen Anlagen im Kurpark

Pinselzeichnung, 31,3 × 23,0 cm
Bez. Mi. u.: Aus den Langischen Anlagen im Parke zu Baden
RM TS B 674

1807—1812 legte der Fabriksbesitzer Ignaz Gabriel Freiherr von Lang die umfangreichen Gartenanlagen auf dem Badener Kalvarienberg an. Mit ungeheuren Mitteln trotzte er auf den verwitterten, von Höhlen durchzogenen, kahlen Kalkfelsen der Natur einen Park ab. Er ließ Felsen sprengen, hölzerne, strohgedeckte Lusthäuser errichten, die Wege mit denen des Stadtparks verbinden und die Neuanlagen mit einer Mauer umgeben. Für die Anerkennung seiner großen Verdienste verlieh ihm die Stadt das Ehrenbürgerrecht, Lang starb 1820.

Lit.: ÖKT Baden, S. 175
Abb. S. 122

245

Lefebre

Baden, Villa der Gräfin Rzewuska, um 1816

Tuschfeder, aquarelliert; 54,7 × 37,7 cm
Bez. außerhalb der Zeichnung: Lefebre pinx. um 1816
RM TS B 813

Gräfin Rzewuskas Besitz lag in der Bergstraße, der heutigen Marchetstraße. Der Blick schweift über Schloß Weikersdorf ins Helenental bis zur Ruine Rauheneck.
Abb. S. 109

246

Unbekannter Zeichner

„Die Griechisch Brunstube auser der Dobellhofer Mühle"

Kat. Nr. 249

Feder, koloriert; 11,4 × 7,5 cm
RM TS B 1143

Die Zeichnung zeigt eine Quellfassung mit
der griechischen Aufschrift ANEXOY
KAI AΠEXOI; im Hintergrund sind die
Kapellen des Kalvarienberges zu erkennen.

Lit.: Uffingers „Gedenkbuch", Stadtarchiv Baden

247

Vinzenz Reim (1796—1858)

Das Schweizerhaus im Parke zu Baden

Umrißradierung, koloriert; 18,2 × 12,7 cm
Bez. re. u.: Reim del. & sc.
Nr. 86 aus der Serie „Städte und Orte der
österr. ungar. Monarchie"
RM TS B 1389

Das Schweizerhaus wurde 1813 auf Veranlassung von Erzherzog Anton in der Nähe
des Stadtparkes errichtet.

Lit.: Ilse Friesen, Baden in alten Ansichten. In:
ÖZKD XXVII 1973, Heft 3/4, S. 181 ff.

248

Thomas Ender (1793—1875)

**„Park in Baden — Parc à Baden près de
Vienne"**

Hauptallee im Kurpark mit dem Äskulaptempel und dem Kiosk
Umrißradierung, koloriert; 23 × 17 cm
Nr. 36 der bei Artaria erschienenen Stichfolge „Collection des Vues, Monumens
. . . de Vienne et des Ses Envidons"
RM TS B 670

221

Kat. Nr. 250

Der Stich, der nach der Vorlage Thomas Enders entstand, stellt den Kurpark mit dem Kiosk und dem Äskulaptempel dar, der 1876 versetzt und restauriert worden ist.

249

Baden, Äskulaptempel im Kurpark

Foto, um 1920
Archiv Kräftner

Der Äskulaptempel wurde 1798 nach den Angaben des Kamillo Grafen Lamberti als Geschenk Kaiser Franz I. an die Stadt Baden erbaut; 1876 wurde er versetzt und restauriert. Ursprünglich bildete er den Abschluß der Hauptallee des Parkes.

Lit.: ÖKT Baden, S. 175 f.
Abb. S. 121

250

Baden, Tempel im Garten des Hauses Breyergasse 5

Foto, um 1900; abgebrochen
Archiv Kräftner

Dieses um 1810 von Anton Hantl erbaute Gartenhaus legte bis zu seiner Zerstörung Zeugnis von jener noblen Gesinnung ab, die auch die Gärten der Privathäuser eroberte. Es wurde von Anton Hantl errichtet und war reich mit antikisierenden Zierformen geschmückt. Korinthische Pilaster, Medaillons mit Porträtköpfen, ein Puttenrelief über der Türe, ein Palmettenfries an der Seitenwand zeugen von der Vorliebe der Zeit für die wiederauferstandene Kultur der Antike.

Lit.: ÖKT Baden, S. 158
Abb. S. 122

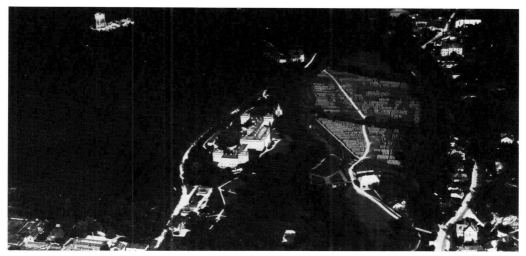

Baden, Weilburg. Luftaufnahme, um 1930

Baden, Weilburg. Blick auf die Nordfront, um 1920

251

Joseph Kornhäusel (1782—1860)

Weilburg, Grundriß des Erdgeschoßes

Tuschfeder, Tusche, laviert; 61,3 × 43,2 cm
Sign. li. u. Joseph Kornhäusel
Wien, Albertina
Arch. Z. 2/4/15, Inv. Nr. 5852

252

Joseph Kornhäusel (1782—1860)

Weilburg, Grundriß des Hauptgeschoßes

Tuschfeder, Tusche, laviert; 61,3 × 43,2 cm
Sign. li. u. Joseph Kornhäusel
Wien, Albertina
Arch. Z. 2/4/16 Inv. Nr. 5853

Kat. Nr. 262

Die weitläufige Schloßanlage wurde von Erzherzog Karl für seine junge Gemahlin Henriette von Nassau-Weilburg am Abhang einer Anhöhe im Helenental von 1820—1823 errichtet.

Am 29. August 1820 legte Kornhäusel die Pläne vor, am 13. September des Jahres fand die Grundsteinlegung statt und im Herbst 1821 stand bereits der Rohbau. Im Juni 1823 bezogen der Erzherzog und seine Gattin das Schloß. Die Zufahrt liegt an der Berg-(Süd)Seite, wo Kornhäusel einen von einem eingeschoßigen Dienertrakt und hohen Eisengittern abgeschlossenen Ehrenhof ausbildet. Die Hauptfront des Schlosses (Nordfront) schaut ins Tal und ist um ein Geschoß höher. Der mittlere Hauptbau ist dreigeschoßig und besitzt einen repräsentativen zweigeschoßigen Säulenportikus. An diesen Mittelbau schließen sich an der Hauptfront zweigeschoßige Flügelbauten an, die durch von Türmen akzentuierte Flankenbauten aufgefangen werden. Ihnen sind U-förmige, an der Hauptfront eingeschoßige Stalltrakte angeschlossen, die den Baukörper komplettieren.

Der Hauptbau nimmt in seinem Mittelteil den zentralen Eingang, das Stiegenhaus und den großen Salon ein.

Lit.: ÖKT Baden, S. 120 ff. — Emil Kaufmann, Die Kunst der Stadt Baden, Wien 1925, S. 45 ff. — Emil Kaufmann, Architecture in the Age of Reason Cambridge/Mass. 1955, S. 117. — Hedwig Herzmansky, Joseph Kornhäusel, Wien 1964, S. 135 ff. — Mario Schwarz, Architektur des Klassizismus und der Romantik in Niederösterreich, St. Pölten - Wien 1982, S. 46 ff. — Johann Kräftner, Joseph Kornhäusel. In: Parnass 3/1987, S. 50 ff., Abb.

253

Joseph Kornhäusel (1782—1860)

Weilburg, Aufriß der Nordfront

Tuschfeder, Aquarell; 86 × 57 cm
Wien, Albertina
Arch. Z. 2/6/22, Inv. Nr. 5872
Abb. S. 91

Kat. Nr. 264

254

Joseph Kornhäusel (1782—1860)

Weilburg, Aufriß der Südfront

Tuschfeder, laviert; 86,3 × 57,4 cm
Wien, Albertina
Arch. Z. 2/6/23, Inv. Nr. 5873

Diese beiden Präsentationszeichnungen
der Hauptfassade zeigen der endgültigen
Version vorangehende Entwurfsvarianten.
Der Mittelrisalit an der Nordseite ist noch
kürzer und besitzt eine dreiarmige Trep-
penanlage zum Portikus, in der Mitte der
Südseite liegt ein durchgehender zylindri-
scher Baukörper.

Lit.: Siehe Kat. Nr. 251
Abb. S. 91

255

Joseph Kornhäusel (1782—1860)

Weilburg, Grundriß des Erdgeschoßes

Tuschfeder, laviert; 202,5 × 61,2 cm
Wien, Albertina
Arch. Z. 2/3/9 Inv. Nr. 5846
Abb. S. 96/97

256

Joseph Kornhäusel (1782—1860)

Weilburg, Aufriß der Nordfront

Tuschfeder und Bleistift, laviert;
296,5 × 43,0 cm
Wien, Albertina
Arch. Z. 2/6/21 Inv. Nr. 5858

Diese beiden Werkrisse des Erdgeschoßes
und der Nordfront liegen dem ausgeführten Projekt zugrunde. Dem fünfzehn-
achsigen Mittelrisalit ist ein siebenach-
siger Portikus vorgelagert, der vom Garten
aus über eine zweiläufige Treppe zu erreichen ist. In deren Mitte liegt jene Nische,
in der sich Kliebers Wasserspeier be-
funden hat.

Lit.: Siehe Kat. Nr. 251
Abb. S. 96/97

Kat. Nr. 260

257

Joseph Kornhäusel (1782—1860)

Weilburg, Werksatz für die Dachstühle

Tuschfeder, laviert; 89 × 59 cm
Wien, Albertina
Arch. Z. 2/1/5 Inv. Nr. 5842

Von der Fülle der am Anfang unseres
Jahrhunderts noch vorhandenen Detail-
und Ausstattungsplänen haben sich nur
mehr einige Blätter im Besitz der Albertina erhalten, zu denen auch dieser kom-
plette Werksatz für die Dachstühle zählt.

Lit.: Siehe Kat. Nr. 251

258

Joseph Kornhäusel (1782—1860)

Weilburg, Aufriß der Kavalierhäuser

Tuschfeder, laviert; 61 × 43 cm
Wien, Albertina
Arch. Z. 2/8/27 Inv. Nr. 5862

Diese beiden Kavalierhäuser sind der einzige Teil des Gesamtkomplexes der Weilburg, der heute noch — wenn auch stark
fragmentiert und entstellt — erhalten ist.
Sie standen an der östlichen Zufahrts-
straße zur Weilburg (heute Weilburgstraße
32 und 34) und waren ursprünglich durch
einen eingeschoßigen Wirtschaftstrakt verbunden.
Bei jedem der Häuser überragt ein einach-
siger, schwach vorspringender, von einem
Dreiecksgiebel bekrönter Mittelrisalit die
zweiachsigen Rücklagen der Hauptfront.
Durch die durchgehende Nutung werden
die Risalite zusätzlich betont und ergeben
zusammen mit dem akzentuierten mittleren Einfahrtstor des Wirtschaftstraktes
einen dreiachsigen Rhythmus. Im Gegen-

Kat. Nr. 265

satz zu dieser reichen Gliederung der
Hauptfront sind die Seitenfronten deutlich sparsamer behandelt und fensterlos.

Lit.: Siehe Kat. Nr. 251
Abb. S. 93

259

Franziszeischer Kataster

Ergänzungsblatt mit der Weilburg und
dem Sauerhof, 1830
Tuschfeder, laviert; 70,7 × 57,7 cm
Wien, Bundesamt für Eich- und Vermessungswesen, Katasterkartographie

War die Aufnahme des ersten flächendek-
kenden Katasters für Baden und Rauhenstein bereits 1819 abgeschlossen, wurden
auf einem Nachtragsblatt die weitläufigen
Projekte der Weilburg und des Sauerhofes
1830 ergänzt.

Die Weilburg setzt sich aus dem Haupt-
schloß und dem ihm gegenüberliegenden
Nebengebäude, die den Ehrenhof um-
schließen, und den im Osten an der Zufahrt liegenden Kavalierhäusern zusammen. Im Nordosten, an der Schwechat, befindet sich das bald verschwundene hölzerne Schwimmbad, das uns nur
durch ein Foto einer Skizze Kliebers
(Kat. Nr. 267) überliefert ist.

260

Rudolf von Alt (1812—1905)

Schloß Weilburg bei Baden

Blick auf die Nordfront
Bleistiftskizze; 45 × 30 cm
Bez.: R. Alt
Beschriftet rückseitig: Nachlaß Rud. v.

227

Kat. Nr. 263

Alt. 154.
RM TS B 201

Lit.: ÖKT Baden, S. 184, Nr. 6
Abb. S. 266

261

Jakob Alt (1789—1872)

Schloß Weilburg bei Baden

Aquarell; 26,5 × 40,0 cm
Bez.: J. Alt. 1822
RM TS B 1

Jakob Alt, der schon 1811 im Helenental
aquarellierte, schuf 1822 diese fein ausge-
arbeitete Weilburg-Ansicht als Vorlage für
einen Stich, der in der großen Artaria-
Serie erschien (Schloss Weilburg bey
Baden, Nr. 65).

Lit.: ÖKT Baden, S. 184, Nr. 3. — Ilse Friesen,
Baden in alten Ansichen. In: ÖZKD XVIII 1973,
Heft 3/4, S. 181 ff., Abb. 192

262

Baden, Weilburg

Blick auf die Nordfront, um 1920
ÖNB, Bildarchiv
Abb. S. 224

263

Baden, Weilburg

Blick auf die 1945 zerstörte Nordfront, um
1960
RM, Fotosammlung
Abb. S. 228

264

Baden, Weilburg

Blick auf die Südfront, um 1920
ÖNB, Bildarchiv
Abb. S. 225

265

Baden, Weilburg

Blick von erhöhtem Standpunkt auf die
Südfront, um 1890
RM, Fotosammlung
Abb. S. 227

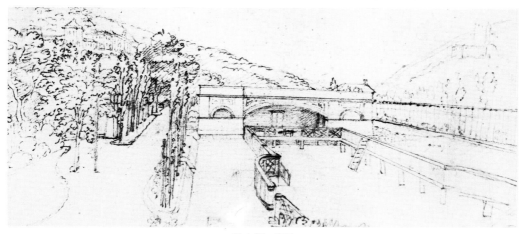

Kat. Nr. 267

266

Joseph Klieber (1773—1850)

Blick auf die Weilburg von Nordwesten

Aquarell; 25,0 × 18,7 cm
Sign. re. u.: Jos. Klieber Director
RM TS B 197

267

Joseph Klieber (1773—1850)

Blick auf das Bad der Weilburg

Das Hauptgebäude links im Hintergrund.
Foto nach einem Blatt aus dem verschol-
lenen Skizzenbuch des Rollett-Museums,
von W. Georg Rizzi freundlicherweise zur
Verfügung gestellt
Archiv Rizzi
Abb. S. 229

268

Joseph Danhauser (1805—1845)

Joseph Klieber (1773—1850)

Stahlstich, 1837
18,3 × 24,0 cm
Bez.: Jos. Danhauser del. Fr. Stöber sc.
RM KS P 111

Joseph Klieber wurde am 1. 11. 1773 in
Innsbruck als Sohn des Hofbildhauers
Urban Klieber geboren. 1792 kommt er

229

Kat. Nr. 69

nach Wien, muß sich hier mit untergeordneten Arbeiten sein Geld verdienen und
besucht am Abend die Akademie. Über
die nächsten zwei Jahrzehnte seiner Laufbahn wissen wir nur sehr wenig: 1799 heiratete er, von 1813 datiet ein von der Akademie ausgestelltes Zeugnis. 1815 unter-
fertigt er eine Rechnung für die Reliefs am
Rathausneubau in Baden mit „Jos.
Kleiber, hiesiger bürgerl. u. Staadt Steinmetzmeister" (Kat. Nr. 174). 1819 wird er
in den Protokollen zum Kataster auch als
Hausbesitzer in Baden (Freyungsgasse;
heute Bahngasse Nr. 15) ausgewiesen.
1814 wird er an der Akademie zum provisorischen Leiter, am 10. Mai 1815 zum de-
finitiven Leiter der Graveurschule bestellt.
Am 11. Jänner 1850 stirbt er in Wien.

Lit.: Anselm Weißenhofer, Josef Klieber, Wien
1918. — Hildegard Schmid, Josef Klieber, Wien
1987
Abb. S. 229

269

Joseph Klieber (1773—1850)

**Entwurfsskizze zum Wasserspeier der Weil-
burg, um 1822**

Tuschfeder, aquarelliert; 47 × 30 cm
Sign. am Felsen r.: Jos. Klieber
Wien, Albertina Inv. Nr. 29077 a

Lit.: Hildegard Schmid, Josef Klieber, Wien 1987,
S. 296
Abb. S. 230

270

Joseph Klieber (1773—1850)

**Alternativskizze zum Wasserspeier der
Weilburg, um 1822**

Tuschfeder; 47,5 × 31,0 cm
Wien, Albertina Inv. Nr. 5603

Lit.: Hildegard Schmid, Josef Klieber, Wien 1987,
S. 297

Kat. Nr. 271

Kat. Nr. 272

231

Kat. Nr. 273

Kat. Nr. 275

Kat. Nr. 276

271

Joseph Klieber (1773—1850)

Skizze zur Wappenbekrönung der Weilburg, um 1822

Foto nach dem verlorengegangenen Original
ÖNB, Bildarchiv

Lit.: Hildegard Schmid, Josef Klieber, Wien 1987, S. 294 f.

Abb. S. 231

272

Joseph Klieber (1773—1850)

Skizze zur Uhr auf der Südfront der Weilburg, um 1822

Foto nach dem verlorengegangenen Original
ÖNB, Bildarchiv

Lit.: Hildegard Schmid, Josef Klieber, Wien 1987, S. 298

Abb. S. 231

273

Joseph Klieber (1773—1850)

Entwurfsskizze zur Gruppe Flora und Zephyr im Vestibül der Weilburg, um 1821

Foto nach dem verlorengegangenen Original
ÖNB, Bildarchiv

Lit.: Hildegard Schmid, Josef Klieber, Wien 1987, S. 349 f.

Abb. S. 232

274

Joseph Klieber (1773—1850)

Entwurf für eine Leuchtergruppe im Vestibül der Weilburg, um 1821

Pinselzeichnung, laviert, Tuschfeder;
32,1 × 53,8 cm
Sign.: Jos = Klieber

NÖ Landesmuseum, Inv. Nr. 6086

Lit.: Hildegard Schmid, Josef Klieber, Wien 1987, S. 350

Abb. S. 236

275

Joseph Klieber (1773—1850)

Gruppe Flora und Zephyr aus dem Vestibül der Weilburg, um 1822

Loretto-Sandstein; H: 193 cm
Baden, Kongreßhaus

Lit.: ÖKT Baden, S. 123, 137, Fig. 185. — Hildegard Schmid, Josef Klieber, Wien 1987, S. 349 f. — Johann Kräftner, Joseph Kornhäusel. In: Parnass, Heft 3/1987, S. 50 ff.

Abb. S. 233

276

Joseph Klieber (1773—1850)

Drei Köpfe von Laternenträgerinnen aus dem Vestibül der Weilburg, um 1822

Loretto-Sandstein; H: 18 cm
Baden, Privatbesitz

Von der plastischen Ausstattung des Vestibüls konnte nur die 1823 bereits zur Aufstellung gelangte Gruppe „Flora und Zephyr" gerettet werden, während von den beiden Gruppen der Laternenträgerinnen lediglich drei Köpfe erhalten sind.

Lit.: ÖKT Baden, S. 123, 137, Fig. 185. — Hildegard Schmid, Josef Klieber, Wien 1987, S. 350 f. — Johann Kräftner, Joseph Kornhäusel. In: Archives d'Architecture moderne, Nr. 37 — 1988, S. 16 ff., Abb.

Abb. S. 234

277

Baden, Weilburg

Blick in das Vestibül

In der Mitte die Statue der Flora und des Zephyr, links und rechts die Laternenträgerinnen von Klieber

Kat. Nr. 274

Josef Klieber, Laternenträgerinnen im Vestibül der Weilburg

Foto, um 1920
ÖNB, Bildarchiv

Lit.: ÖKT Baden, S. 133 f., Fig. 185
Abb. S. 92

278

Joseph Klieber (1773—1850)

Entwürfe zur Wappenbekrönung und zum Wasserspeier der Weilburg

Lithographie, 54,5 × 76,4 cm
Bez.: Lithographiert von Joh. Schindler/ ged. im Lithographischen Institut in Wien
RM TS B, 1746

Lit.: Hildegard Schmid, Josef Klieber, Wien 1987, S. 296

279

Joseph Klieber (1773—1850)

Graf Rudolf Wrbna Freudenthal (1761—1823)

Büste, um 1814
Marmor; H: 58 cm
RM KS PST 9

Die Büste zeigt Graf Rudolf Wrbna Freudenthal, Hofkommissar, Freund und Berater Kaiser Franz I., in Imperatorentracht. Bis vor kurze Zeit wurde sie für eine Büste des Kaisers selbst gehalten.

Lit.: Hildegard Schmid, Josef Klieber, Wien 1987, S. 363

Kat. Nr. 280

280

Joseph Klieber (1773—1850)

Lagernder Äskulap, daneben Putto mit einer Phiole

Relief aus Loretto-Sandstein; 110 × 85 cm
RM KS PST 13
Abb. S. 238

281

Joseph Klieber (1773—1850)

Lagernde Hygieia, daneben Putto, der am Apothekerherd ein Kochgefäß übers Feuer hält

Relief aus Loretto-Sandstein; 112 × 83 cm
RM KS PST 12

Beide Reliefs entstammen dem Haus der ehemaligen Landschaftsapotheke (heute Hauptplatz 2), als 1812 ein Stockwerk aufgesetzt worden ist. 1879 wurden die Reliefs anläßlich eines Umbaues entfernt und gelangten 1891 ins Rollett-Museum.

Lit.: ÖKT Baden, S. 180, Fig. 248, 249. — Hildegard Schmid, Josef Kornhäusel, Wien 1987, S. 252f.

282

Pompeo Marchesi (1789—1856)

Kaiser Franz I. (1768—1835)

Büste, weißer Marmor; H: 118 cm
Bez.: P. Marchesi, F. 1816, Milano
NÖ Landesmuseum, Inv. Nr. 3957

Diese Büste widmeten die Stände Niederösterreichs dem Kaiser nach den Befreiungskriegen. Die ursprüngliche dazugehörige Marmorplatte mit der von dem ständischen Verordneten Max Grafen von Cavriani verfaßten Inschrift:

Franz I., Kaiser von Österreich!
Ruhe gabst Du, Friede und Einigkeit
Allen Völkern, Deinem Staate.
Niederösterreiches freie Stände
Zollen Dir dafür in Bilde
Ihre ewige Dankbarkeit.
MDCCLXVI
Als Herr Josef Graf von Dietrichstein
Landmarschall gewesen

ist verschollen. Zuerst in einer Nische in der Herrenstube aufgestellt, kam die Büste beim Umbau des Landhauses in das Archiv. Heute steht sie im Marmorsaal des Regierungsgebäudes der NÖ. Landesregierung.

Lit.: Kat. Barock und Biedermeier im nö. Donauland, 1969, Nr. 119, Abb. 37

283

Elias Hütter (?)

Erzherzog Anton

Biskuittbüste auf glasiertem, blauem Sockel
Wiener Porzellanmanufaktur, 1819
Wiener Blindmarke und Modelleurzeichen F. (Elias Hütter?), am Sockel Wiener Blaumarke, 1819, und Malernummer 53
H: 46 cm
RM

Lit.: ÖKT Baden, S. 188, Nr. 2

284

Gemmenpasten

Schwefel und Gips, in Kasetten in Buchform
21,0 × 33,3 cm
RM

Der Bestand setzt sich aus den Sammlungen Cades, Dehn-Dolce, Heß, Lippert, Antonio Pichler, Giovanni Pichler und Luigi Pichler zusammen.

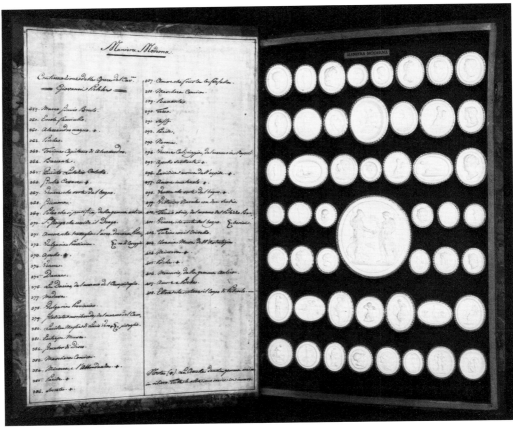

Kat. Nr. 284

Luigi Pichler war 1819, nachdem er sich bereits 1816 beworben und 1819 abgewiesen worden war, durch Franz I. als Lehrer im Medaillenschneiden an die Akademie berufen worden. Pichler lieh anfänglich den Schülern seine eigenen Abgüsse, 1825 verlangte er dann den Ankauf seiner eigenen Sammlung für den Unterricht durch die Akademie. Eine Kommission des akademischen Rates lehnte jedoch den Ankauf der sehr teuren Sammlung ab.

Lit.: ÖKT Baden, S. 179. — Walter Wagner, Die Geschichte der Akademie der bildenden Künste in Wien, Wien 1967, S. 91f.

Abb. S. 240

285

Mädchenfigur in antikisierendem Gewand

Aus der Brausewetterschen Fabrik, um 1848
H: 140 cm
RM

Viktor Brausewetter war technischer Leiter und Gesellschafter der Doblhoffschen k. k. priv. Tonwarenfabrik in Wagram bei Leobersdorf. Der gebürtige Ostpreuße, am 26. Juni 1813 geboren, hatte Freiherrn von Doblhoff, der die seit 1825 bestehende Wagramer Fabrik seit 1839 besaß, während einer Reise Richtung Italien in Wien kennengelernt. Viktor Brausewetter wurde sein Kompagnon und kaufte ihm den Betrieb 1843 ab. Zu diesem Zeitpunkt begann der Ruhm der Wagramer Fabrik. Als günstig erwies sich, daß der als Grundmaterial benötigte, im gebrannten Zustand lichtrosafarbige Ton in der Nähe von Wagram gewonnen werden konnte. Die daraus hergestellten Baumaterialien, Dekorteile und Plastiken waren von höchster Qualität und wurden von den ersten Architekten Wiens verwendet.

Die Terrakottafiguren wurden zum Teil nach antiken Vorbildern, zum Teil nach Entwürfen von Zeitgenossen — unter ihnen Canova, Thorwaldsen, Meixner und Fernkorn — produziert. In der Fabrik fertigten Modelleure Gipsformen an, mit deren Hilfe die Plastiken vervielfältigt wurden.

Lit.: Karin Zima, Baudekor des Historismus — eine niederösterreichische Tonwarenfabrik. In: Die großen Architekten der Ringstraßenzeit, ihre Vorläufer und Nachfahren auf dem Lande. Katalog der Ausstellung in Bad Vöslau 1986, S. 45 ff.

286

Baden, Weilburg

Entwurf zur Wanddekoration des großen Salons

Foto nach einer verlorengegangenen Gouache
ÖNB, Bildarchiv
Abb. S. 94

287

Baden, Weilburg

Entwurf zur Deckendekoration des großen Salons

Foto nach einer verlorengegangenen Gouache
ÖNB, Bildarchiv

288

Baden, Weilburg

Blick in den großen Salon, um 1920

ÖNB, Bildarchiv

Nach den 1924 noch komplett erhaltenen, heute verlorenen Abrechnungen wurden die Wanddekorationen von Johann Bschaidner (Rechnung vom 10. Dezember 1822) ausgeführt. Im ursprünglichen „Speiß Sall" war „sambt den Blafon alles in Lüla-grauer Farben mit verschüdenen abwexleten Verzürungen sambt Sieben Barelefs mit Bachanalichen Gegenständen" ausgemalt.

Die Einrichtung stammte aus der Fabrik Joseph Danhausers und war in den Abrechnungen ebenfalls minutiös belegt.

Lit.: ÖKT Baden, S. 120 f.
Abb. S. 94

289

Baden, Weilburg

Entwurf zu einer nicht näher bestimmbaren Wanddekoration

Mit Pilastergliederung und zum Teil figurativ dekorierten Lünettenfeldern (Alternative zum Großen Salon?)
Foto nach einer verlorengegangenen Gouache
ÖNB, Bildarchiv
Abb. S. 242

290

Baden Weilburg

Entwurf zu einer nicht näher bestimmbaren Wanddekoration mit Kanapee und Fouteuil

Foto nach einer verlorengegangenen Gouache
ÖNB, Bildarchiv
Abb. S. 242

Kat. Nr. 290

291

Baden, Weilburg

Entwurf zu einer Wanddekoration

Mit halbrund aus der Wand hervortre-
tendem Alkoven und Statue (Schlafzimmer der Erzherzogin, Hebe von
Klieber?)
In den Abrechnungen des Johann
Bschaidner von 10. 12. 1822 beschrieben
mit „die Wänth grien, den Blafon mit
grauen Verzürungen unter dem Gesimß
eine Blumen Verzürung, sambt zwei collo-
rirten supraborten figuralisch". In der Abrechnung des Joseph Danhauser wird der
Raum ebenfalls erwähnt: „In die Alkoven.
Einen Kranz von Mahygony ... in diesen
Kranz die Vorhänge von grünen Semlin
mit violetfarben Verzierungen und
Fransen, ..."

Lit.: ÖKT Baden, S. 120 f.
Abb. S. 243

292

Baden, Weilburg

**Blick in einen noch mit Originalmobiliar
ausgestatteten Raum, am Boden ein Tep-
pich der Linzer Wollzeugfabrik (?)**

Um 1920
ÖNB, Bildarchiv

Lit.: ÖKT Baden, S. 120 ff.

293

Baden, Weilburg

**Blick in einen noch mit Originalmobiliar
ausgestatteten Raum, am Boden ein Tep-
pich der Linzer Wollzeugfabrik (?)**

Um 1920
ÖNB, Bildarchiv

Lit.: ÖKT Baden, S. 120 ff.
Abb. S. 244

Kat. Nr. 291

294

Franz Heinrich (1802—1890)

Schlafzimmer Erzherzog Karls in der Weilburg, um 1846

Bleistift, aquarelliert; 32,3 × 24,0 cm
RM TS B 210

Außer durch dieses Aquarell ist uns das Schlafzimmer Erzherzog Karls auch in den Abrechnungen des Malers Johann Bschaidner und denen der Danhauserschen Möbelfabrik in Teilen seiner Einrichtung überliefert.

Lit.: ÖKT Baden, S. 120ff., Fig. 255. — Johann Kräftner, Bummelmeiers Zuhause — Wohnen im Biedermeier. In: Parnass Sonderheft 4, Linz 1987, S. 14ff., Abb. — Bürgersinn und Aufbegehren, Biedermeier und Vormärz in Wien 1815—1848, Wien 1987, Kat. Nr. 8/108

Abb. S. 93

243

Kat. Nr. 293

295

Raimund Mössmer

**Saloninterieur im Schloß Weilburg, um
1868**

Auarell und Deckweiß auf Karton;
43,5 × 33,5 cm
Unbezeichnet
NÖ Landesmuseum, Inv. Nr. A 33/79
Vgl. Kat. Nr. 295

296

Raimund Mössmer

**Saloninterieur im Schloß Weilburg, um
1868**

Aquarell und Deckweiß auf Karton;
43,3 × 33,3 cm
Unbezeichnet
NÖ Landesmuseum, Inv. Nr. A 31/79

Das NÖ Landesmuseum verwahrt 5 Aquarelle von Interieurs aus der Weilburg von
Raimund Mössmer (Inv. Nr. 294), von
denen eines mit „Mößmer 1868" bezeichnet ist. Die Annahme, daß diese
Blätter Interieurs aus der Weilburg dar-
stellen, konnte inzwischen erhärtet werden
(ehem. Besitz Fürst Ferdinand Trautt-
mansdorff). Zum Teil zeigen die Aquarelle noch jenes exquisite Mobiliar, wie es
für die Weilburg typisch gewesen war.

297

Josef Danhauser (1805—1845)

Totenmaske

Foto
Wien, Privatbesitz

Die Danhausersche Möbelfabrik hatte
1807 mit der Erzeugung vergoldeter, ver-

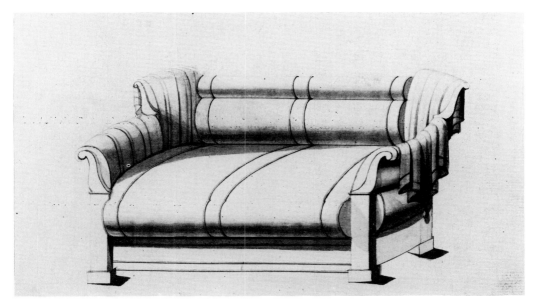

Kat. Nr. 302

silberter und bonzierter plastischer Gegenstände begonnen. Der Fabriksgründer, Joseph Ulrich Danhauser, erhielt 1808 das „k. k. Landesfabriks-Privilegium" für eine Produktionspalette, die auch plastische Dekorationselemente und Beleuchtungskörper umfaßte. Mit der Verleihung der Landesfabriksbefugnis „auf die Verfertigung aller Gattungen Möbel" im Jahre 1814 konnte das Unternehmen expandieren und sich mit sämtlichen Bereichen der Innenausstattung auseinandersetzen, die es schließlich mit seiner Produktpalette vollständig abdecken konnte.

Seit 1825 war die Fabrik im Karolyschen Palais auf der Wieden untergebracht, wo es Werkstätten für Drechslerei, Schlosserei, Gürtlerei, Tapeziererei, Schneiderei, Vergolderei, Bildhauerei, Gipsgießerei und schließlich Tischlerei gab. Verkauft wurde mit einem Katalog, der laufend ergänzt wurde. Die Ausstattung der Albertina und der Weilburg, ungefähr gleichzeitig 1822/23, zählten zu den größten Aufträgen im Inland.

Nach dem plötzlichen Tod von Joseph Ulrich Danhauser am 9. Jänner 1829 mußte Josef Danhauser die Leitung des schwer verschuldeten väterlichen Betriebes übernehmen. Gewisse Änderungen — Tendenzen der Zeit entsprechend — werden spürbar, die Möbel werden schlanker, Danhausers Möbelentwürfe sind die frühesten Quellen für das Wiederauftauchen des zweiten Rokoko. Auch das Verhältnis der Einrichtungsgegenstände zum Innenraum ändert sich. Waren um 1800 die Möbel noch ausschließlich an die Zimmerwände und ihre Dekoration gebunden, wandern sie jetzt immer mehr in den Raum hinein, den sie zusehends füllen. 1839 endet Danhausers Tätigkeit als Möbelproduzent durch den Konkurs der Fabrik.

Lit.: Christian Witt-Döring, die Danhausersche Möbelfabrik unter Joseph Danhauser. In: Veronika Birke, Josef Danhauser, Wien 1983, S. 143 ff. — Johann Kräftner, Handwerk mit Zukunft. Die Möbelfabrik des Josef Danhauser in Wien. In: Das wilde Biedermeier, Parnass-Sonderheft 4, Linz 1987, S. 36

Abb. S. 8

Kat. Nr. 316

Entwürfe aus der Danhauserschen Möbelfabrik, nach 1820:

298

Entwurf für „Ganze Draperi N° 39"

Bleistift und Feder, grau laviert;
27,0 × 21,1 cm
Wien, Österreichisches Museum für angewandte Kunst
Inv. Nr. XVIII Z 155

299

Entwurf für „Ganze Draperi N° 46"

Bleistift und Feder, grau laviert;
27,0 × 21,2 cm
Wien, Österreichisches Museum für angewandte Kunst, Inv. Nr. XVIII Z 162

300

Entwurf für ein Kanapee

Bleistift und Feder, grau laviert;
25,6 × 20,3 cm
Wien, Österreichisches Museum für angewandte Kunst
Inv. Nr. XVIII Z 316

301

Entwurf für ein Kanapee

Bleistift und Feder, aquarelliert;
25,8 × 20,6 cm
Wien, Österreichisches Museum für ange-
wandte Kunst
Inv. Nr. XVIII Z 319
Abb. S. 302

302

Entwurf für „Canapee N° 29"

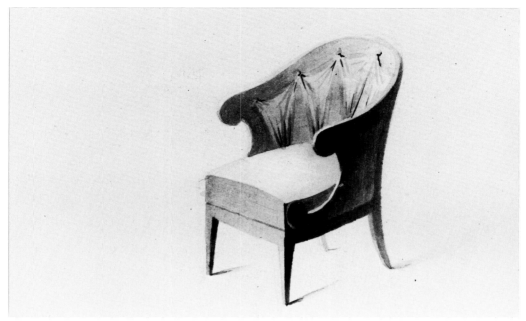

Kat. Nr. 305

Bleistift und Feder, grau laviert;
24,2 × 18,6 cm
Wien, Österreichisches Museum für ange-
wandte Kunst
Inv. Nr. XVIII Z 584
Abb. S. 245

303

Entwurf für „Bett N⁰ 26"

Bleistift und Feder, grau laviert;
27,0 × 21,4 cm
Wien, Österreichisches Museum für angewandte Kunst
Inv. Nr. XVIII Z 356

304

Entwurf für „Canape N⁰ 41"

Bleistft und Feder, grau laviert;
24 × 19 cm

Wien, Österreichisches Museum für ange-
wandte Kunst
Inv. Nr. XVIII Z 598
Abb. S. 22

305

Entwurf für „Fauteuils N⁰ 26"

Bleistift und Feder, grau laviert;
27,0 × 21,3 cm
Wien, Österreichisches Museum für ange-
wandte Kunst
Inv. Nr. XVIII Z 685
Abb. S. 47

306

Entwurf für „Chiffoniaire N⁰ 12"

Bleistift und Feder, grau laviert;
25,3 × 20,6 cm
Wien, Österreichisches Museum für angewandte Kunst
Inv. Nr. XVIII Z 1069

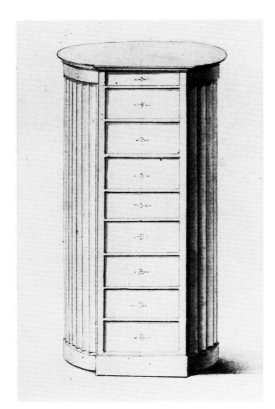

Kat. Nr. 307

307

Entwurf für „Chiffoniaire N° 16"

Bleistift und Feder, grau laviert;
27,0 × 21,1 cm
Wien, Österreichisches Museum für ange-
wandte Kunst
Inv. Nr. XVIII Z 1073
Abb. S. 248

308

Entwurf für „Chiffoniaire N° 17"

Bleistift und Feder, grau laviert;
27,0 × 21,3 cm
Wien, Österreichisches Museum für ange-
wandte Kunst
Inv. Nr. XVIII Z 1074
Abb. S. 249

309

Entwurf für „Bibliotheque N° 16"

Bleistift und Feder, grau laviert;
24,0 × 19,1 cm
Wien, Österreichisches Museum für angewandte Kunst
Inv. Nr. XVIII Z 1121

310

Entwurf für „Nachtkastel N° 20"

Bleistift und Feder, grau laviert;
24,4 × 19,4 cm
Wien, Österreichisches Museum für angewandte Kunst
Inv. Nr. XVIII Z 1168

311

Entwurf zu „Wäschekorb N° 2"

Bleistift und Feder, grau laviert;
27,0 × 21,4 cm
Wien, Österreichisches Museum für angewandte Kunst
Inv. Nr. XVIII Z 1223

312

Entwurf zu „Trumeau N° 37"

Bleistift und Feder, grau laviert;
19,1 × 24,3 cm
Wien, Österreichisches Museum für angewandte Kunst
Inv. Nr. XVIII Z 1263

313

Entwurf zu „Servant N° 22"

Bleistift und Feder, grau laviert;
26,7 × 21,6 cm
Wien, Österreichisches Museum für angewandte Kunst
Inv. Nr. XVIII Z 1344

Kat. Nr. 308

314

Entwurf zu „Servant N° 33"

Feder, grau laviert; 27,9 × 21,1 cm
Wien, Österreichisches Museum für ange-
wandte Kunst
Inv. Nr. XVIII Z 1369
Abb. S. 17

315

Entwurf zu „Nottenstelle N° 10"

Bleistift und Feder, grau laviert;
27,2 × 21,4 cm
Wien, Österreichisches Museum für ange-
wandte Kunst
Inv. Nr. XVIII Z 1420
Abb. S. 18

316

Entwurf zu „Canapeetisch N° 30"

Feder, grau laviert; 26,7 × 21,4 cm
Wien, Österreichisches Museum für ange-
wandte Kunst
Inv. Nr. XVIII Z 1935
Abb. S. 246

317

Entwurf zu „Theetisch N° 34"

Feder, grau laviert; 22,2 × 18,8 cm
Wien, Österreichisches Museum für ange-
wandte Kunst
Inv. Nr. XVIII Z 1998
Abb. S. 20

Ein Großteil der rund 2000 Zeichnungen der Danhauserschen Möbelfabrik, die sich im Museum für angewandte Kunst in Wien erhalten haben, trägt eine Typenbezeichnung und eine Modellnummer. Dieser Umstand legt die Annahme nahe, daß es sich dabei um eine frühes Beispiel eines Sortimentskataloges einer Fabrik handelt. Das große Spektrum des Anbots dieser Fabrik konnte einen Großteil der in einem Haushalt notwendigen Einrichtungs- und Ausstattungsgegenstände abdecken.

Teilweise tragen diese Zeichnungen auch Hinweise auf die Kunden. Einer der größten Auftraggeber dürfte Erzherzog Karl gewesen sein, der sowohl sein Wiener Stadtpalais (Albertina) als auch die Weilburg in Baden 1822/23 mit diesen Möbeln einrichtete. So sind diese Einrichtungen zusammen mit den wenigen anderen Quellen — Fotos, einer Dokumentation der in Ungarn verbrannten Rechnungen in der Kunsttopographie — auch nach dem Verlust dieser Ausstattungen heute noch in großen Teilen nachvollziehbar.

Lit.: ÖKT Baden, S. 125 ff. — Georg Himmelheber, Biedermeiermöbel, Düsseldorf 1978. — Moderne Vergangenheit. 1800—1900, Katalog der Ausstellung im Künstlerhaus, Wien 1981.

318

Joseph Ulrich Danhauser (1780—1829)

Tisch

Kirschbaum, Fadeneinlagen Mahagoni; Wien um 1820
B: 126 cm, T: 62 cm, H: 82 cm
Ehemals Villa Figdor in Baden, Weilburgstraße
Schloß Heiligenkreuz-Gutenbrunn

Lit.: Georg Himmelheber, Biedermeiermöbel, Düsseldorf 1978, S. 94, Abb. 20
Abb. S. 251

319

Joseph Ulrich Danhauser (1780—1829)

Tisch

Kirschbaum, Fadeneinlagen Mahagoni; Wien um 1820
B: 142 cm, T: 95 cm, H: 76 cm
Ehemals Villa Figdor in Baden, Weilburgstraße
Schloß Heiligenkreuz-Gutenbrunn

Lit.: Georg Himmelheber, Biedermeiermöbel, Düsseldorf 1978, S. 93, Abb. 19
Abb. S. 319

320

Joseph Ulrich Danhauser (1780—1829)

Etagere

Kirschbaum, Fadeneinlagen Mahagoni; Wien um 1820
B: 52 cm, T: 43 cm, H: 129 cm
Ehemals Villa Figdor in Baden, Weilburgstraße
Schloß Heiligenkreuz-Gutenbrunn
Abb. S. 25

321

Joseph Ulrich Danhauser (1780—1829)

Teetisch

Ahorn, auf Kirsche gebeizt, Fadeneinlagen Mahagoni; Wien um 1820/1825
DM: 116 cm, H: 82 cm
Ehemals Villa Figdor in Baden, Weilburgstraße
Schloß Heiligenkreuz-Gutenbrunn

Der Tisch besitzt große Ähnlichkeit zu der als Kat. Nr. 317 gezeigten Entwurfszeichnung zu „Theetisch N° 34".
Abb. S. 21

322

Spieltisch

Blumenesche, Wien um 1830/1835
B: 94 cm, T: 94 cm (ausgeklappt), H: 80 cm

Kat. Nr. 318

Kat. Nr. 319

Kat. Nr. 324

Ehemals Villa Figdor in Baden, Weilburgstraße
Schloß Heiligenkreuz-Gutenbrunn

Lit.: Georg Himmelheber, Biedermeiermöbel,
Düsseldorf 1978, S. 97, Abb. 26

Abb. S. 253

323

Josef Hoffmann (1870—1956)

Baden, Villa Figdor

Grundriß des Hauptgeschoßes, Aufriß der
Straßenfassade
Umzeichnung nach dem Adaptierungs-
plan von 1940 (die noch bei Sekler ver-
zeichneten Einreichpläne Hoffmanns sind
derzeit nicht auffindbar)
Baden, Archiv des Stadtbauamtes

Lit.: Eduard Sekler, Josef Hoffmann, Das architektonische Werk, Salzburg 1982, S. 124f.,
Abb. 151, S. 291f., WV 95

324, 325

Josef Hoffmann (1870—1956)

Blick in die Halle der Villa Figdor

Fotos, um 1910
Schloß Heiligenkreuz-Gutenbrunn

Der Kernbau der schon 1940 stark veränderten und nach 1945 abgerissenen Villa
Figdor entstammte dem 2. Viertel des
19. Jahrhunderts. Diese Villa stand neben
jenem Landhaus der Gräfin Traun von
Förster und Hansen in der Weilburgstraße, das „gegen die mit weit größerem
Kostenaufwand gebauten Häuser an derselben Straße" in Konkurrenz zu treten
hatte. 1904 erhielt Josef Hoffmann den
Auftrag, den bestehenden zweigeschoßigen Bau durch einen ebenso hohen
dreiachsigen Neubau, der mit dem Altbau
durch einen zweigeschoßigen flachge-

252

Kat. Nr. 322

deckten Zwischentrakt verbunden ist, zu erweitern. In diesem Zwischentrakt befand sich die zweigeschoßige Halle mit einer Galerie.

Paßte sich Josef Hoffmann — ähnlich wie bei der Umgestaltung des Landhauses Böhler in Baden (Pelzgasse) — der Formensprache der bestehenden Architektur an, sodaß alte und neue Teile bruchlos ineinander übergingen, verwendete er auch im Inneren das vorhandene Mobiliar. Joseph Danhausers Möbel wurden durch verschiedene Stücke nach Hoffmanns Entwürfen zu einem einheitlichen, neuen Ganzen ergänzt. Auch von diesen Möbeln Hoffmanns haben sich einige Stücke (Buchschrank, Bänke) im Schloß Heiligenkreuz-Gutenbrunn erhalten.

Lit.: Eduard Sekler, Josef Hoffmann, Das architektonische Werk, Salzburg 1982, S. 124 f., Abb. 151, S. 291 f., WV 95

Abb. S. 252

326

Etagere

Mahagoniholz, um 1820
B: 71 cm, T: 37 cm, H: 131 cm
Baden, Privatbesitz
Abb. S. 24

327

Tisch

Blumenesche, Pappelmaser, Esche; um 1825
B: 140 cm, T: 80 cm, H: 80 cm
Baden, Privatbesitz
Abb. S. 26

328

Spiegel auf Konsole

Kirschbaumholz, um 1820

Von zwei Halbsäulen flankiert
90 × 256 cm
Baden, Privatbesitz

329

Liege

Kirschbaumholz, schwarz gebeizte Stege; um 1825
B: 205 cm, T: 88 cm, H: 80/50 cm
Baden, Privatbesitz

330

Nähtischchen mit Beinen in Lyraform

Nußbaumholz, um 1820
B: 64 cm, T: 47 cm H: 79 cm
Baden, Privatbesitz

331

Bank

Nußbaumholz, Teile schwarz gebeizt, Sitzflächen geflochten
B: 142 cm, T: 54 cm, H: 92 cm
Baden, Privatbesitz

332

Stuhl

Nußbaumholz, Sitzfläche geflochten, bemalt (in rundem Feld der Lehne auf schwarzem Grund zwei Fische); um 1820
DM: 41 cm, H: 92 cm, SH: 42,5 cm
Baden, Privatbesitz
Abb. S. 27

333

Kleiderschrank

Kirschbaumholz, Teile schwarz gebeizt; um 1825
B: 110 cm, T: 36 cm, H: 187 cm
Baden, Privatbesitz

MALEREI

Kat. Nr. 368

334

Johann Adam Klein (1792—1875)

Blick auf die Stadt Baden, 1811

Braun und grau lavierte Federzeichnung; 20,8 × 27,1 cm
Rückseitig beschriftet: Ansicht von Baden am Fuße des Berges genommen worauf der 3eckigte Thurm steht. 1811.
NÖ Landesmuseum, Inv. Nr. 2052

Im ersten Jahr seines Aufenthaltes in Wien als Schüler der Akademie zeichnete Klein diese Ansicht von einem Standpunkt am Rauheneckerberg aus. Danach radierte er um 1816 ein Blatt in größerem Format, bezeichnet: Aussicht bei Baden unterhalb der Ruinen Raucheneck gezeichnet. A.K. fecit.
Wesentlich ist hier der reale Ausschnitt einer Naturlandschaft; die Dächer der vom Pfarrkirchenturm überragten Stadt bilden nur den Abschluß der Hintergrundmitte.

Lit.: C. Jahn, Das Werk von Johann Adam Klein, München 1863. — P. Weninger, Niederösterreich in alten Ansichten, Salzburg 1975, Kat. Nr. 13, Taf. 8.

335

Carl Gsellhofer (1779—1858)

Kalkofen im Helenental, um 1812

Sepiazeichnung; 74,5 × 24,3 cm
RM TS B 247

Von Carl Gsellhofer, der 1819 zum Professor an der Wiener Akademie ernannt wurde, stammt eine Reihe von Skizzenbuchblättern mit Studien aus dem Helenental, die er 1812 bis 1816 in lavierten Federzeichnungen auf Wanderungen zeichnete. Dabei kam es ihm nicht auf eine vedutenmäßige Erfassung der Landschaft wie vielen anderen Künstlern der Zeit an, sondern auf die individuelle Erscheinung auch ansonsten „unbedeutender" Motive. Ein Teil dieser Blätter ist näher bezeichnet und datiert (heute in der Albertina, in der NÖ Landesbibliothek und im Rollett-Museum).
Abb. S. 108

336

Carl Gsellhofer (1779—1858)

Holzarbeiter im Helenental, 1813

Sepiazeichnung; 36,0 × 20,4 cm
Sign.: Carl Gsellhofer 1813: Helenental
Rückseitig: Am 14. September 1813 Helenenthal, C. Gsllh.
RM TS B 246
Vgl. Kat. Nr. 335
Abb. S. 108

337

Anton Köpp von Felsenthal (1766—1826)

Ruine Rauhenstein bei Baden, vor 1814

Sepia-Federzeichnung; 33,4 × 20,4 cm
Unbezeichnet
RM TS B 888 (auf Rückseite TS B 889)

Im Vordergrund die Schönfeldvilla mit dem Triumphbogen. Vorzeichnungen für die eigenhändige Umrißradierung Köpps, die in der Folge „Historisch-Mahlerische Darstellungen von Österreich", 2 Bände, die 1814—1824 in Commission bey Artaria & Compagnie" mit dem Titel „Rauhenstein" (2. Bd., Nr. 28) erschien.

338

Anton Köpp von Felsenthal

Ruine Rauheneck bei Baden, um 1815

Sepia-Federzeichnung; 33,3 × 20,4 cm
Unbezeichnet
Rollett-Museum, Inv. Nr. TS B 889 (Rückseite von TS B 888)

Vorzeichnung für die eigenhändige Umrißradierung Köpps in der Folge „Historisch Mahlerische Darstellungen von Österreich" (vgl. Kat. Nr. 337), 1. Bd., Nr. 27 „Rauheneck"

339

Wilhelm Friedrich Schlotterbeck
(1777—1819)

„Helenenthal bey Baden", um 1815/20

Aquatintastich; 35,2 × 24,6 cm
Bez.: A Vienne chez Tranquillo Mollo
RM TS B 245

Unter dem Titel „Ansichten von Baden in Nieder-Oesterreich. Gezeichnet und gestochen von Schlotterbeck in Aquatinta. Wien, bey Tranquillo Mollo" (aus einem Verlagsverzeichnis, 1820) erschienen 4 Ansichten in Großfolio und 7 in Folio (Tafeln unnumeriert). Zur Serie I gehört dieses durch die effektvolle Lichtführung eindrucksvolle Blatt mit einem Blick auf die Ruine Rauhenstein, in der von 1800 bis 1806 eine „Kienrußbrennerei" und Terpentinerzeugung (!) untergebracht war, darunter die kleine Pfarrkirche St. Helena und im Vordergrund das 1801 „Zum Vergnügen der Badegäste" erbaute Café Otto (Bräuhaus), das später in den Komplex des Hotels Sacher einbezogen wurde. Links vorne erscheint der 1806 von Wasserbaumeister Ph. Schlucker erbaute Holzrechen, rechts der Holzplatz, auf dem das zu Tausenden Festmetern angeschwemmte Holz gestapelt und verkauft wurde.

Lit.: P. Weninger, Niederösterreich in alten Ansichten, 1975, Kat. Nr. 18, Taf. II. — I. Nebehay - R. Wagner, Bibliographie altösterr. Ansichtenwerke, Bd. III, Graz 1983, S. 162, Nr. 644, I/2

340

Wilhelm Friedrich Schlotterbeck
(1777—1819)

„Königshöhle bey Baden", um 1815/20

Aquatintastich; 29,2 × 21,1 cm
Bez: W. F. Schlotterbeck del. et sc.
RM TS B 57

Aus der um 1815 bei Tranquillo Mollo herausgegebenen Serie von 11 Blättern „Ansichten von Baden in Niederösterreich" (Folio). Vgl. Kat. Nr. 339

Lit.: I. Nebehay - R. Wagner, Bd. III. S. 162, Nr. 644, II/9

341

Wilhelm Friedrich Schlotterbeck
(1777—1819)

„Rauhenstein bey Baden", um 1815/20

Aquatintastich; 38,3 × 28,6 cm
Bez. Mi. u.: W. F. Schlotterbeck del. et sc.
RM TS B 94

Aus der um 1815 bei Tranquillo Mollo herausgegebenen Serie von 11 Blättern „Ansichten von Baden in Niederösterreich" (Großfolio). Vgl. Kat. Nr. 339

342

Ferdinand Anton Johann Freiherr von Wetzelsberg (1795—1846)

Skizzenbuch, um 1817

98 Ansichten in Bleistift- und Federzeichnungen, teilweise aquarelliert, und Aquarelle. 33 Blätter (1 Blatt späteres Abbildungsverzeichnis)
23,7 × 30,4 cm
Aus dem Besitz von Albert Camesina, 1876 dem Verein für Landeskunde von NÖ geschenkt.
NÖ Landesmuseum, Inv. Nr. 5217

22 Zeichnungen mit Badener Ansichten sind in diesem Skizzenbuch verstreut (Bürgerspital, Sauerhof, Johannesbad, Kalter Berg im Helenental, Schloß Doblhoff, Stadtansicht, Helenental, Annakapelle (innere und äußere Ansicht), Ursprungsbäder, Theresienbad, Gasthaus zum Bock, Spitalmühle, Mariazellerhof, und Rauheneck, Gutenbrunn [2 Ansichten], Krainerhütte, Leesdorf und Merkenstein.)
Aufgeschlagen: Ursprungsbäder

Lit.: P. Weninger, Niederösterreich in alten Ansichten, Salzburg 1975, Kat. Nr. 16, Abb. 7, K. Nr. 28, Taf. 46, S. 372
Abb. S. 76 und 114

343

Johann Hoechle (1754—1832)

Ruine Rauhenstein

Feder, aquarelliert; 21,8 × 16,5 cm
RM TS B 1170
Abb. S. 113

344

Laurenz Janscha (1749—1812)

Ruine Rauhenstein bei Baden

Federzeichnung, aquarelliert;
45,4 × 29,7 cm
Sign. li. u.: Janscha
RM TS B 1741

Lit.: Ilse Friesen, Baden in alten Ansichten. In: ÖZKD XXVII 1973, Heft 3/4, S. 181 ff.

345

Laurenz Janscha (1749—1812)

„Das Alte Schloß Rauhenstein bey Baaden in N. Oe. — Le vieux chateàu Rauhenstein près la ville de Baaden"

Umrißradierung, koloriert; 33,8 × 26,7 cm
Bez. Mi. u.: Janscha sc.
Erschienen bei Tranquillo Mollo
RM TS B 103

Das Blatt, von Janscha selbst gestochen, erschien bei Tranquillo Mollo.

Lit.: Ilse Friesen, Baden in alten Ansichten. In: ÖZKD XXVII 1973, Heft 3/4, S. 181 ff., Fußnote 33

346

Norbert Bittner (1786—1857)

Schloß Leesdorf / Rückseite: Alter Hauerhof in Baden, um 1820

Feder und Aquarell; 58,5 × 40,0 cm
Unbezeichnet
NÖ Landesmuseum, Inv. Nr. 7369

Der Wiener Maler, Zeichner und Radierer N. Bittner hinterließ neben Folgen von radierten Interieurs, Architekturdarstellungen und Theaterdekorationen auch eine große Anzahl von Federzeichnungen und Aquarellen aus den Gegenden südlich von Wien, besonders aus der Umgebung von Mödling und Baden. Die locker nach der Natur gezeichneten Landschaften zeigen u. a. die Ruinen des Helenentals und Schloß Leesdorf, viele der um 1810/20 entstandenen Blätter aber auch längst verschwundene Bauwerke, Gärten und die noch unberührte Landschaft. Besonders gerne hielt er auch die alten Weinhauer- und Bauernhöfe dieser Gegend, meist mit figürlicher Staffage, im Bild fest. Damals zeichnete er auch eine Ansicht des Schlosses Vöslau als Vorlage für eine Lithographie Karl Jakob Theodor Leybolds (gedruckt bei Joh. Höfelich).

347

Joseph Gerstmeyer (1801—1870)

Schloß Weikersdorf (Doblhoff) bei Baden, um 1830/40

Öl auf Holz; 44,5 × 32,5 cm
Rückseitig alter Zettel: Doblhof in Baden
J. Gerstmayer
NÖ Landesmuseum, Inv. Nr. 7388

Das oft umgebaute Schloß war seit 1741 im Besitz der Familie von Doblhoff. Ansicht von Südwesten (ähnlich der „Vorderen Ansicht", „gegen Morgen", im Wetzelsberg'schen Skizzenbuch, um 1817), vor den Veränderungen von 1859.
J. Gerstmeyer, der von 1822—1864 die Akademie-Ausstellungen beschickte, malte auch ein Aquarell mit einem Blick auf Rauhenstein und St. Helena.
In einem Salon des Schlosses befand sich ein größeres signiertes Ölbild Gerstmeyers (Blick auf Wien von Westen, datiert 1843).

348

Thomas Ender (1793—1875)

Ruine Rauhenstein und St. Helena

Aquarell, unvollendet; 39,8 × 26,5 cm
Unbezeichnet
RM TS B 90

Lit.: ÖKT Baden, S. 185, Nr. 17 — Kat. Th. Ender, NÖ LM 1982, Nr. 40

349

Thomas Ender (1793—1875)

„Ansicht von Rauhenecker-Bergweg auf Baden", um 1825

Bleistift, aquarelliert; 23,8 × 18,5 cm
Sign.: Th. Ender, li. u. 70
RM TS B 368

Lit.: ÖKT, Baden, S. 184, Nr. 14 — Kat. Th. Ender, NÖ LM 1982, Nr. 26

350

Thomas Ender (1793—1875)

Die Krainerhütte bei Baden, 1823

Bleistiftskizze; 17,3 × 10,8 cm
Sign.: Krainerhütte bei Baden / Thomas Ender 24.M
RM TS B 299
Vgl. Kat. Nr. 351

351

Thomas Ender (1793—1875)

Das Gasthaus bei der Krainerhütte im Helenental, um 1825

Aquarell; 24,9 × 18,4 cm
Unbezeichnet (am Unterlagskarton beschriftet: No. 16 1ere Krainerhuet — Prés de Baden).
NÖ Landesmuseum, Inv. Nr. A 140/81

Aquarellvorlage für den kolorierten Stich der Artaria-Folge „Collection des Vues . . . de Vienne et de Ses Environs", Nr. 42, mit dem Titel: Gasthaus bei der Krainerhütte (Baden) prés de Vienne. Ein weiteres Aquarell Enders „Gasthaus bei der Krainerhütte II (Maibaumklettern)" wurde nicht in die Artaria-Stichfolge aufgenommen (NÖ Landesmuseum, Inv. Nr. A 152/82). — Vgl. Kat. Nr. 352, 352 a

Lit.: Kat. Thomas Ender, Niederösterreich in der Biedermeierzeit, 1982, Nr. 55, Abb. 5, (Nr. 56). — P. Weninger, Anmerkungen zu den Helenental-Ansichten Thomas Enders. In: Festschrift Viktor Wallner, Wien 1982, S. 92 ff., Abb. 2

Abb. S. 115

352

Thomas Ender (1793—1875)

Schloß Weilburg mit den Ruinen Rauheneck und Rauhenstein, um 1825

Aquarell; 21,8 × 14,7 cm
Sign.: Tho. Ender
NÖ Landesmuseum, Inv. Nr. 1386

Das ausgeführte, duftige Aquarell nach einer Naturstudie (Bleistift, aquarelliert, NÖ Landesbibliothek, Topogr. Slg., Wien, Inv. Nr. 853) ist die Vorlage für den kolorierten Stich in der Ansichtenfolge „Collection des Vues, Monumens, Costumes & autres objects remarquables de Vienne et de Ses Environs" des Verlages Artaria & Comp., „(Baden) Environs de Vienne", Nr. 40, sowie für den späteren verkleinerten Stahlstich von A. H. Payne (Verlag Hartleben). Vgl. Kat. Nr. 351, 352 a.

Lit.: P. Weninger, Österreich in alten Ansichten, Salzburg 1977, Kat. Nr. 31, Taf. 29. — derselbe, Thomas Ender — Baden und das Helenental, Baden 1979. Nr. 4, Tafel 4. — Kat. Thomas Ender — Niederösterreich in der Biedermeierzeit, 1982, Nr. 3, Abb. 4

Abb. S. 104

352 a

Thomas Ender (1793—1875)

Blick auf die Weilburg von Nordosten, um 1825

Aquarell; 28,4 × 18,4 cm
Unbezeichnet
Galerie Antiquariat und Auktionshaus Wolfdietrich Hassfurter, Wien

Dieses außerordentlich fein ausgeführte Aquarell gehört zweifellos in die Reihe der Helenentalansichten Enders, die der Künstler um 1825/30 als Stichvorlagen für den Verlag Artaria & Comp. anfertigte. Vgl. Kat. Nr. 351, 352.

Lit.: Katalog Das Haus Habsburg 1780—1860; Ausstellung und Auktion 1987/88, Galerie Hassfurter, Wien I, Nr. 340, Taf. 54

353

Eduard Gurk (1801—1841)

Der Hauptplatz in Baden, 1830

Aquarell mit Deckfarben; 56,2 × 42,5 cm
Sign.: Gurk ad. nat. f 1830
Graphische Sammlung Albertina, Wien, Inv. Nr. 22617

Blick auf den Badener Hauptplatz von dessen Südende aus (das Gegenstück verwahrt ebenfalls die Albertina). In der Mitte steht die barocke Dreifaltigkeitssäule (G. Stanetti, 1718), links das 1814/15 errichtete Rathaus, rechts das 1792 erbaute „Kaiserhaus", das Franz I. 1813 erworben hatte, eines der frühesten klassizistischen Häuser Badens. Daneben erscheint das Mitte des 18. Jahrhunderts von Philipp Otto erbaute „Casino" (später Hotel Stadt Wien), im Hintergrund in der Verlängerung der Theresiengasse der damals noch Weingärten tragende Hügel, auf dem später der erweiterte Kurpark angelegt wurde.
Das Bild zeigt Gurks Talent für die Verbindung korrekter topgraphischer Architekturzeichnung mit reizvoller Staffage und gibt eine getreue Darstellung des biedermeierlichen Lebens in Baden mit seinen Bürgern und vornehmen Gästen auf dem Hauptplatz, auf den der Monarch aus einem Fenster des Kaiserhauses herabblickt, das ein Posten und ein Offizier bewachen.
Diesen Blick hielt auch Franz Sartory im Bild fest.

Lit.: P. Weninger, Österreich in alten Ansichten, Salzburg 1977, Kat. Nr. 32, S. 329, Taf. 30

Abb. S. 112

354

Jakob Alt (1789—1872)

Die Cholerakapelle bei Baden, 1832

Öl auf Leinwand; 67,5 × 51,5 cm
Sign.: J. Alt 1832.
Wien, Österreichische Galerie, Inv. Nr. 3662

Jakob Alts strenge Landschaftsvedute aus dem Helenental gibt einen Blick über die Schwechat gegen Norden auf die am Hang des Burgstalls damals gerade vollendete Cholerakapelle, die als Dank für die überstandene Choleraepidemie in neugotischem Stil errichtet wurde. Links vorne erscheint der Eingang der Antonsgrotte, dahinter die Antonsbrücke.
Ein Aquarell mit der Ansicht der Cholerakapelle, sig.: Jac. Alt, befand sich im Rollett-Museum.

Lit.: G. Frodl, Wiener Malerei der Biedermeierzeit, Rosenheim 1987, S. 242, Tafel 109

355

C. L. Hoffmeister

Das Attentat auf Kronprinz Erzherzog Ferdinand 1832

Bilderuhr, Öl auf Blech; 69 × 53 cm
Sign.: L. C. Hoffmeister Wien 1833
Beschriftet: Der 9th August 1832 in Baden Gott schütze Österreichs Hohes Kaiserhaus
RM TS B 839

Von C. L. Hoffmeister, der in der 1. Hälfte des 19. Jahrhunderts in Wien tätig war, stammen verschiedene Badener Ansichten, u. a. ein großes reichstaffiertes Landschaftsgemälde mit Scheiners Kaffeehaus, dem Engelsbad und dem Sauerhof.
Er malte die Tafeln mehrerer Bilderuhren, 1832 auch eine mit einer Weilburg-Ansicht und Erzherzog Ferdinand in einem Hofwagen (Sammlung Sobek), bemalte aber auch Gläser in der Art Anton Kothgassers, z. B. einen großen Deckel-

pokal mit dem Brustbild Erzherzog Karls, der Darstellung der Schlacht von Neerwinden und des Helenentales mit der Burg Rauhenstein (vgl. Kat. Nr. 378). Die Bilderuhr zeigt den spektakulären mißlungenen Attentatsversuch auf den Kronprinzen Erzherzog Ferdinand, König von Ungarn, in der Bergstraße (heute Marchetstraße) vor der Villa Dr. Anton Rolletts.
Hauptmann Reindl versuchte aus Groll über seine vermeintliche Zurücksetzung ein Pistolenattentat auf den mit einem Begleiter spazierengehenden Kronprinzen, das durch rasche Hilfe vereitelt werden konnte. Der dreizehnjährige Hermann Rollett wurde Augenzeuge dieses Überfalls.
Durch dieses Ereignis blieb der Hof Baden in der Folge fern, und ein schmerzlich fühlbarer Niedergang für die Stadt begann. „Mit diesem Pistolenschuß endete auf einen Schlag der Zauber."
Die Spieluhr enthält auf der Musikwalze die Kaiserhymne.
Aus Dank für die Rettung Ferdinands fand ein Dankfest in der Pfarrkirche statt, und am 12. August 1832 wurde ein großes Volksfest auf der Hauswiese abgehalten, an dem die gesamte kaiserliche Familie teilnahm. Zahlreiche Dichter priesen die Errettung des Prinzen, und an die barocke Dreifaltigkeitssäule am Hauptplatz wurde ein Gedenkbrunnen angebaut.

356

C. L. Hoffmeister

Das Scheinersche Kaffehaus, das Engelsbad und der Sauerhof

Im Hintergrund die Ruine Rauheneck
Öl auf Leinwand; 372 × 228 cm
Sign. re. u.: Hoffmeister. C: L: pinx
RM TS B 841
Vgl. Kat. Nr. 355
Abb. S. 116 und 117

357

Raimund Mössmer

Schloß Weilburg von der Parkseite gegen Westen, um 1860

Öl auf Leinen; 34,0 × 27,5 cm
Unbezeichnet
NÖ Landesmuseum, Inv. Nr. A 291/86

Dieses Bild des Sohnes des Professors an der Wiener Akademie, Joseph Mössmer, zeigt die Nordfront des Schlosses mit dem gewaltigen Säulenportikus und der Giebelplastik von Klieber (Löwe und Adler mit dem Wappen von Nassau), die heute als dessen letzter Rest an den ehemaligen Standort des Schlosses erinnert. Damals bewohnten es die Söhne des 1847 verstorbenen Erzherzogs Karl, Erzherzog Albrecht und Erzherzog Wilhelm.
Die im Hintergrund sichtbare neugotische Kapelle ließ Erzherzog Albrecht 1856 bis 1858 durch den Baumeister Anton Hefft errichten und von bekannten Künstlern der Zeit ausstatten.
Von R. Mössmer stammen auch fünf Aquarell-Interieurs aus Schloß Weilburg (1868; vgl. Kat. Nr. 295 und 296)

358

Johann Knapp (1778—1833)

Blumenstück in einer Nische

ÖL auf Leinen; 38,7 × 53,0 cm
Sign.: Johann Knapp fecit
NÖ Landesmuseum, Inv. Nr. 6415

J. Knapp, ein Schüler Johann Baptist Drechslers an der Wiener Akademie, schuf zahlreiche Blumenstücke in dessen spätbarocker Manier. Seine minutiöse Detailmalerei (vor allem in einem Ölbild mit den Büsten der Naturforscher Linné und

Jacquin, umgeben von Pflanzen, Tieren und Mineralien) wurde von den Zeitgenossen sehr bewundert.

Lit.: Kat. Barock und Biedermeier im nö. Donauland, 1969, Nr. 198, Abb. 31

Abb. S. 118

359

Johann Knapp (1778—1833)

Blumen in flacher Schüssel, 1828

Aquarell; 34,5 × 25,0 cm
Sign.: Johann Knapp fecit 1828
von Charlotte erhalten den 15ten May 28.
NÖ Landesmuseum, Inv. Nr. 6491

Dieses gefällige biedermeierliche Aquarell in der Art eines Glückwunschblattes zeigt in einem Teller mit Goldrand vorne eine blaue Wicke, rechts davon einen Prunus-Zweig, seitlich gelbe und orange Fräsien, in der Mitte Wiesennarzissen, oben eine rosa Rose und rechts violette Herbstastern.

Lit.: Kat. Barock und Biedermeier im nö. Donauland, 1969, Nr. 199, Abb. 32

Abb. S. 119

360

Johann Baptist Ritter von Lampi d. Ä. (1751—1830)

Anton Franz Rollett, 1824

Öl auf Leinen; 63,0 × 78,5 cm
Sign. li. u.: Meinen Arzt Anton Rollett von Johann B: Ritter v Lampi 1824.
RM KS P 138

Der ältere Lampi, seit 1783 in Wien (1786 Professor und Rat der Akademie), ein sehr geschätzter Porträtist seiner Zeit, malte am Wiener Hof (Kaiser Joseph II., Franz I. u. a.), den König von Polen u. die Zarenfamilie in Petersburg, ferner Historienbilder und mythologische Szenen. Während der französischen Invasion in Wien

machte er sich als Kommandant der akademischen Korps um die Rettung von Kunstwerken verdient. — Er zählte zu den tonangebenden Künstlern in Baden, wo er von 1807—1824 lange weilte und ein eigenes Landhaus in der Wassergasse erwarb.
Vgl. Kat. Nr. 495

Lit.: ÖKT Baden, S. 183, Nr. 14, Fig. 253. — P. Tausig, Glanzzeit Badens, 1914, S. 36
Abb. S. 36

361

Unbekannter Maler

Ignaz von Mack, um 1830

Öl auf Leinwand; 52,0 × 65,5 cm
Unsigniert
RM KS P 59

Ignaz von Mack wurde am 25. Oktober 1794 als Sohn von Johann Mack, Hausbesitzer am Hauptplatz in Baden, geboren. Im Jahre 1841 ließ er für die schon seit 1840 in einem provisorischen Lokal untergebrachte Kleinkinderbewahranstalt in der Mariengasse Nr. 9 ein neues Gebäude errichten.
Er starb am 6. Mai 1846 in Wien.
Abb. S. 120

362

Unbekannter Maler

Zeitungslesender Herr, 1836

Öl auf Leinen; 76 × 101 cm
Unbezeichnet
RM KS P 141

Der lesende Herr in einem Stuhl hält die „Allgemeine Zeitung", Nr. 275 vom 30. August 1836, in der linken Hand.
Vgl. Kat. Nr. 363

363

Unbekannter Maler

Damenbildnis, um 1836

Öl auf Leinen; 78 × 101 cm
Unbezeichnet
RM KS P 142

Die sitzende Dame in weißem Kleid mit einem roten Schal trägt Perlenohrgehänge und goldene Armreifen.
Vgl. Kat. Nr. 362
Abb. S. 121

364

Carl Vogl (geb. 1820)

Porträt des Baron Trautzl, 1842

Öl auf Leinwand; 30,5 × 37,0 cm
Sign. li. u.: C. Vogl 1842
Baden, Privatbesitz

365

Joseph Matthäus Aigner (1818—1886)

Bildnis der Frau Th. Lippmann, 1847

Öl auf Leinen; 80,5 × 102,0 cm
Sign.: J. M. Aigner 847 Wien
RM KS P 139

Der Wiener Porträtist J. M. Aigner, ein talentierter Schüler F. Amerlings, hatte ein ebenso bewegtes künstlerisches wie politisches Leben. 1848 Kommandant der Wiener akademischen Legion und Nationalgarde, wurde er standrechtlich zum Tod verurteilt, von Fürst Windischgraetz aber begnadigt. Später bereiste er Deutschland, Italien und Frankreich. Neben seinen sprechend ähnlichen Bildnissen (Stifterporträts im Künstlerhaus, Skizze von Lenau, Selbstporträt) schuf er Kopien von Werken der Belvederegalerie für Kaiser Max von Mexiko und den

Herzog von Coburg. „Über sein weiteres bewegtes Leben wissen wir nur soviel, als dessen romantische Wechselfälle würdig wären, von der gewandten Feder des Künstlers selbst geschildert zu werden" (A. Seubert, Allg. Künstlerlexikon, I. Bd., 1878).

Lit.: ÖKT Baden, S. 183, Nr. 16, Fig. 254

366

Leopold Kupelwieser (1796—1862)

Studie für das Votivbild der Familie des Erzherzogs Rainer, um 1835

Bleistift, leicht koloriert; 34 × 45 cm
Beschriftet: Erh. Rainer stehend 412 1/4
Wien, Akademie der bildenden Künste, Kupferstichkabinett, Inv. Nr. 12 543

Die Studie zeigt ein Porträt des achtjährigen Erzherzogs Rainer. Dem mächtigen, etwa 4 Meter hohen Votivbild, einer Stiftung Erzherzog Rainers für den Hauptaltar der Pfarrkirche Schönkirchen (BH Gänserndorf, NÖ), das Kupelwieser 1835 ausführte, gingen viele Porträt- und Kompositionsstudien voran, die zu den schönsten Arbeiten Kupelwiesers zählen (heute im Besitz der Nachkommen des Künstlers, der Akademie der bildenden Künste und des NÖ Landesmuseums in Wien).
Vgl. Kat. Nr. 367.

367

Leopold Kuppelwieser (1796—1862)

Pause des gesamten Altarbildes

Bleistift; 21,8 × 32,7 cm
Beschriftet: Ex voto Erzherzog Rainer L. K. in der Kirche zu Schönkirchen coloßal ausgeführt.

NÖ Landesmuseum, Inv. Nr. 7000/216

Lit.: R. Feuchtmüller, Leopold Kupelwieser und die Kunst der österreichischen Spätromantik, Wien 1970, S. 48, W.V.S. 260, Abb. S. 50

368

Johann Nepomuk Ender (1793—1854)

Kaiser Ferdinand I. von Österreich, um 1835

Aquarell; 17,0 × 21,5 cm
Sign.: Johann Ender
RM KS P 120

Johann Ender, der Zwillingsbruder Thomas Enders, mit dem er seit 1807 Schüler der Wiener Akademie war, war einer der beliebtesten Porträtisten der biedermeierlichen Gesellschaft Wiens. 1829 wurde er Professor an der Akademie. Er schuf viele Bildnisse bedeutender Persönlichkeiten in Öl und Aquarell, die wegen ihrer Ähnlichkeit und Lebendigkeit hoch geschätzt wurden.
Abb. S. 255

369

Unbekannter Maler

Erzherzog Karl, im Hintergrund die Weilburg

Öl auf Leinwand; 60 × 70 cm
Privatbesitz

370

Franz Schrotzberg (1811—1889)

Kaiserinwitwe Carolina Augusta

Öl auf Leinwand; 118,5 × 158,0 cm
Unbezeichnet
RM KS P 70

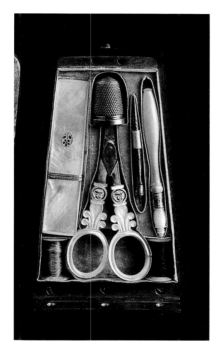

Kat. Nr. 386

371

Schale mit Untertasse

(Schale mit Ansicht des Theresienbades)
Wiener Porzellanmanufaktur, 1811
Porzellan, bemalt; Schale H: 6 cm, Dm:
36, cm; Untertasse DM: 13,5 cm
Bindenschild, Jahresstempel 811, Maler-
nummer 155 (=Josef Kürner), Weiß-
dreher Nr. 49
Am Boden der Schale Aufschrift: „Vue de
la Source, et du/Bain Thérèse à Baden";
Klebezettel Karl Mayer 146
RM

Lit.: Wiener Porzellan Sammlung Karl Mayer,
1928, Kat. Nr. 152
Abb. S. 131

372

Schale mit Untertasse

(Schale mit einer Ansicht des Kaffee
Schopf und der Luisenbrücke)
Wiener Porzellanmanufaktur, 1816 (Un-
tertasse 1823)
Porzellan, bemalt; Schale H: 7,6 cm, DM:
9 cm; Untertasse DM: 14,2 cm
Bindenschild, Jahresstempel 816, Weiß-
drehernummer 36 (Untertasse 823, Weiß-
drehernummer 40)
Baden, Privatbesitz
Abb. S. 131

373

Schale mit Untertasse

(Schale mit Ansicht der drei „Ritter-
burgen" Rauhenstein, Rauheneck, Scharfeneck)
Wiener Porzellanmanufaktur, 1820
Porzellan, bemalt; Schale H: 6,8 cm, DM:
8 cm; Untertasse DM: 14,5 cm
Bindenschild, Jahresstempel 820, Malernummer 18 (= Joseph Megerle), Weißdrehernr. 7

Am Boden der Schale Aufschrift: „Ste He-
léne et ces anciens/Châteaux près de
Baden".
RM
Abb. S. 130

375

Schale mit Untertasse

Wiener Porzellanmanufaktur, 1818
Porzellan, bemalt; Schale H: 6,9 cm, DM:
7,3 cm; Untertasse D: 13,5 cm
Bindenschild, Jahresstempel 818, einge-
preßt 60, 28
Schale innen vergoldet, außen weißer
Fond, Dekor in Gold und grünen Blättern
Baden, Privatsammlung
Abb. S. 129

374

Schale mit Untertasse

(Schale mit Ansicht der Weilburg)
Wiener Porzellanmanufaktur, 1821/23
Porzellan, bemalt; Schale H: 8 cm, DM:
9 cm, Untertasse DM: 15,8 cm
Bindenschild Jahresstempel 823 (Tasse),
821 (Untertasse), Malernummer 77 (= Jo-
hann Gmendt), Weißdrehernr. 7
Am Boden der Schale Aufschrift: „Vue du
palais de S. A. Imp. L'Archiduc Charles/
derriere la vallée de Ste./Hélène prés de
Baden."
RM
Abb. S. 130

376

Schale mit Untertasse

Wiener Porzellanmanufaktur, 1826 (Untertasse 1813)
Porzellan, bemalt; Schale H: 6,2 cm, DM:
6,3 cm; Untertasse DM 13,6 cm
Bindenschild, Jahresstempel 826, Weißdrehernummer 17 (Untertasse Jahresstempel 813, Weißdrehernummer 7)

Golddekor, im blauen Fond der Schale
„Geteilte Freude ist doppelt Freude."
auf der Untertasse „Geteilter Schmerz ist
halber Schmerz."
Baden, Privatbesitz

377

Anton Kothgasser

Ranftbecher, Wien um 1825/30

Farbloses Glas, Gelbbeize, Transparent-
und Goldmalerei
H: 12 cm
Auf der Vorderseite der Wandung quer-
rechteckiges Bildfeld mit Darstellung der
Hauptalle und des Äskulaptempels im
Park in Baden. Darunter Beschriftung:
„Vue du parc à Baden".
Wien-Chicago, Sammlung Rita Bucheit
Abb. S. 126

378

C. L. Hoffmeister

Deckelpokal, Wien um 1815/20

Farbloses Glas, Gelbbeize, Transparent-
und Goldmalerei
H: 24,3 cm
Auf der Vorderseite der Wandung quer-
rechteckiges Bildfeld mit der Ruine Rau-
henstein, im Vordergrund die Schönfeld-
villa mit dem Triumphbogen
Bez. auf der Rückseite: „Ansicht der
Ruine Raueneck"
Sig. re. u. im Bildfeld: C. L. Hoffmeister
px. Wien
Die Darstellung folgt dem 1814 veröffent-
lichten Stich Anton Köpps von Felsenthal
der Ruine Rauhenstein, zu dem sich die
Vorzeichnung im Rollett-Museum er-
halten hat.
Wien-Chicago, Sammlung Rita Bucheit
Vgl. Kat. Nr. 337, 355 und 356
Abb. S. 128

379

Badeglas

Achtfach facettiert, leicht konisch zusam-
menlaufend
Grünes Glas, Mundrand und Einfas-
sungen der einzelnen Flächen vergoldet
Schnittdekor an der Schauseite „Ursprung
bei Baden"
H: 14 cm, DM: 7,2 cm
Wien-Chicago, Sammlung Rita Bucheit
Abb. S. 127

380

Badeglas

Achtfach facettiert, leicht konisch zusam-
menlaufend
Weißes Glas, rot überfangen. Auf jeweils
zwei Facetten gravierte Ansichten der
Ruine Rauhenstein, des Scheinerschen
Kaffeehauses und des Schlosses Doblhof
beziehungsweise Schriftzug „Andenken
von Baden".
H: 9,9 cm, DM 7,6 cm
Baden, Privatbesitz

381

Kerzenleuchter mit Hütchen

Meister J- S.
Silber, getrieben
H: 8 cm, B: 8,2 cm, T: 7,2 cm
Feingehaltspunze, Meisterzeichen J. S.
Baden, Privatbesitz
Abb. S. 29

382

Standleuchter mit fester Kerzentülle

Eisenguß, Tülle in Form einer Frauenfigur
H: 28 cm
Baden, Kaiser-Franz-Josef-Museum
Abb. S. 28

Beleuchtung mit Bienenwachskerzen konnten sich bis zu Beginn des 19. Jahrhunderts nur Adel und gehobenes Bürgertum leisten. Das niedere Volk mußte mit billigen Talg- oder Unschlittkerzen das Auslangen finden; auch diese wurden meist nur gebrannt, wenn es dringende häusliche Arbeiten erforderten. Die aus Abfallfetten entweder selbst hergestellten oder beim Seifensieder gekauften Talgkerzen rußten und gaben nur ein kümmerliches Licht. Ihre verkohlten Dochte mußte man immer wieder mit der Dochtschere schneiden — „schnäuzen".
Um 1830 wurde das Licht der armen Leute besser — durch das Aufkommen der Stearinkerzen; die billigen Paraffinkerzen gab es erst ab 1850.

Lit.: „Leuchtkörper und Lampen aus früheren Zeiten". In: Sonderdruck aus „Licht und Lampe". Fachbl. Nr. 19, September 1912. — Hentschel-Hella, Lampen — Leuchter — Laternen seit der Antike. Innsbruck 1975.

383

Lichtschirm

Birnbaumholz, Elfenbein, Metallbeschlag. Transparente Malerei auf Glas (Kaffee Schopf)
B: 21 cm, T: 13 cm, H: 42 cm
Baden, Privatbesitz

384

Kleines Schreibzeug (mit Tinten- und Streusandgefäß)

Perlmutter, Messing, Samt;
23,5 × 20,2 × 10,2 cm
Bemalung Ansicht der Weilburg (Tintenfaß), Kurpark: (Streusandgefäß); Äskulaptempel
RM
Abb. S. 125

385

Nähzeug (5teilig, 1 St. fehlt)

Perlmutter auf Holz, Messing vergoldet, Samtfutter; 15,0 × 7,3 × 10,1 cm
Bemalung: Ansicht der Weilburg
RM
Abb. S. 125

386

Reisenähzeug, um 1820/25

Etui: Wurzelholz und Perlmutter, Utensilien Eisen, Messing, teilweise vergoldet, Perlmutter, Email; 7,0 × 2,3 × 11,5 cm
Baden, Kaiser-Franz-Josef-Museum,
Inv. Nr. H/62
Abb. S. 255

387

Schmuckkassette, um 1820/25

Perlmutter auf Holz, Messing vergoldet, Samtfutter, Spiegel; 12,9 × 8,0 × 4,1cm
Unter Glas eine Gouache in der Art Balthasar Wigands; Beschriftung:
„Sauerhof in Baden"
RM

388

Kassette mit Darstellung der Weilburg

Kassette Leder und geprägtes Papier, Metallbeschlag. Gouache bez. „Weilburg bey Baden" in der Art Balthasar-Wigands
Kassette 17,6 × 10,6 × 5,5 cm; Miniature 12,0 × 7,2 cm
Wien - Chicago, Sammlung Rita Bucheit

389

Kassette mit Miniature des Hauptplatzes

Lederschatulle mit Eisenbeschlag, Miniature Aquarell und Tempera, in der Art Balthasar Wigands

Kassette 19,0 × 13,5 × 9,0 cm; Miniature
9,2 × 14,5 cm
RM TS B 478

390

Balthasar Wigand (1770—1846)

Blick auf Baden mit Staffage

Temperamalerei auf Pergament,
11,4 × 8,6 cm
Bez.: „Baden nächst Wien"
Sign. li. u.: B. Wigand
RM TS B 384

Lit.: Kat. Balthasar Wigand, 51. Sonderaus-
stellung des Historischen Museums der Stadt
Wien, Wien 1977

391

Balthasar Wigand

Baden, Ursprungsbad

Gouache, 7,2 × 9,4 cm
Bez.: Der Ursprung in Baden
Sign. li. u.: Wigand
RM TS B 499

Lit.: Kat. Balthasar Wigand, 51. Sonderaus-
stellung des Historischen Museums der Stadt
Wien, Wien 1977

392

Anton Psenner (1733/81?—1866)

Bildnisminiatur Otto Prechtler

Aquarellminiatur auf Elfenbein, oval;
9,0 × 11,5 cm
In Papiermontage und ledernem ge-
prägtem Klappfutteral
Bez. links neben Bild: Bildniß Otto
Prechtlers (1813—1881)
Sign. in Miniatur re. u.: Psenner pinx:
RM

Anton Psenner (1773[1781?]—1866), Hi-
storien- und Porträtmaler, weilte nach
dem Studium an der Wiener Akademie

(bei Lancig) 1821/22 in Rom, wo er von
den Nazarenern beeinflußt wurde. Er
malte viele Altarbilder und Fresken für
Kirchen in Tirol.
Abb. S. 124

393

Christoph Frank (1787—1822)

**Bildnis eines jungen Herrn (Leopold Hof-
zieher), um 1820**

Aquarellminiatur auf Elfenbein, oval
7,5 × 8,7 cm
Unbezeichnet
Rücks. auf Papierauflage beschriftet:
Leopold Hofzieher Frank fec
Geberin: Fr. Cäcilie Beneke
RM

Der Porträt- und Kleinminiaturmaler Chr.
Frank (1787 Eger—1822 Wien) war nach
dem Studium an der Prager Akademie
1804—1808 in Wien tätig.

394

Unbekannter Künstler

**„Carte de felicitation pur Mademoiselle la
Baronne Anna Dietrich le 26 Juillet 1844"**

Aquarell in Rahmen aus gepreßter Gold-
papierborte; 18,2 × 14,5 cm
RM

395

Stehuhr

**Diana mit Hund in einem zweirädrigen, von
Hirschen gezogenen Wagen, A. 18. Jh.**

Wagen vergoldete Bronze, Diana, Hund
und Hirsche Bronze, Sockel Alabaster;
47 × 20 × 36 cm
RM KS PS T 11

Lit.: ÖKT Baden, S. 187, Nr. 5

Kat. Nr. 410

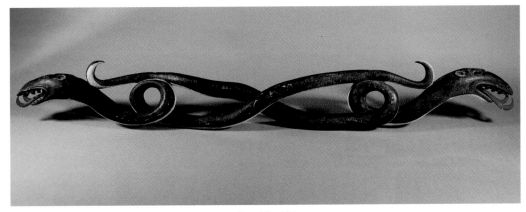

Kat. Nr. 404

396

Ferdinand Freiherr von Wetzelsberg
(1753—1842)

Das alte Bockswirtshaus in Baden, um 1817

Federzeichn. aquarelliert; 55,3 × 39,5 cm
Titel: Platz vor dem Bockswirtshaus in
Baden bei Wien
Bez.: Ihr Freund Wetzlsperg Sap. Ob
Lied.
RM TS B 816

Das Blatt, ebenfalls ein Geschenk des
Künstlers an Dr. Anton Rollett, war wohl
auch als Stichvorlage gedacht. Zur glei-
chen Zeit hielt auch sein Sohn, Ferdinand
Anton Johann Frh. v. Wetzelsberg, „das
Städtische Wirtshaus zum Pock" mit der
Anna-Kapelle im Hintergrund in seinem
Skizzenbuch in einer Bleistiftzeichnung
fest (S.40). Vgl. Kat. Nr. 342.

397

Ferdinand Anton Johann Freiherr von
Wetzelsberg (1795—1846)

**Baden, Weinhauerhaus in der Bergstraße
147 (heute Marchetstraße), 1830**

Tuschfederzeichnung, aquarelliert;
41,5 × 28,3 cm
Bez. Li. u. Frh: v W: 1830 (nachträglich
aufgeklebt)
RM

398

Franz Schemmel

**Speisen- und Getraenke-Tarif im Gasthofe
zur Stadt Wien in Baden, um 1840**

Auf der Rückseite fünf handgeschriebene
Kochrezepte
Wien bei M. Lell, ohne Jahr
RM W B 379

399

Unbekannter Künstler

**Baden, Blick auf den Hauptplatz mit Pest-
säule, Gasthof zur Stadt Wien und Schan-
derls Kaffeehaus**

Farbendruck der Lithographischen An-
stalt Mohr
55 × 37 cm
RM TS B 465

400

Baden, Liste der Fahrpreise

„... Die gefertigten bürgerlichen Lohn-
kutscher und Fiaker verpflichten sich
hiemit von den P.T. Passagieren höchsten
folgende Fahrpreise anzusprechen ..."
Baden, am 10. Mai 1854
RM VWB 337/1e

401

Anton Elfinger

„Satyrische Bilder-Nr. 9"

Kupferstich, koloriert; 22 × 29 cm
Bez.: Cajetan del. — And. Geiger sc.
Titel: „HE Omnibus! — Um Gottes
Willen halten! Ich muß heute noch nach
Baden! — Was würde meine Frau für
einen Lärm machen, wenn sie ihre Chemi-
setten nicht bekäme!"
Wien im Bureau der Theaterzeitung, Rau-
hensteingasse Nr. 126
Wien, Privatbesitz

Dr. Anton Elfinger löste — erst zwanzigjährig — als Illustrator von Adolf
Bäuerles „Wiener Allgemeinen Theaterzeitung" 1841 Johann Christian Schoeller
ab, der seit 1826 mit der „Gallerie drol-
liger Scenen" für Bäuerle tätig gewesen
war. Die Serie „Satyrische Bilder", im An-

schluß an die Wiener Szenen, umfaßte insgesamt 136 Kupfer und lief bis zum Jahre 1850.

Lit.: Aust. Kat. „J. Ch. Schoeller — Karikatur und Satire in Biedermeier und Vormärz", Histor. Mus. d. Stadt Wien, Karlsplatz, 1978.

402

Fayencekrug „1805"

Birnkrügl mit Bäckerzunftzeichen, Kartusche kobaltblau
Wahrscheinlich aus der Fischauer Gruppe, datiert 1805
H: 16,5 cm
Kaiser-Franz-Josef-Museum, Baden
Inv. Nr. 959

Im 18. Jahrhundert dürften die bodenständigen Krüglmacher durch die sog. „Habaner", Majolikaherstellung aus Südmähren und der Slowakei, Konkurrenz, aber auch neue Methoden und Fähigkeiten (Rotmalerei) kennengelernt haben (vor allem im Raum Leobersdorf). Ab 1720 war die Assimilation dieses „ausländischen Elements" abgeschlossen. So zeigt beispielsweise die Fischauer Gruppe formal eigenständige Produktionen an Gebrauchsgeschirr.
Hafnereien waren in Baden keine Großbetriebe, sondern die Krügler mußten oft als Kleinbauern oder Weinhauer ihr Brot dazuverdienen. Aufgrund der ärmlichen Verhältnisse wechselten auch oft die Besitzer oder Pächter der Werkstätten.
Gerade die Krüglhafnerei des Viertels unter dem Wiener Wald zeigt eine starke Verbindung mit bäuerlich-handwerklichen Elementen und unterschied sich von fabrikartigen Betrieben anderer Landschaften.

Lit.: Steininger, Hermann: Die datierte Keramik der Neuzeit in Niederösterreich. Wien 1967

403

Fayencekrug „1829"

Weißgeschirr oder sog. Bauernmajolika, bauchig, Leberfarben, mit Kartusche, Henkel ohne Zeichnung (kobaltblau)
Badener Werkstätte, datiert
H: 16,5 cm
Kaiser-Franz-Josef-Museum, Baden, Inv. Nr. 964
Vgl. Kat. Nr. 402

404

Ladenschlange eines Badener Greißlers

Merkantiles Symbol und zugleich Einrichtungsgegenstand von Greißlereien. Die Haken an der Schlange dienten z. B. zum Trocknen von Kräutern
Holz, farbig gefaßt; B: 200 cm, H: 22 cm
Kaiser-Franz-Josef-Museum, Baden
Abb. S. 272

405

Unbekannter Zeichner

Studie eines Pfeifenrauchers

Bleistiftzeichnung; 13 × 21 cm
unbezeichnet
RM KS P 105

406

Ständer mit einem Rauchrohr und drei Zigarettenspitzen in Birnenform

Weichselholz, 1822
RM KS PST 15/1

Besondere Spezialität aus Badener Plantagen der Firmen Biondek und Trenner. Diese beiden Pfeifendrechsler bezogen Weichselsamen für die Baumzucht vom nördlichen Ufer des Plattensees, Holz der Weichselstämme aus dem Park der Weilburg. Ziel war die „Herstellung" von

Weichselrohren ohne Schnittstellen für Pfeifenröhrl, Spazierstöcke, Zigarettenspitzen usw. Ein Großteil dieser Produkte ging direkt von den Badener Pfeifendrechslern in den Export.

407

Michael Biondek

Privilegiums-Erklärung

Eingereicht durch den Badener Pfeifendrechsler Michael Biondek am 24. 10. 1833: „Was die Zubereitung betrifft, die Steinweichsel zu einem gefälligen glatten Stamm" zu erziehen . . .
Biondek konnte mit diesem Kaiserlichen Patent die Konkurrenz nahezu ausschalten.
Wien, Technische Universität, Archiv, Privileg Nr. 1910

408

Joseph Trenner

Beschreibung der Verwendung der Steinweichsel

Durch den Gutenbrunner Joseph Trenner im Jahre 1824: „Das Steinweichsel-Holz wird auf folgende Art zu Tabakrauchwaren . . ."
Trenner entwickelte sich ebenfalls zum erfolgreichen Weichselröhrl-Hersteller in Baden.
Wien, Technische Universität, Archiv, Privileg Nr. 769

409

Karl Delavilla

Patent über eine Kaffeedampfmaschine

Baden, den 5. August 1824
Beiliegende Zeichnung: Tuschfeder; 34,3 × 51,0 cm

Wien, Technische Universität, Archiv, Privileg Nr. 1061
Abb. S. 16

410

Leopold Moser

Patent über ein luftdichtes Glasgefäß, 1832

Leopold Moser, bürgerlicher Glaser und Glashändler im Badener Haus 63: „Beschreibung eines luftdichten Glasgefäßes für Mineralwasser."
Wien, Technische Universität, Archiv, Privileg Nr. 1887
Abb. S. 271

411

Glaserkraxn

Für den Hausierhandel zum Transport der zerbrechlichen Güter von Hof zu Hof, von Markt zu Markt. Holz.
Holz; B: 55 cm, T: 18 cm, H: 75 cm
Baden, Kaiser-Franz-Josef-Museum

412

Zwei Löffel als Liebesgabe

Schäferszene, Widmung in deutscher Schreibschrift
Horn, geritzt; L: 19 cm
Baden, Kaiser-Franz-Josef-Museum, Inv. Nr. H/39

413

Modell einer Dampfmaschine, um 1810

Eisen, Messing, Holz
B: 66 cm, T: 20 cm, H: 50 cm
Baden, Kaiser-Franz-Josef-Museum
Abb. S. 33

414

Joseph Schein

Eisenhammer, Drahtmühle, Schmiede, Schlosser, Kesselflicker

Aquarell; 43 × 33 cm
Aus der Serie „Der Mensch und sein Beruf"
Sign. re. u.: Joseph K. Schein del. 840
RM KS 150

415

F. C. de Passerat — R. Balangard

Joseph Marie Jacquard (1752—1834)

Seidenwebarbeit; 11,8 × 17,8 cm
RM KS P 123

J. M. Jaquard, Seidenweber und Techniker in Lyon, erfand 1804 eine Netzstrickmaschine und 1808 den Webstuhl für gemusterte und broschierte Seidenstoffe.
Abb. S. 137

415

Haselwander

Chemicker, Phisiker, Luftfahrer etz. 1839

Lithographie, koloriert; 46 × 36 cm
Aus der Serie „Der Mensch und sein Beruf"
Bez. Mi. u.: Haselwander del -Szichna lith.
RM KS 141

416

Modell eines Damast-Webstuhles

Holz Eisen, Papier; B: 88 cm, T: 50,8 cm, H: 88,5 cm
Baden, Kaiser-Franz-Josef-Museum

1805 machte der französische Seidenweber Joseph-Marie Jacquard (1752 bis 1834) eine für die Mechanisierung der Weberei revolutionierende Erfindung: er entwickelte die sog. Jacquard-Maschine zum Abweben großflächiger Muster, bereits mittels Lochkarten.
Abb. S. 32

417

Zeugdruckmodel

Druckstock mit Stiften und Leisten aus Messing, Nußholz. Für pflanzliche Streumuster, Porzellandruck oder „Blaudruck", um 1840
33,5 × 33,5 cm
Baden, Kaiser-Franz-Josef-Museum
Inv. Nr. 1573

Der Zeugdruck, vor allem der Blaudruck, hat im 18. und frühen 19. Jahrhundert zu den bezeichnenden Dorfhandwerken gehört, ist aber auch schon früh von Manufakturen durchgeführt worden. Die bedruckten Kattune haben weiterhin den Grundstoff für die weiblichen Arbeitstrachten geliefert. Die Model gehörten zum Bestand der Zeugdrucker, wurden wohl auch durch wandernde Gesellen weitergetragen. Mit diesem Handwerk beschäftigen sich Färber, Maler, Buchdrucker, aber auch Weber und Tuchscherer.
In Baden führte die Familie Schiestl die Färberzunft an.
Abb. S. 132

418

Stoffdruck mit Plan von Wien und Umgebung

Baumwolle bedruckt, die Karte von breiter Bordüre umgeben
114,5 × 110,0 cm
Bez.: „Wien und die nahen Gegenden dieser Haupt u. Residenzstadt / Gezeichnet und verfertiget bey der kais. kön. priv. Graezer Ziz und Cotton Fabrick Anno / 1808 10"
RM

419

Musterbuch der Färberei von Joseph und Karl Schiestl, 1820—1869

96 Seiten mit verschiedenen Leinen-
drucken, vor allem Blaudruck
28,0 × 25,5 cm
RM

420

„Seidenfärberei-Muster aus der Färber-Fa-milie Schiestl in Baden bei Wien. Um 1800"

Fünf Blätter mit Mustern
13,0 × 20,8 cm
RM

421

Mustertafel mit Seidenzeug, gewebt und be-druckt

Tafel aus der Technologiesammlung des
A. F. Rollett
44 × 34 cm
RM

422

Mustertafeln mit Seidenzeug, mustergewebt

Acht Tafeln aus der Technologiesamm-
lung A. F. Rolletts
Je 44 × 34 cm
RM

423

Mustertafeln mit Seidenzeug, mustergewebt

Zwei Tafeln aus der Technologiesammlung des A. F. Rollett
68 × 44 cm
RM

424

Mustertafeln mit Seidenzeug, mustergewebt

Hornbostelsche Fabrik, Wien
Tafel aus der Technologiesammlung des
A. F. Rollett
44 × 34 cm
RM

425

Mustertafel mit Taffet, mustergewebt

Fabrik des Sebastian Kargl in Wien
Tafel aus der Technologiesammlung des
A. F. Rollett
44 × 34 cm
RM

426

Mustertafel mit Past, mustergewebt

Fabrik des Sebastian Kargl in Wien
Tafel aus der Technologiesammlung des
A. F. Rollett
44 × 34 cm
RM

427

Mustertafeln mit Seidenzeug, mustergewebt

Fabrik des Herrn Leopold Harersleben,
Wien Schaumburgerhof, 1790—1800
Zwei Tafeln aus der Technologiesamm-
lung des A. F. Rollett
68 × 44 cm
RM

428

Mustertafel mit bedruckter Leinwand (Schnupftücher), 1822

Tafel aus der Technologiesammlung des
A. F. Rollett
44 × 34 cm
RM

429

**Mustertafeln mit baumwollenen Bändern,
mustergewebt**

Fabrik des Sebastian Erdinger von 1820
und 1822
Zwei Tafeln aus der Technologiesammlung des A. F. Rollett
44 × 34 cm
RM

430

**Mustertafeln mit einfachem baumwollenem
Zeug, bedruckt**

1832—1836
Drei Tafeln aus der Technologiesammlung des A. F. Rollett
44 × 34 cm
RM

431

**Mustertafeln mit einfachem baumwollenem
Zeug, bedruckt**

K.K. priv. Fridauer Fabrik, 1820
Tafel aus der Technologiesammlung des
A. F. Rollett
44 × 34 cm
RM

432

**Mustertafel mit einfachem baumwollenem
Zeug, bedruckt**

Leitenbersche und Cosmanosser Fa-
briken, 1824

Tafel aus der Technologiesammlung des
A. F. Rollett
44 × 34 cm
RM

433

**Mustertafel mit Halbwollzeug, musterge-
webt, 1826**

Tafel aus der Technologiesammlung des
A. F. Rollett
44 × 34 cm
RM

434

**Mustertafel mit feinem Baumwollzeug, mu-
stergewebt, 1825**

Tafel aus der Technologiesammlung des
A. F. Rollett
44 × 34 cm
RM
Abb. S. 135

435

**Mustertafel mit schafwollenem Zeug, be-
druckt, 1834**

Tafel aus der Technologiesammlung des
A. F. Rollett
44 × 34 cm
RM

436

Mustertafel mit schafwollenen Zeugen

Rechts zwei „patentierte Shawltücher" des
Webers Blümel, Wien, 1825
Tafel aus der Technologiesammlung des
A. F. Rollett
44 × 34 cm
RM

437

Mustertafel mit schafwollenen Zeugen, mustergewebt

Fabrik des Jakob Perger in Wien, Teppichfabrikant, 1827
Tafel aus der Technologiesammlung des A. F. Rollett
44 × 34 cm
RM

438

Mustertafel mit glattem und faconiertem Kasimir, teilweise walzenbedruckt

Brünner Fabrik
Tafel aus der Technologiesammlung des A. F. Rollett
68 × 44 cm
RM

439

Mustertafel mit schafwollenem Zeug (Tuch)

Verschiedene Manufakturen in Flandern, 1828
Tafel aus der Technologiesammlung des A. F. Rollett
44 × 34 cm
RM

440

Mustertafel mit schafwollenem Zeug, mustergewebt

Tafel aus der Technologiesammlung des A. F. Rollett
44 × 34 cm
RM

441

Mustertafeln mit Felpel

Aus der Fabrik der Brüder Mestrozzi in Wien
Tafel aus der Technologiesammlung des A. F. Rollett
68 × 44 cm
RM
Abb. S. 138/139

442

Mustertafel mit Felpel und Plüsch, 1820—1824

Tafel aus der Technologiesammlung des A. F. Rollett
44 × 34 cm
RM

443

Mustertafel mit Tapete aus Schafwollzeug, bedruckt, 1824

Tafel aus der Technologiesammlung des A. F. Rollett
44 × 33 cm
RM

444

Mustertafel mit Schafwollteppichen, 1824

Tafel aus der Technologiesammlung des A. F. Rollett
44 × 33 cm
RM

445

Mustertafel mit Schafwollteppichen, 1824

Tafel aus der Technologiesammlung des A. F. Rollett
44 × 33 cm
RM

446

Mustertafel mit Atlas-Möbelzeugen

Fabrik des Sebastian Kargl in Wien
Tafel aus der Technologiesammlung des
A. F. Rollett
44 × 33 cm
RM

447

Mustertafel mit Posamentier-Arbeiten (Borten), 1826

Tafel aus der Technologiesammlung des
A. F. Rollett
44 × 34 cm
RM

448

Mustertafeln mit Posamentier-Arbeiten (für Möbel)

Tafel aus der Technologiesammlung des
A. F. Rollett
34 × 44 cm
RM

449

Mustertafeln mit gedruckten und satinierten Tapeten

Tafel aus der Technologiesammlung des
A. F. Rollett
44 × 34 cm
RM

450

Mustertafel mit Präge- und Kleisterpapieren

Tafel aus der Technologiesammlung des
A. F. Rollett
68 × 44 cm
RM

451

Mustertafel mit Iris-, Sultan-, Marmor- und Diagonal-Marmorpapieren, 1832

Tafel aus der Technologiesammlung des
A. F. Rollett
68 × 44 cm
RM

452

Mustertafel mit Fantasie-Papieren, 1834

Tafel aus der Technologiesammlung des
A. F. Rollett
68 × 44 cm
RM
Abb. S. 31

453

Mustertafel mit gepreßten Papieren, 1830

Tafel aus der Technologiesammlung des
A. F. Rollett
44 × 34 cm
RM

454

Mustertafel mit Iris-Cattunpapier und Türkisch-Marmorpapier, 1832

Tafel aus der Technologiesammlung des
A. F. Rollett
68 × 44 cm
RM

455

Mustertafel mit grundierten Cattunpapieren, 1832

Tafel aus der Technologiesammlung des
A. F. Rollett
68 × 44 cm
RM
Abb. S. 30

456

Mustertafeln mit Spielkarten der Fabrik Norbert Hofmann in der Unteren Bräunerstraße 1199 in Wien

Zwei Tafeln mit Mustern verschiedener Spielkarten und Verpackung, um 1819
je 44 × 32 cm
RM

457

Mustertafel mit Visite- und Glückwunschkarten

Tafel 23 aus der Technologiesammlung des A. F. Rollett
44 × 34 cm
RM

458

Mustertafel mit Visite- und Glückwunschkarten

Tafel 26 aus der Technologiesammlung des A. F. Rollett
44 × 34 cm
RM

459

Mustertafel mit Buchbinderarbeiten

Verfertiget von Fortunat Kanz Bürg. Buchbinder und dessen Sohn Friedrich Carl in Baden 1819
Auf den Buchrücken u. a. „Hygieia" von A.F. Rollett und „Die Schwefelquellen von Baden"
Lederrücken mit Goldprägung auf Tafel mit Goldstempelverzierung
Tafel 34 „Buchbinderkunst" aus der Technologiesammlung A. F. Rolletts
44 × 34 cm
RM
Abb. S. 134

460

Naturschönheiten und Kunstanlagen der Stadt Baaden in Österreich und ihrer Umgebungen

Mit einer Titelvignette und fünf Aquatintaradierungen
Wien und Baaden bey Geistinger (1803)
Gebunden in rotem Leder mit Goldstempelzier als „Souvenir des 11. April 1814"
27,0 × 18,8 cm
M TB 2a

461

Georg Geßner

Memorabilien der Zeit

Wien, Baden, Triest bei Georg Geistinger 1804
Kalender mit Sinnsprüchen; zwei Titelvignetten (Fortuna und Chronos; Denis)
Brauner Ledereinband, Goldstempel, Goldschnitt geprägt und bemalt;
8,6 × 14,6 cm
Von Anton Franz Rollett und seiner zweiten Frau Josepha als „Gedenkbuch" (Tagebuch) verwendet
RM HB 838

462

Kaiserl. Koenigl. Österreichischer Provinzialkalender auf das Jahr Jesu Christi 1808

Wien bei Anton Schmid 1808
Gebunden in braunem Ledereinband mit Goldstempelverzierung für den Bürgermeister Martin Johann Mayer, 1808;
16,5 × 21,8 cm
RM LB 567

463

Kaiserlich österreichischer Provinzial-Kalender für das Jahr nach der Geburt Jesu Christi 1839

Wien bei Anton Edlen von Schmid 1839
Gebunden in grünem Ledereinband mit
Goldstempelverzierung und farbigen Le-
dereinsätzen für den Bürgermeister Johann Nepomuk Trost, 1839;
19,5 × 24,0 cm
RM LB 568

464

**Geistliche Seelen Zier in Auserlesenen Ge-
bettern**

Handschriftlich niedergeschriebenes Gebetbuch
Brauner Ledereinband mit reicher Goldstempelzier, Vorsatz
rotes Kleisterpapier; 10,2 × 15,8 cm
RM KUÖ 76

465

Lederetui für ein Gebetbuch

Braunes Leder mit Goldstempelzier, rotes
und blaues Kleisterpapier 11,4 × 17,1 cm
RM KUÖ 70

466

Lederetui

Braunes Leder, roter Ledereinsatz, Goldstempelzier 3,0 × 2,6 × 16,4 cm
RM

467

Geldbörse

Geprägtes Leder, Papier; 13 × 19 cm
RM

468

Brieftasche

Geprägtes Leder, Papier; 17,5 × 11,3 cm
RM

468 a

Brille

Mit Messingfassung in Lederetui
13 × 4 cm
RM

469

Musterkarte mit Beschlägen für Kasetten

Messing und Eisen; 15,0 × 16,3 cm
RM

470

Mustertafel mit männlichem Bauernhemd

Verfertigt von Mademoiselle Theres
Gruber, 1824
Tafel 5 aus der Sammlung Weiblicher
Handarbeiten des A. F. Rollett
44 × 33 cm
RM

„In der technologischen Sammlung,
welche aus 28 starken Großfolio-Bänden
mit Carton-Einlagen und vielen Tausenden von Nummern besteht, begegnen
wir bei der Unterabtheilung ‚Weibliche
Handarbeiten' verschiedenartigen Strick-
und Häkelarbeiten, Netz- und Ausnäh,
Märk- und Stickarbeiten. Letztere sind
durch Ausführungen in farbiger Wolle,
Seide, Crepefäden, Perlen und dergl. besonders mannigfaltig. An Näharbeiten
(Sticharten), Darstellungen des Kleider-
machens mit Schnitten, an Beuteln, Ta-
schen, verschiedenen Arbeiten auf Papier,
Holz etc. sind gleichfalls reiche Mengen
vorhanden. An diese reihen sich Cartons
mit Mode-Gegenständen. Blumenma-
cherei, türkische, chinesische und indiani-
sche Frauenarbeiten . . .“

Lit.: (Aus: Das städtische Rollettmueum in Baden
bei Wien. In: Naturalien-Cabinet mit Naturalien
und Lehrmittelmarkt. II: Vereinsjahr Nr. 9 Mai
1893. Sonderdruck.)

471

Mustertafel mit weiblichem Kroatenhemd

Verfertigt von Mademoiselle Theres Gruber, 1824
Tafel 7 aus der Sammlung Weiblicher Handarbeiten des A. F. Rollett
44 × 33 cm
RM

472

Mustertafel mit einem Frauen-Bad-Hemd

Verfertigt von Mademoiselle Theres Gruber, 1825
Tafel 9 aus der Sammlung Weiblicher Handarbeiten des A. F. Rollett
44 × 33 cm
RM

473

Mustertafel mit Männer-Schmiesel, -Kragel, -Halsbinde und Hemd mit Hosen

Verfertigt von Mademoiselle Theres Gruber, 1824
Tafel 11 aus der Sammlung Weiblicher Handarbeiten des A. F. Rollett
44 × 33 cm
RM

474

Mustertafel mit Überrock

Verfertigt von Ann. Kranz, 1824
Tafel 10 aus der Sammlung Weiblicher Handarbeiten des A. F. Rollett
68 × 44 cm
RM

475

Mustertafel mit Mantel, Hüten und Ballkleid

Verfertigt von Ann. Kanz, 1824
Tafel 2 der Sammlung Weiblicher Handarbeiten des A. F. Rollett
68 × 44 cm
RM
Abb. S. 142/143

476

Mustertafel mit Batist- und Seidenkleid, Fächer und Hütchen

Verfertigt von Ann. Kraus, geb. Kanz, 1836
Tafel 1 der Sammlung Weiblicher Handarbeiten des A. F. Rollett
68 × 44 cm
RM

477

Mustertafel mit Kleid

Verfertigt von Ann. Kanz, 1824
Tafel 8 aus der Sammlung Weiblicher Handarbeiten des A. F. Rollett
68 × 44 cm
RM

478

Mustertafel mit Wollstickerei auf Stramin

Verfertigt von Josephine Rollett, 1834
Tafel 24 aus der Sammlung Weiblicher Handarbeiten des A. F. Rollett
44 × 34 cm
RM

479

Mustertafel mit Weißstickerei

Tafel 5 a und 5 b aus der Sammlung Weiblicher Handarbeiten des A. F. Rollett
44 × 34 cm
RM

480

Mustertafel mit Chenile-Stickerei, Perlenstickerei, Klebearbeit, Glasspinnerei, Drahtfiligran mit Seide und Pailettenstickerei

Verfertigt von Marie Grünebaum (1840), Pauline von Poschan (1840), Marianne Wolfsbauer (1834), Marietta Masenza (1840), Nanette Schalgruber (1840) und Fanny Brandel (1838)
Tafel 6 der Sammlung Weiblicher Handarbeiten des A. F. Rollett
68 × 44 cm
RM

481

Mustertafel mit künstlichen Blumen

Fabrik des Johann G. Neupi am Strozzischen Grund in Wien, 1832
Tafel 3 der Sammlung Weiblicher Handarbeiten des A. F. Rollett
68 × 44 cm
RM

482

Crepidlhaube

Reiche Haube, nieder, ganz aus Goldmaterial ausgeführt
Getragen von den Frauen reicher Badener Bürger- oder Weinhauerfamilien
Frühes 19. Jh.
RM

483

Kinderhäubchen

Rosa Seide, bunte Stickerei, Goldspitze
1. H. 19. Jh.
RM

484

Kleid einer Badener Bürgerin

Musseline
Wien, Niederösterreichisches Landesmuseum, Inv. Nr. II 4012

Die Zeit um 1820 ist ein Höhepunkt, aber zugleich auch eine Kehrtwendung in der weiblichen Mode. Die Frauenmode kehrt zu den Formen des sichtbaren Müßiganges zurück: Die Taille senkt sich auf die Hüften herab und verengt sich wespenartig. Man legt größten Wert auf weibliche Formen, unterstützt durch Mieder und Korsetts.
Als Stoffe verwendet man Musseline, Kattun, Baumwolle. Typisch ist das Streifendessin, beliebt waren auch changierende Seidenstoffe.

485

Herrenweste

Goldlamé mit Pailletten-Stickerei, Rückenteil aus Leinen
1. H. 19. Jh.
RM

486

Herrenweste

Weißer Seidentwill mit Chenille-Stickerei, teilweise mit Metallfäden eingefaßt. Rückenteil aus Leinen.
1. H. 19. Jh.
RM

487

Kurze Herrenweste aus Badener Familienbesitz

Weißer Atlas mit reicher Dekoration in bunter Seiden- und Chenillestickerei und

schwarzem Samt. Entlang aller Kanten aufgesetzte schwarze Samtstreifen mit aufgestickten hellbraunen Ovalen. Von den Streifen abzweigend einzelne große Blüten und Blätter. Die Hauptformen in Chenille, die Konturen und Details in bunter Seidenflachstickerei. Flache Knöpfe sternförmig mit bunter Seide überarbeitet. Vorderteil mit weißer Seide gefüttert, Rücken weißes Leinen.
Baden, um 1800
Wien, Niederösterreichisches Landesmuseum. Inv. Nr. 1369

488

Brustfleck

Leibbinde für Frauen und Männer. Oberteil bis etwa zu Mitte aus rosa Seide, der untere Teil aus weißem Leinen, buntbedruckt mit Blumensträußchen. Oberer Rand mit Goldspitze eingefaßt, durch gezogene Vorstiche entsteht ein karoförmiger Effekt.
Baden, um 1830
Wien, Niederösterreichisches Landesmuseum. Inv. Nr. 3914

489

Damenstiefletten

Blaue Seide mit runden Messingknöpfen und gelben Schließschlingen. Auf der Kappe Ziermasche mit Flinserlstickerei.
Baden, um 1850
Wien, Niederösterreichisches Landesmuseum

490

Damenschnürstiefletten

Aus weißer Atlasseide, auf der Kappe Maschenrosette mit Schnalle. Typisch für städtisches spätbiedermeierliches Schuhwerk.

Baden, um 1850
Wien, Niederösterreichisches Landesmuseum. Inv. Nr. 4082

491

Sonnenschirm

Baumwolle, Tüllstickerei; Griff aus Wurzelholzimitation
Um 1840
Baden, Privatbesitz

492

Biedermeierschirmchen

Grauer Seidenbezug mit schmalem Rüschenbesatz, jeder Zwickel mit einem bunten Blumenstrauß bestickt. Spitze und Schaft geschnitzt.
Baden, um 1830
Wien, Niederösterreichisches Landesmuseum. Inv. Nr. 4041

493

Fächer mit Ansicht des Hafens von Neapel

Temperamalerei auf Pergament, Mahagoniholz, 1. V. 19. Jh.
25 cm (Radius)
RM

494

Modeblatt

Aus der Wiener Zeitschrift für Kunst, Literatur, Theater und Mode
Stahlstich, koloriert; 14,5 × 22,7 cm
Nr. 40, 11. März 1841
RM KB 198/1

495

Modeblatt

Aus der Wiener Zeitschrift für Kunst, Literatur, Theater und Mode
Stahlstich, koloriert; 28,5 × 22,0 cm
Nr. 19, 1850
RM KB 198/2

496

Modeblatt

Aus der Wiener allgemeinen Zeitung
Stahlstich, koloriert; 24,0 × 30,8 cm
Baden, Kaiser-Franz-Josef-Museum

497

Modeblatt

Aus der Wiener allgemeinen Zeitung
Stahlstich; 33,7 × 25,5 cm
Baden, Kaiser-Franz-Josef-Museum

FRANZ ANTON ROLLETT
MENSCH, WISSENSCHAFTLER, SAMMLER

Unermüdlicher!
Du sammelst im bunten Gemische
Insekten und Gipse,
Pflanzen, trocken und frische,
Steine und Vögel und Schnecken,
Würmer, die inwendig stecken,
Bücher zu tausend von Bänden,
Arbeit von weiblichen Händen,
Schädel von Weisen und Rechten,
Schädel von Dummen und Schlechten,
Münzen von allen
Herrn und Metallen.
Ja selbst Papiere sammelst Du ein,
und zum Sammeln ist nichts Dir zu klein.
Doch auch das Größte auf Erden hier:
Edle Werke sammelst Du Dir.
Dafür sammle im Alter Dein
Nun auch den Dank der Menschheit ein!

Widmungsgedicht von Ignaz Franz Castelli
im Gästebuch von Anton Franz Rollett
Guttenbrunn am 22. July 1837

498

Johann Baptist Ritter von Lampi d. Ä.
(1751—1830)

Anton Franz Rollett (1778—1842), 1826

Lithographie; 19,5 × 25,6 cm
Bez.: Eques de Lampi pinx. / B. de
Schrötter lithogr.
Anton Rollett Wund Geburts und Thier-
Arzt zu Baaden, Mitglied der K.K. Landwirthschafts Gesellschaft zu Wien.
Beschriftet: Cetiens Nymphe giebt mild
den Kranken, die Heilenden Waesser: Du
bist Gehilf ihr, Rollett, und was die Natur
uns zerstreut weist, Bietest gesammelt Du
den Suchern der Wunder der Dinge. Nach
dem Lateinischen des Prof. Ant. Stein.
1826.

Vgl. das Ölporträt von Lampi,
Kat. Nr. 360
Bernhard Edler von Schrötter (1972 bis
1842) war als Bildnismaler und vor allem
als Lithograph tätig. Er schuf zahlreiche
Schauspieler- u. Rollenbildnisse.

Lit.: ÖKT Baden, S. 183
Abb. S. 289

499

**„Diplom der Wiener Medicinischen Fa-
cultät für Anton Rollett aus Baden als
Wundarzt. Wien 1796"**

Handschrift auf Pergament, gez. von Michael Julianus Haunalter; mit anhän-
gendem Siegel der Wiener Medizinischen
Fakultät
60 × 40 cm
RM HB 835

500

**„Diplom der Wiener Medicinischen Fa-
cultät für Anton Franz Rollett aus Baden
als Magister der Geburtshülfe. Wien,
23. Dec. 1796."**

Handschrift auf Pergament, gez. von Michael Julianus Nob. de Haunalter; mit an-
hängendem Siegel der Wiener Medizinischen Fakultät
56 × 39 cm
RM HB 836

501

**Franz Anton Rollet 1778—1842 und Carl
Rollett**

Materia Medica Scripsit De Antonio
Franzisco Rollett Die XXX Martii Anno
MDCCLXXXXV
Handschriftliches Rezeptbuch, 163 Seiten,
davon die ersten 74 Seiten von A. F. Rol-
lett; 12,5 × 19,0 cm
RM MEB 119

502

**Gästebuch des Anton Franz Rollett, begin-
nend mit Eintragungen von 1810**

Eintragungen u. a. von Kaiserin Caroline
Auguste (1818), den Erzherzögen Rainer
(1811), Ludwig (1814), Marie-Louise
(1828), Luigi und Giovanni (1859), Moritz
Graf von Fries Junior (1810), Fortunat
Kanz (als Freund und Verfertiger des Bu-
ches; 1810), Johann J. Geymüller (1813),
Johann J. Prechtl (1813), Ignaz Mack
(1815), den Freiherrn Ferdinand und
Anton Johann von Wetzelsberg (1817),
Clementine und Leontine Metternich
(1818), Giovanni Lampi (1818), Franz
Grillparzer (1819), Ignaz Franz Castelli
(1837) und Ladislaus Pyrker (1840).
Widmungszeichnungen u. a. von Therese
und Franz von Meergraf (1815), Joseph
Auracher von Aurach (1818), K. Krones
(Barbara Rollett, geb. Tröls und Nanette
Streicher darstellend; 1836) und Johann
Ender (Zeichnung des Philoktet, 1832).
Widmungsgedicht von Ignaz Franz Ca-
stelli, 1837

Anton Rollett.

Wund Geburts und Thier-Arzt zu Baaden,

Mitglied der k. k. Landwirthschafts Gesellschaft zu Wien.

Kat. Nr. 498

Gebunden von Fortunatus Kanz, bürgerlicher Buchbinder in Baden, in braunem Ledereinband, Goldstempelverzierung, Vorsatz aus Marmorpapier
22,5 × 32,0 cm
RM HB 309

Lit.: ÖKT Baden, S. 185, Nr. 3
Abb. S. 38, 160 und 299

503

Ferdinand Freiherr von Wetzelsberg (1753—1842)

Das Rolletthaus in der Bergstraße
Federzeichnung, aquarelliert;
49,7 × 38,2 cm
Sign.: Nach der Natur Gezeichnet und Aufgenommen im Jahr 1817 / durch Ferdinand v. Wetzlsberg Hauptmann und Professor
Bez. u.: Gewidmet meinem Freund in Guten-Bunn / Anton Rollett, Arzt, an Baaden
RM TS B 815

Der ältere Freiherr von Wetzelsberg (1753—1842) hatte sich 1797 als Hauptmann pensionieren lassen und in Baden eine Zeichenschule gegründet. Er zeichnete Vorlagen für die Radierung der Stadtpfarrkirche von H. Benedicti und die Lithographie der ehem. Frauenkirche von Beständig. Diese Lithographie und eine weitere Federzeichnung widmete er Anton Rollett, dessen Sohn Hermann sein Schüler war.
Das Haus Anton Rolletts in der alten Bergstraße (heute Marchetstraße 3) ist in seiner noch ländlichen Umgebung mit dem Blick auf den Kalvarienberg festgehalten.

504

Handbuch der Naturgeschichte: zusammengetragen . . . und geschrieben von Franz Anton Rollett

Chirurgien Acconstheur u. Veterineur. Im Jahren 1798—1801
Handschrift, Papiereinband der Zeit, 176 Seiten
20,0 × 23,8 cm
RM

505

Schenk und Rollett

Kleine Fauna und Flora von den Gegenden um Baden

Herausgegeben von Doctor Schenk und Rollett, als ein nöthiger Anhang zum Badner-Taschenbuch
Wien und Baden bei Joseph Geistinger
1805
RM TB 7/2

506

Anton Franz Rollett (1778—1842)

Hygieia. Ein in jeder Rücksicht belehrendes Handbuch für Badens Curgaeste

Baden (1816) im Verlag bey Ferd. Ullrich
RM TB 16 c
Abb. S. 291

507

Anton Franz Rollett (1778—1842)

Dr. Diels Aepfelsystem

Kat. Nr. 506

Handschrift, 136 Seiten
21 × 25 cm
RM

508

Reiseapotheke

Aus dem Besitz des Wund-, Geburtshilfe
und Tierarztes Anton Franz Rollett
Holz mit 54 Fächern
18 × 22 × 23 cm
KM KS PST 6

509

Ärztliches Besteck

Aus dem Besitz des Wund-, Geburtshilfe
und Tierarztes Anton Franz Rollett
RM KS PST 5
Abb. S. 292

510

Anton Franz Rollett (1778—1842)
**„Katalog von meinen Pflanzen, die sich in
meinem Herbarium finden, oder in Abbildung besitze. verfertiget in den Jahren
1838—1839, Anton Rollett"**

Eingetragen in einen Titelkupfer von A.
Bartsch (1814)
26,0 × 39,5 cm
RM TB 241
Abb. S. 293

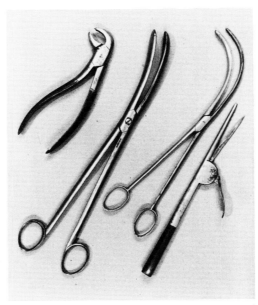

Kat. Nr. 509

511

Herbar des Anton Franz Rollett

Herbar in 21 Kassetten in Buchform und
weiteren 18 Holzbänden mit ungefähr
12.000 Pflanzen
Kassetten teilweise aus verschiedenen hei-
mischen Hölzern gefertigt, mit Blättern
verschiedener Form aus Papier beklebt,
beschriftet; 23,0 × 30,5 × 39,7 cm
RM

512

„Insektenkasten"

Aus dem Besitz von Anton Franz Rollett
Furnierte Abdeckplatte mit Mustern von
128 einheimischen und 128 ausländischen
Hölzern; Türen und Seitenwände ebenfalls mit verschiedenen Holzmustern intar-
siert, die Innenseiten der Türen mit kolla-
gierten Käfern und Schmetterlingen.

Feuervergoldete Beschläge in Form von
Weinblättern
Im Inneren 72 Laden, ebenfalls aus ver-
schiedenen Holzarten, für die Samm-
lungen Insekten, Muscheln, Schnecken
und Samen
191 × 110 × 94 cm
Bez. auf der Abdeckplatte „Verfertiget im
Monat Mai 1812"
RM KS PST 7

513

**Systematisches Verzeichnis der Schmetter-
linge der Wienergegend**

Herausgegeben von einigen Lehrern am
k.k. Theresianum
Wien bei Augustin Bernardi, Buchhändler
1776
1 Titelkupfer, koloriert, eine Schlußvig-
nette, 2 kolorierte Kupferstiche als Tafel-
abbildungen
RM N 26

Katalog

von meinen Pflanzen,

die sich in meinem Herbarium finden,

oder in Abbildung besitze.

verfertiget in den Jahren. 1838 – 1839.

Anton Rollett

Kat. Nr. 510

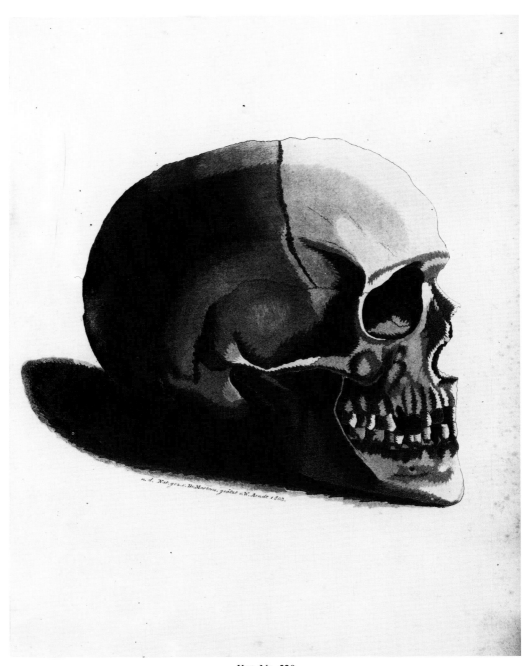

Kat. Nr. 520

514

Carl von Linné

Lehrbuch über das Natur-System so weit es das Thierreich angehet

In einem vollständigen Auszuge der Müllerischen Ausgabe
Zwei Bände mit Titelkupfer, Titelvignette und insgesamt 42 kolorierten Kupfertafeln
Nürnberg bei Gabriel Raspe 1781 und 1782
RM N 27, 28

515

Carl von Linné

Lehr-Buch über das Natur System so weit es das Tierreich angehet

In einem vollständigen Auszuge der Müllerschen Ausgabe
Zwei Bände mit zwei kolorierten Titelkupfern mit 42 kolorierten Kupferstichen
Nürnberg bei Gabriel Nicolaus Raspe 1781
Aufgeschlagen die Titelseite des ersten und Tafel 39 des zweiten Bandes
RM N 27

516

Leopold Trattnick

Ausgemahlte Tafeln aus dem Archiv der Gewächskunde

Zwei Bände in einem gebunden
Wien 1813 und 1814
Mit 210 Tafeln in Kupferstichen, 10 davon koloriert
RM N5

517

Rupert Helm

Verzeichnis derjenigen Obstsorten, welche

sowohl hochstämmig, als auch en Pyramide, und en Espalier im herrschaftlichen Garten zu Leestorf nächst Stadt Baaden in Unterösterreich gezogen werden

Ohne Ort 1811
Mit handschriftlichem Besitzvermerk von A. F. Rollett, 1811
RM TB 10

518

Johann Baptist Ritter v. Lampi d. Ä.
(1751—1830)

Bildnis des anatomen Dr. Franz Joseph Gall (1758—1828)

Kreide, weiß gehöht; 58,0 × 46,5 cm
Unbezeichnet
Rückseitig beschriftet: Dr. Gall gez. von J. B. Lampi, Sen.
RM KS P 3
Vgl. Kat. Nr. 360

Der Anatom F. J. Gall in Wien (1758—1828) war der Begründer und führende Vertreter der Phrenologie (Schädellehre), die die geistig-seelischen Anlagen des Menschen in äußeren Formeigentümlichkeiten von Schädel und Gesicht zu erkennen glaubte. Ein kaiserliches Verbot untersagte 1802 die Verbreitung seiner Lehre und veranlaßte Gall, nach Paris zu gehen. Er entdeckte u. a. die Faserstruktur des Gehirns und den Ursprung der Hirnnerven. — Seine weltbekannte Schädelsammlung überließ er 1825 A. F. Rollett, er starb 1828 auf seinem Landsitz Montrouge bei Paris.
Abb. S. 13

519

Franz Joseph Gall (1758—1828)

Darstellung der neuen, auf Untersuchungen der Verrichtungen des Gehirns gegründeten, Theorie der Physiognomik

Zweite sehr vermehrte Auflage Weimar
1801
RM ME B 156

520

Franz Heinrich Martens

Leichtfaßliche Darstellung der Theorie des Gehirn- und Schädelbaues und der daraus entspringenden physiognomischen und psychologischen Folgerungen des Herrn Dr. Gall in Wien

Mit 10 Kupferstichen
Leipzig 1803
R ME B 153
Abb. S. 12 und 294

521

Holzdose mit Eintragung der phrenologischen Bereiche

Birnbaumholz schwarz gebeizt, roter und schwarzer Lack, Ölfarbe
Durchmesser 9,2 cm
RM

Diese Holzdose ist ein Geschenk Galls an seinen Freund Andreas Streicher, die ihm 1825 über Metternich von dessen Leibarzt Dr. Jäger überreicht wurde. Der Deckel zeigt einen Schädel mit den phrenologischen Bereichen, der Boden die Erklärungen.

522

Schädel mit Eintragung der Neigungs-, Triebs- und Fähigkeitsbereiche, Kopie

Als Vorlage diente jener Schädel der Sammlung des Institutes für Geschichte der Medizin der Universität Wien, auf denen Gall eigenhändig diese Bereiche eingetragen hatte
RM

523

Meßzange zur Schädelvermessung

Eisen
30 × 20 cm (geschlossen)

524

Gipsabgüsse dreier abnormer Köpfe

RM

525

Schädel aus der Sammlung Gall

Nr. 70: „Mann. 32 Jahre alt. Narrheit: Lachen und Singen."
Nr. 87: „Mann. 57 Jahre alt. Er hat nichts geredt."
Nr. 90: „Eissenmanning Theresia, Hausfrau. Branntwein-Säuferin bis zur Verblödung."
Nr. 107: „Hoffmann Joseph. 40 Jahre alt. Narrheit: Er ist der Kaiser. Er hat jedes Papier zu einem Bankozettel gemacht."
RM

Gall ließ sich Schädel Abnormer in Gips nachformen; nach seiner Abkehr von Wien überließ er die Sammlung 1825 Rollett.

526

Unbekannter Zeichner

Baden, Höhlen unter dem Kalvarienberg

Karte und vier Blätter Schnitte durch die Höhlen, auf den Rückseiten handschriftliche Anmerkungen von Gregor Graf Rasumofsky
Pinsel- und Federzeichnungen, aquarelliert, 1821
Von 30,5 × 26,5 cm bis 36,0 × 26,5 cm
TB 245 1—5

Kat. Nr. 527/4

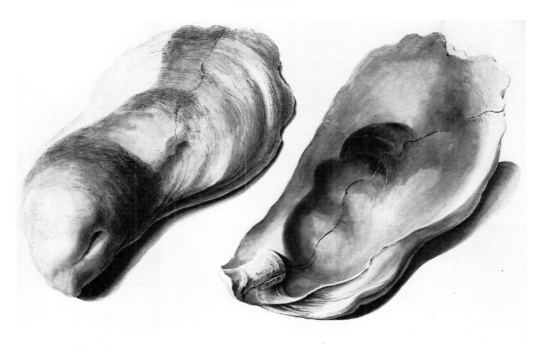

Kat. Nr. 527/3

Die Höhlen lagen unter den Langschen Anlagen (auf dem Kalvarienberg) und wurden nach den Überschwemmungen im Oktober 1821 aufgenommen.

527

Norbert Bittner und Johann Sterber

Darstellungen von Versteinerungen und Fossilien aus der Umgebung von Wien, um 1823

Bleistift, Tuschfeder und Aquarell;
Auf den Rückseiten handschriftliche Anmerkungen von Gregor Graf Rasumofsky

Aus den 30 Blättern ausgewählt:

527/1

Versteinerung eines Seesternes

Sig. re. u.: N. Bittner del:
28,0 × 22,5 cm
RM TB 249/29
Abb. S. 10

527/2

Versteinerung eines Seesternes

Sign. re. u.: N. Bittner del.
29,8 × 22,2 cm
RM TB 249/18

527/3

Versteinerung einer Muschel

unsigniert; 36,4 × 24,5 cm
RM TB 249/20
Abb. S. 297

527/4

Verschiedene Versteinerungen, u. a. Fisch und Seeigel

unsigniert; 31,0 × 22,7 cm
RM TB 249/8
Abb. S. 297

527/5

Fossiler Rhinozerosknochen

unsigniert; 34,7 × 22,6 cm
RM TB 249 / 11
Abb. S. 11

527/6

Fossiler Rhinozerosknochen

unsigniert; 33,5 × 22,5 cm
RM TB 249/7

528

Albert Hamilton (?)

Eule in der Nachtdämmerung

Öl auf Pergament; 42,5 × 50,5 cm
unbezeichnet
RM KS 39

Hermann Rollett berichtet, sein Vater hätte Hamiltons Bild von dem Maler aus Wien während eines Kuraufenthaltes 1808 in Baden in seinen Besitz gebracht.

Lit.: ÖKT Baden, S. 181, Nr. 7

529

Unbekannter Maler

Fischfang am Meeresufer

Öl auf Leinen
unsigniert; 48 × 69 cm
RM KS 38

Das Gemälde aus dem Besitz Dr. Anton Rolletts steht im Zusammenhang mit dessen umfangreicher Conchilien-Sammlung.

Kat. Nr. 502

Die im Katalog angegebenen Maße geben zuerst die Breite, dann die Höhe an.

FOTONACHWEIS

Graphische Sammlung Albertina, Wien

73, 81 o., 91, 93 o. 96/97, 112

Fotostudio Sophie Lesch, Baden

Umschlag (1), 14, 89, 92, 94, 100, 171, 173, 175, 177, 182, 183, 185, 187, 204, 223, 224, 225, 230, 232, 236, 237, 242, 234, 244

Archiv Kräftner, Wien

3, 8, 10, 11, 12, 13, 16, 17, 18, 20, 22, 23, 30, 31, 34/35, 38, 40, 57, 59, 61, 64, 66, 69, 70, 71, 72, 76, 77, 79, 80, 81 u., 83, 84, 85, 86, 88, 93, u. 99, 100, 101, 102, 108, 109, 113, 114, 122, 123, 134, 137, 138/139, 145, 149, 155, 158, 160, 163, 184, 191, 193, 194, 196, 200, 202, 205, 207, 208, 209, 212, 214, 215, 218, 219, 221, 222, 223, 226, 227, 228, 229, 231, 233, 238, 240, 245, 246, 247, 248, 249, 252, 255, 271, 289, 291, 292, 293, 294, 297, 299

Niederösterreichisches Landesmuseum, Wien

104, 115, 118, 119

Bildarchiv der Österreichischen Nationalbibliothek, Wien

Umschlag (1), 14, 89, 92, 94, 100, 171, 173, 175, 177, 182, 183, 185, 187, 204, 223, 224, 225, 230, 232, 236, 237, 242, 243, 244